Het recht in eigen hand

Bezoek onze internetsite www.awbruna.nl
voor informatie over al onze boeken en softwareproducten.

Simon Kernick

Het recht in eigen hand

A.W. Bruna Uitgevers B.V., Utrecht

Oorspronkelijke titel
The Business of Dying
© 2002 by Simon Kernick
Vertaling
Lammert van Nieuwenhuijsen
Omslagontwerp
Plan B Grafimediabureau
© 2003 A.W. Bruna Uitgevers B.V., Utrecht

ISBN 90 229 8686 1
NUR 332

Voor Sally

*Dank aan allen die hebben geholpen bij het
schrijven en publiceren van dit boek.*

Jullie weten zelf wel wie je bent.

Deel 1

Introductie van de doden

1

Er bestaat een waar gebeurd verhaal dat als volgt gaat: enkele jaren geleden ontvoert een 32-jarige man een 10-jarig meisje uit een straat dicht
bij haar huis. Hij brengt haar naar zijn groezelige appartement, bindt
haar vast op het bed en onderwerpt haar een uur lang aan een brute
seksuele beproeving. Het had allemaal nog veel erger kunnen aflopen als
de muren niet zo flinterdun waren geweest. Een van de buren hoort het
gegil en belt de politie. Die komt, trapt de deur in en het meisje wordt
gered (al zal ze er ongetwijfeld nog steeds de littekens van dragen). De
dader wordt gearresteerd en wordt zeven maanden later berecht. Maar
zijn pro-Deoadvocaat weet hem vrij te krijgen op een vormfout. Volgens
haar juridische denkwijze is het beter dat tien schuldigen de dans ontspringen dan dat één man onschuldig de gevangenis in gaat. Hij keert
terug naar de buurt waar hij het misdrijf heeft gepleegd en woont er als
vrij man. De advocate krijgt haar geld, met de complimenten aan de
belastingbetaler, en ze wordt door haar collega's met haar overwinning
gefeliciteerd. Waarschijnlijk hebben ze haar zelfs mee de kroeg in genomen om er een borrel op te drinken.

Ondertussen leeft iedere ouder binnen een straal van 3 kilometer in
angst. De politie probeert de onrust te bezweren door te verklaren dat ze
hem goed in de gaten zullen houden, maar geeft toe dat ze verder ook
niets kunnen doen. Zoals altijd manen ze tot kalmte.

Drie maanden later wordt de vader van het meisje op heterdaad betrapt
bij een poging benzine door de brievenbus van de verkrachter te gieten.
Voor de verandering heeft de politie woord gehouden en bij het huis gesurveilleerd. De vader wordt gearresteerd, beschuldigd van poging tot
brandstichting en poging tot doodslag, en vastgezet in afwachting van
een proces. De plaatselijke krant begint een campagne om hem vrij te
krijgen en biedt een petitie aan van zo'n twintigduizend handtekeningen. Natuurlijk trekt de gevestigde macht zich er niets van aan, en de belangstelling verflauwt tot de vader zich, kort voordat de zaak voorkomt,
in zijn cel ophangt. Is dit het verhaal van een progressieve, sociale
samenleving, of van een samenleving die op het punt staat naar de filistijnen te gaan? Wie het weet, mag het zeggen.

De moraal van het verhaal is een stuk gemakkelijker: als je iemand om zeep wilt helpen, zorg dan voor een goed plan.

21.01 uur. We stonden op het parkeerterrein aan de achterkant van het Traveller's Rest-hotel. Het was een typisch Engelse novemberavond: donker, koud en nat. Niet zo'n goede tijd om op pad te gaan, maar ja, wie kan tegenwoordig nog zijn eigen werktijden bepalen? Het Traveller's Rest zag er allesbehalve rustgevend uit. Het was een van die moderne bakstenen gebouwen met schreeuwerige neonletters, draaideuren en die vloek van de moderne tijd: een wekelijkse karaoke-avond. Het enige positieve was eigenlijk dat het parkeerterrein aan de voorkant was afgesloten omdat het opnieuw werd geplaveid. Dat betekende dat ons doelwit achterom zou moeten komen, weg van de hoofdingang en hopelijk ook weg van eventuele voorbijgangers. Zouden ze lont ruiken? Ik betwijfelde het. Pas als het te laat was misschien.

Ik haat het wachten. Dat is het vervelendste. Het geeft je veel te veel tijd om na te denken. Dus stak ik een sigaret op en nam met een schuldig gevoel een forse trek. Danny trok zijn neus op, maar zei niets. Hij is tegen roken, maar doet er niet moeilijk over. Het is een verdraagzaam type. We hadden zitten praten over die 'vermeende' pedofiele verkrachting, en Danny was het met de advocate eens dat het beter was dat tien schuldigen vrijuit gaan dan dat één onschuldige wordt gestraft. Dat typeerde hem. En het was je reinste onzin. Waarom een meerderheid moet lijden onder het belang van een minderheid, is mij een raadsel. Dat is net zoiets als een televisiestation runnen voor een publiek waarvan twintig miljoen kijkers spelletjesprogramma's willen zien en twee miljoen opera, en dan alleen opera's gaan uitzenden. Als mensen met zulke ideeën een bedrijf zouden leiden, zou het in één dag failliet zijn.

Maar ik mag Danny. En ik vertrouw hem. We werken al een hele tijd samen en weten wat we aan elkaar hebben. En in ons soort werk is dat het voornaamste.

Hij opende het raampje aan de bestuurderskant om wat frisse lucht binnen te laten, en ik huiverde bij de kou die naar binnen kwam. Het was echt een rotavond.

'Persoonlijk zou ik achter die advocate aan zijn gegaan,' zei ik.

'Hè?'

'Als ik de vader van dat meisje was, zou ik die advocate hebben aangepakt in plaats van die verkrachter.'

'Waarom? Wat zou je daarmee opschieten?'

'Omdat je zou kunnen zeggen dat de verkrachter er niets aan kon doen, die was het slachtoffer van zijn instincten – ik zou hem wel de ballen afsnijden, maar daar gaat het niet om. Waar het om gaat, is dat die advocate had kunnen weigeren hem te verdedigen. Het was een intelligente, verstandige vrouw. Ze wist wat hij had gedaan en toch stelde ze alles in het werk om hem vrij te krijgen. Daarom ligt de grootste schuld bij haar.'

'Die redenering kan ik niet volgen.'

'Het grootste onrecht in de wereld wordt niet veroorzaakt door de daders, maar door degenen die hun daden goedpraten.'

Danny schudde zijn hoofd alsof hij zijn oren niet kon geloven. 'Jezus, Dennis, je begint te klinken als een soort Engel des Doods. Ik zou maar een beetje dimmen. Je bent zelf ook niet bepaald een lieverdje.'

Dat was waar. Een lieverdje was ik niet. Maar ik zie mezelf als iemand met principes – gedragscodes waar ik me strikt aan hou – en dat gaf me toch zeker het recht om mijn mening te geven?

Ik stond op het punt om dat tegen Danny te zeggen toen de walkietalkie krakend tot leven kwam.

'Oké, daar zijn ze,' zei de ijl klinkende stem. 'Zwarte Cherokee, drie inzittenden. Ze zijn het.'

Danny startte de motor terwijl ik rustig de auto uit stapte, de sigaret weggooide en naar de plek liep waar de Cherokee zou verschijnen. Ik besefte dat dit de enige kans was die ik zou krijgen.

Er klonk een bonkend geluid toen de wagen de verkeersdrempel nam. Hij kwam om de zijkant van het hoofdgebouw rijden en reed langzaam het parkeerterrein op, op zoek naar een vrije plek. Ik begon te rennen en zwaaide met mijn armen om de aandacht van de bestuurder te trekken. Met mijn keurige colbert, overhemd en stropdas was ik het toonbeeld van de gejaagde zakenman.

De Cherokee bleef rijden, maar kwam tot stilstand toen ik het zijraampje van de bestuurder bereikte en op de ruit tikte. 'Hallo, hallo.' Mijn stem klonk nu anders. Hoger, minder zelfverzekerd.

Het raampje ging omlaag en een streng kijkende vent met een vierkante kaak die eruitzag alsof hij van gietijzer was, keek me aan. Ik schatte hem een jaar of 35. Ik trok een zenuwachtig gezicht. Zowel de bestuurder als de man naast hem, een kleinere, oudere man met brillantine in zijn haar en een vettig glimmend gezicht, ontspande zich al. Ze zagen me niet als een bedreiging. Gewoon een brave burger, iemand die trouw zijn belasting betaalt en doet wat zijn baas hem opdraagt. Ik hoorde de man achterin iets mompelen, maar ik keurde hem geen blik waardig.

'Wat wilt u?' vroeg de bestuurder ongeduldig.

'Eh, ik vroeg me af of…'

Ik haalde mijn Browning uit mijn zak, was heel even bang dat ik hem niet had doorgeladen, en schoot hem tweemaal in zijn rechteroog. Hij gaf geen kik, hij viel gewoon terug in zijn stoel, met zijn hoofd naar één kant, en gaf stuiptrekkend de geest.

De man naast hem vloekte en hief meteen zijn armen in een zinloze poging zich te beschermen. Ik boog me iets dieper voorover om hem beter te kunnen zien en vuurde nog twee kogels af. De ene raakte hem in de elleboog, de andere in zijn kaak. Ik hoorde het kraken. Hij kermde van de pijn en begon hevig te hoesten toen zijn mond zich met bloed vulde. Hij probeerde weg te kruipen in zijn stoel, graaide als een wilde om zich heen, niet in staat te accepteren dat het allemaal voorbij was. Ik nam een andere positie in en schoot nogmaals, nu recht in zijn voorhoofd. Het raampje achter hem kleurde rood en zijn verkrampte gezicht verslapte. Tot dusver had het hele gebeuren hoogstens drie seconden in beslag genomen.

Maar de vent achterin was zo vlug als water. Hij was al bezig het portier te openen om naar buiten te komen met iets wat eruitzag als een pistool in zijn hand. Ik had geen tijd om beter te kijken. In plaats daarvan deed ik drie stappen achteruit en haalde de trekker over toen hij naar buiten kwam. Ik raakte hem ergens in zijn bovenlichaam, maar hij bleef komen, en snel bovendien. Met mijn machinepistool in beide handen, bleef ik vuren, met de kaken op elkaar tegen het lawaai van de schoten in mijn oren. Door de kracht van de kogels werd hij naar achteren geslagen, tegen het portier aan. Hij maakte een wilde, verwarde dans op het ritme van het spervuur, een en al maaiende armen en benen, terwijl er op zijn smetteloze witte overhemd felle rode vlekken verschenen.

En toen was het magazijn leeg en kwam alles even plotseling en dramatisch tot stilstand als het begonnen was.

Eén seconde bleef hij rechtop tegen het portier staan en zag ik de energie bijna letterlijk uit hem wegvloeien. Toen leek hij half te vallen, half te gaan zitten en verloor hij zijn greep op het portier. Hij keek naar het bloed op zijn overhemd en toen naar mij. Daarbij kreeg ik een goed beeld van zijn gezicht. Dat was wel het laatste wat ik wilde, want hij leek hoogstens eind twintig en de uitdrukking op zijn gezicht, die klopte van geen kanten. Wat ik bedoel is dat het niet de blik van een zondaar was. Ik zag er geen minachting, geen woede in. Alleen verbijstering. Verbijstering dat hij van zijn leven werd beroofd. Hij keek als een man die niet begreep waaraan hij dit te danken had, en dat was het moment waarop ik had moeten weten dat ik een vreselijke vergissing had begaan.

In plaats daarvan wendde ik me af en herlaadde mijn wapen. Toen stapte ik naar voren en schoot hem drie keer in zijn voorhoofd. De mobiele telefoon die hij vasthad, kletterde op de grond.

Ik stopte mijn pistool terug in mijn jaszak en draaide me om naar Danny, die kwam aanrijden. Op datzelfde moment zag ik haar, misschien 15 meter verderop. Ze stond in het licht van de nooduitgang en had in elke hand een vuilniszak. Ze was niet ouder dan achttien en ze keek me recht aan, nog steeds te geschokt om te beseffen dat het allemaal echt gebeurde. Wat doe je dan? In de film zou een huurmoordenaar haar met één schot in het hoofd hebben uitgeschakeld, hoewel er geen garantie was dat ik haar van deze afstand zelfs maar zou kunnen raken. Bovendien is het mijn stijl niet om onschuldige mensen te doden.

Haar hand vloog naar haar mond toen ze zich realiseerde dat ik haar gezien had. Ik besefte dat ze elk moment een gil kon slaken waarmee je de doden tot leven kon wekken – wat ik niet kon gebruiken nu de doden nog maar zo kort dood waren. Dus boog ik mijn hoofd en haastte me naar het portier aan de passagierskant, duimend dat de duisternis en de regen mijn trekken voldoende verhuld hadden om een eventueel signalement waardeloos te maken.

Ik sprong in de auto en zakte onderuit in mijn stoel. Danny zei geen woord. Hij trapte op het gaspedaal en weg waren we.

Het was 21.04 uur.

De rit naar onze eerste autowissel duurde exact vier minuten en besloeg een afstand van ongeveer 5 kilometer. Eerder die dag hadden we een Ford Mondeo op een rustig plekje in het bos geparkeerd. Danny stopte erachter, zette de motor af en stapte uit. Ik boog me naar voren, trok een volle 5-litertank met benzine onder de passagiersstoel vandaan en sprenkelde die rijkelijk over het interieur van de wagen. Toen hij leeg was, stapte ik uit en stak een heel boekje lucifers aan, deed een paar stappen naar achteren en wierp het naar binnen. Het moordwapen en de walkietalkie die ik had gebruikt gooide ik erachteraan. Wat volgde, was de bevredigende *woesj* van ontbrandende benzine en een golf van hitte.

Als het uitgebrande wrak werd gevonden, zou dat niets uitmaken. We hadden geen vingerafdrukken achtergelaten en de wagen zelf zou vrijwel onmogelijk te traceren zijn. Hij was zes maanden eerder in Birmingham gestolen, voorzien van nieuwe kentekenplaten, overgespoten en had sindsdien veilig uit het zicht gestaan in een garagebox in Cardiff. In deze branche kun je nooit voorzichtig genoeg zijn. In tegenstelling tot wat veel mensen denken, kunnen de meeste rechercheurs nog geen hartslag bij een amfetamineverslaafde vaststellen, maar je weet maar nooit wanneer je de volgende Ellery Queen tegen het lijf loopt.

Nu volgden we een vooraf uitgestippelde route van 7 kilometer over een netwerk van B-wegen en landwegen, en het was 21.16 uur toen we aankwamen op de parkeerplaats van Ye Olde Bell, een drukke plattelandspub aan de rand van een welvarend ogend forensendorp. Danny reed naar de overkant van het parkeerterrein en stopte achter een wijnrode Rover 600.

Hier scheidden zich onze wegen.

'Heeft dat grietje je goed kunnen bekijken?' vroeg hij terwijl ik het portier opende. Het waren zijn eerste woorden sinds de schietpartij.

'Nee, we hebben niets te vrezen. Het was te donker.'

Hij zuchtte. 'Het bevalt me niks, weet je. Drie moorden met een getuige erbij.'

Zo hardop uitgesproken klonk het inderdaad niet best, maar destijds was er geen reden om te vermoeden dat we gevaar liepen.

'Maak je geen zorgen. We hebben onze sporen goed uitgewist.'

'Dit zal veel stof doen opwaaien, Dennis.'

'Dat wisten we allebei toen we deze klus aannamen. Zolang we rustig blijven en onze mond houden, is er niets aan de hand.'

Ik gaf hem een kameraadschappelijke klap op de schouder en beloofde hem de volgende dag te zullen bellen.

De sleutels van de Rover lagen achter het linkervoorwiel. Ik stapte in, startte de motor en reed achter Danny aan het parkeerterrein af. Hij sloeg af naar het zuiden, ik naar het noorden.

En daar had het bij moeten blijven, maar ik had niet bepaald mijn avond. Ik had nog geen 5 kilometer gereden en was bijna bij de afslag die me terug naar Londen zou brengen, toen ik op een geïmproviseerde wegblokkade stuitte. Er stonden twee Fiat Panda's met zwaailicht aan de kant van de weg: agenten in lichtgevende veiligheidsjassen liepen om een BMW die ze aan hadden gehouden. Mijn hart maakte een sprongetje van schrik, maar ik herstelde me snel. Geen reden tot paniek. Ik was een man alleen, ongewapend, in een auto die nog nooit in de buurt van het Traveller's Rest was geweest, en ze konden zelfs nog geen vaag signalement van me hebben. De klok op het dashboard gaf 21.22 uur aan.

Een van de agenten zag me naderen en stapte de weg op. Hij seinde met zijn lantaarn en gebaarde me achter de andere wagen te stoppen. Ik deed wat me werd opgedragen en draaide het raampje omlaag toen hij naar de bestuurderskant kwam. Hij was jong, hoogstens 23, en zag eruit als een broekie. Ze zeggen dat je oud begint te worden als je vindt dat agenten er jong uitzien. Ik had bijna zijn vader kunnen zijn. Hij maakte ook een heel enthousiaste indruk. Dat zou niet zo blijven. Een andere agent stond een paar meter achter hem toe te kijken, maar de andere twee waren druk in gesprek met de bestuurder van de andere wagen. Geen van allen leken ze gewapend, wat ik gezien de omstandigheden nogal dom vond. Ik had door de blokkade kunnen breken zonder dat ze me tegen hadden kunnen houden.

'Goedenavond.' Hij boog zich naar het raampje en liet zijn blik rustig over mij en het interieur glijden.

Beleefdheid wordt altijd beloond. 'Goedenavond, agent. Wat kan ik voor u doen?'

'Er is iets gebeurd bij een hotel aan de A10, het Traveller's Rest. Ongeveer een kwartier geleden. Komt u toevallig van die kant af?'

'Nee,' zei ik. 'Ik kom van Clavering. Ik ben op weg naar Londen.'

Hij knikte begrijpend en keek me toen opnieuw aan. Je kon aan hem merken dat hij om de een of andere reden niet helemaal overtuigd was, al weet ik niet waarom. Ik ben niet iemand die er verdacht uitziet. Ik zie er echt uit als een aardige kerel.

Maar hij was toch op zijn hoede. Misschien had ik de nieuwe Ellery Queen voor me. 'Kunt u zich legitimeren? Gewoon voor de goede orde.'

Ik zuchtte. Ik had er niet veel zin in, want het zou me op de lange termijn nog veel problemen kunnen bezorgen, maar ik zag niet hoe ik eronderuit kon komen.

Een fractie van een seconde aarzelde ik.

Toen stak ik mijn hand in mijn zak en diepte mijn legitimatiebewijs op. Hij pakte het aan, inspecteerde het zorgvuldig, keek naar mij en toen weer naar mijn legitimatie. Gewoon voor de zekerheid: waarschijnlijk vroeg hij zich af waarom zijn intuïtie hem zo bedroog. Toen hij me weer aankeek, leek hij zich een beetje opgelaten te voelen.

'Brigadier Milne, hoofdstedelijke recherche... Het spijt me, brigadier. Ik realiseerde me niet...'

Ik haalde mijn schouders op. 'Maak je niet druk. Je doet gewoon je werk. Maar als je het niet erg vindt, ik heb nogal haast.'

'Natuurlijk, geen punt.' Hij stapte bij de auto vandaan. 'Een prettige avond verder.'

Ik wenste hem hetzelfde en zette de wagen in z'n achteruit. Arme drommel. Ik herinnerde me maar al te goed hoe het was om op avonden als deze op straat te zijn om urenlang in de stromende regen te posten, en dat voor een paar rotcenten. In de wetenschap dat de mensen naar wie je geacht wordt uit te kijken waarschijnlijk al mijlenver weg zijn. De voordelen van het geüniformeerde bestaan.

In het voorbijgaan stak ik mijn hand op en hij zwaaide terug. Ik vroeg me af hoelang het zou duren voordat hij zijn enthousiasme kwijt was. Hoelang voordat hij besefte dat je door je aan de regels te houden met je kop tegen een betonnen muur liep.

Ik gaf hem twee jaar.

2

Een tijd geleden kende ik ene Tom Darke, bijgenaamd Tomboy. Hij was een heler. Als je iets stal – het maakte niet uit wat – gaf Tomboy je geld en kon je er zeker van zijn dat hij wel iemand kende aan wie hij het kwijt kon. Hij was ook politie-informant, en een goede ook, als je naging hoeveel lui dankzij zijn informatie de nor in draaiden. Het geheim van zijn succes was dat hij een sociaal type was. Hij zei altijd dat hij goed luisteren belangrijker vond dan afluisteren, en hij stelde nooit te veel vragen. Al met al ging er in het Noord-Londense criminele circuit niet veel om wat hem ontging, en hij kwam zo beminnelijk over dat niemand Tomboy ooit verdacht, zelfs niet als het plaatselijke tuig bij bosjes voor de bijl ging.

Ooit vroeg ik hem waarom hij het deed. Waarom verlinkte hij kerels die zijn maten hadden moeten zijn? Want hij kwam bij mij niet over als de typische verklikker. Hij kwam over als een fatsoenlijke vent die zich niet tot dat soort dingen verlaagde. Op die vraag had Tomboy twee antwoorden.

Het eerste lag voor de hand: geld. Er lagen mooie beloningen te wachten op mensen met informatie over criminelen, en Tomboy had de poen gewoon nodig. Hij wilde zich als vrij man uit het wereldje kunnen terugtrekken, want volgens hem voorspelde de komst van technologische middelen van misdaadbestrijding weinig goeds voor het criminele middenkader waartoe hij zichzelf rekende. Dus was het een kwestie van hooien zolang de zon scheen en een leuk spaarcentje opbouwen (hij had zich een bedrag van 50.000 pond ten doel gesteld) en dan als de donder je biezen pakken.

Het tweede antwoord was: als hij hen niet verlinkte, zou een ander het wel doen. Criminelen zijn enorme opscheppers. Aangezien ze uit angst voor de gevolgen niet de hele wereld kunnen vertellen wat ze hebben gedaan, pochen ze graag tegen elkaar over hun prestaties. En aangezien het per definitie een oneerlijk slag is – Tomboy zei ooit: 'Wie heeft er ooit gehoord van een eerlijke dief?' – zal iemand hen vroeg of laat verraden, als het genoeg geld oplevert. Volgens zijn redenering was hij gewoon iemand die zorgde dat hij de anderen voor was.

Dus dat was Tomboys filosofie. Het heeft geen zin om het te laten, want het gebeurt toch, en als je ervoor betaald wordt, des te beter. Ik dacht erover na terwijl ik die avond door de regen naar huis reed. Als ík die mannen niet had gedood, had iemand anders het wel gedaan. Voor hen maakte het geen verschil. Dood is dood. Als je activiteiten ontplooit waarmee je vijanden maakt onder mensen die er geld voor over hebben om hun vijanden uit te weg te laten ruimen, moet je bereid zijn de consequenties te aanvaarden. Zo rechtvaardigde ik het voor mezelf, en zo had Tomboy het altijd tegenover mij gerechtvaardigd. En hem had het nooit geschaad. Integendeel, het had hem kennelijk behoorlijk veel opgeleverd. Het laatste wat ik van hem gehoord had, was dat hij op de Filippijnen woonde. Hij had zijn 50.000 bij elkaar, hem kennende waarschijnlijk heel wat meer dan dat, en had het geïnvesteerd in een strandbar met pensionkamers op een van de meer afgelegen eilanden. Hij had me een paar jaar geleden een ansicht gestuurd waarop hij hoog opgaf van de ontspannen levensstijl op een tropisch eiland. In zijn slotregel zei hij dat ik het maar moest laten weten als ik ooit oren had naar een baantje bij hem.

Meer dan eens had ik de neiging gehad op zijn aanbod in te gaan.

Het was even voor elven toen ik die avond thuiskwam. In mijn geval een gehuurde tweekamerflat aan de zuidkant van Islington, niet ver van City Road. Het eerste wat ik deed was een lange hete douche nemen om de kou uit mijn botten te spoelen. Vervolgens schonk ik een flink glas rode wijn in en installeerde me op de bank in de zitkamer.

Ik zette de televisie aan en stak een sigaret op. Voor het eerst die dag kon ik me eindelijk een beetje ontspannen. Voldaan over het feit dat een potentieel gevaarlijke klus tot een goed einde was gebracht, nam ik een lange, diepe trek en zapte langs de zenders tot ik een verslag over de aanslag vond. Dat duurde niet lang. Bij moord draait alles om aantallen. Dood één persoon en je haalt nauwelijks de binnenpagina's van de krant. Dood er drie en het is groot nieuws, vooral als het op een openbare plek gebeurt. Het geeft de burger wat broodnodige afleiding in zijn alledaagse bestaan, zeker wanneer het de stempel van een criminele afrekening binnen 'het milieu' draagt. Schietpartijen hebben het onderhoudende en afstandelijke van een film. Ze vormen goede gespreksstof.

De details waren vanzelfsprekend nog erg schetsmatig. Het programma dat ik bekeek had een jonge vrouwelijke reporter ter plekke. Ze zag er verkleumd uit, maar leek opgetogen dat ze bij een potentieel sappig, carrièrebevorderend verhaal betrokken was. Het regende nog steeds, alleen was het nu van die fijne motregen die dwars door je kleren heen gaat. Ze had zich opgesteld op het parkeerterrein achter het hotel. Op de achtergrond kon je de Cherokee onderscheiden, zo'n 20 meter verderop, achter felgekleurd politielint. Het wemelde van de geüniformeerde agenten en technisch rechercheurs in witte laboratoriumjassen.

Het verslag duurde niet lang. De verslaggeefster bevestigde dat er drie mensen waren vermoord – identiteit nog onbekend – en speculeerde dat ze doodgeschoten waren. Toen draaide ze zich om naar de waarnemend bedrijfsleider van het hotel, een lange, puisterige jongeman die eruitzag of hij net van school was, en vroeg hem om commentaar.

Dat was, het moet gezegd, niet erg verhelderend. Turend door zijn brillenglazen verklaarde hij dat hij achter de balie aan het werk was geweest toen hij een reeks 'vage knallen' (dat zeggen ze allemaal) uit de richting van het parkeerterrein had horen komen. Hij had er verder niet bij stilgestaan, maar toen was er iemand van het keukenpersoneel aan komen rennen, die riep dat er een moord was gepleegd. Hij, de waarnemend bedrijfsleider, was dapper naar buiten gestapt om te kijken en was meteen op mijn handwerk gestuit, waarna hij de politie had gebeld. 'Het was een hele klap voor ons,' vertelde hij de reporter. 'Je verwacht zoiets niet in zo'n rustige omgeving.' Ook dat zeggen ze allemaal.

De reporter bedankte hem, draaide zich weer naar de camera en beloofde op hijgerige toon dat ze terug zou komen als er meer nieuws was. Toen was de studio weer in beeld. Het leek erop dat ik haar een goede avond had bezorgd.

Ik nam een teug van mijn wijn, nam er de tijd voor om hem genietend door te slikken en schakelde verder. Er was op Discovery Channel een programma over grote witte haaien, waar ik zonder veel aandacht een poosje naar bleef kijken. Hoewel ik de gebeurtenissen van die dag van me af probeerde te zetten, kon ik het niet laten om aan de moorden te denken. Ik veronderstel dat de volle omvang van mijn daad tot me door begon te dringen. Drie levens in rook opgegaan alsof het niets was. Het voelde aan alsof ik een grens had overschreden. Ik heb eerder gedood, dat zal inmiddels wel duidelijk zijn, maar niet vaker dan twee keer, en in volstrekt verschillende omstandigheden.

De eerste keer was twaalf jaar geleden. Toen was ik een van de gewapende agenten die waren opgetrommeld om een huiselijke twist in Haringey te beslechten. Een ongehuwde man bedreigde zijn vriendin en hun twee jonge kinderen met een vuurwapen en een vleesmes. Er werd over de telefoon met hem onderhandeld, maar die vent zat tot zijn wenkbrauwen onder de drugs. Hij sloeg wartaal uit en het schoot allemaal niet op.

Belegeringssituaties zijn de meest frustrerende waar een politieman in verzeild kan raken. Je hebt heel weinig greep op de gebeurtenissen, dus je kunt je voor geen centimeter ontspannen, want je weet nooit of en wanneer er iets gaat gebeuren. In veel gevallen loopt het ook met een sisser af; de verdachte denkt na over zijn daden, realiseert zich dat hij in de val zit en er alleen met handboeien of tussen zes plankjes uit kan, dus laat hij zijn gijzelaars uiteindelijk gaan en komt naar buiten. Het is frustrerend omdat je iets wilt doen om een eind aan de situatie te maken, maar in feite tot een toeschouwerrol bent veroordeeld.

Op de dag van de belegering in Haringey was het heet, herinner ik me. Smoorheet. We waren ongeveer een uur ter plekke en hadden het huis volledig omsingeld, toen onze gijzelnemer, zonder waarschuwing, plotseling in zijn blote bast met een vuurwapen in zijn hand achter het raam aan de voorkant van het huis was verschenen. Het was een forse kerel met het begin van een bierbuik en een getatoeëerde adelaar op zijn borst. Hij riep iets vanachter het glas, opende toen een raampje, stak zijn hoofd naar buiten en schreeuwde iets onverstaanbaars. Ik zat 10 meter verder op straat, weggedoken achter een auto. Naast me hurkte een collega. Hij was ongeveer vijftien jaar ouder dan ik en heette Renfrew. Ik herinner me dat hij een paar jaar later met vervroegd pensioen is gegaan nadat hij een kapot glas in zijn gezicht had gekregen toen hij tussenbeide kwam in een kroeggevecht. Renfrew vervloekte de man binnensmonds. Je kon merken dat hij popelde om hem neer te schieten. En waarom ook niet? Het was gewoon een waardeloze junk die de wereld meer kwaad deed dan goed. Maar Renfrew was door de wol geverfd en had, zoals veel dienders, één oog op zijn pensioen gericht, dus hij zou nooit iets doen wat zijn loopbaan in gevaar kon brengen. Ikzelf had destijds nog idealen. Ik dacht niet aan mijn pensioen. Ik dacht aan die vrouw en die kinderen die daar vastzaten met een onberekenbare gek.

Ik had een oortelefoontje in waardoor de hoofdinspecteur ons toesprak. Niet vuren, zei hij. We zijn nog aan het onderhandelen. Hou hem onder schot, maar schiet niet.

Toen hief onze man, zomaar, zijn wapen en richtte het in het wilde weg onze kant op. De hoofdinspecteur siste iets in mijn oortelefoontje, maar ik verstond het niet. Het zag ernaar uit dat de verdachte de trekker zou gaan overhalen. Ik wist dat hij mij niet zou raken vanaf de plek waar hij stond. Mijn dekking was goed en hij leek te ver heen om goed te richten, maar ik was nog steeds nerveus en kwaad. Die klootzak speelde met ons omdat hij wist dat wij aan handen en voeten gebonden waren. Dat werd me te veel.

Dus vuurde ik. Twee schoten met mijn dienstwapen. Dwars door het raam in zijn bovenlichaam. Een ervan raakte hem in het hart, maar de lijkschouwing bevestigde dat ze beide ook op zichzelf al fataal geweest zouden zijn. Hij was op slag dood, vermoed ik. In elk geval voordat iemand eerste hulp kon bieden.

Mij werd geestelijke begeleiding aangeboden. Ik stemde erin toe omdat erbij werd gezegd dat anders de indruk zou ontstaan dat het me koud liet dat ik iemand had gedood. Veel had ik er niet aan, voornamelijk omdat het me inderdaad koud liet dat ik hem gedood had. In feite was ik heel tevreden. Hij had mij willen doden en ik was hem voor geweest. Maar natuurlijk zei ik dat niet tegen de psycholoog. Tegen hem zei ik dat ik het diep betreurde dat ik iemand van het leven had beroofd, ook al was het plichtshalve. Ik vermoedde dat hij dat wilde horen.

Er kwam een gerechtelijk vooronderzoek, en ik moest getuigen. Er was zelfs sprake van een proces, met name toen men ontdekte dat het wapen dat hij had gedragen een replica was, en ik werd bijna twee maanden geschorst met behoud van salaris. Op de tweede dag van het vooronderzoek verliet ik het gebouw via een zijdeur, toen ik de vrouw en haar broer tegen het lijf liep. Ze spuugde me in het gezicht, maakte me uit voor moordenaar en de broer gaf me een stomp tegen het hoofd. Een geüniformeerde agent kwam tussenbeide voordat het uit de hand liep, maar het incident leerde me twee dingen. Een: vertrouw nooit op de steun van mensen die je probeert te helpen. Zoals politici in de loop der jaren vaak door schade en schande hebben geleerd, kan de hand die je op de schouder slaat je daarna net zo makkelijk in je kruis grijpen. En twee: vertrouw er ook nooit op dat iemand anders je zal steunen. In deze wereld moet je wennen aan het feit dat je er als het erop aankomt altijd alleen voor staat.

Ik werd niet vervolgd voor het doden van de 30-jarige Darren John Reid (die, zo bleek, in totaal 29 veroordelingen op zijn naam had staan, inclusief elf voor geweldpleging, waarvan vier tegen zijn vrouw), maar in de praktijk kwam het op hetzelfde neer. Ik werd van alle vuurwapentaken ontheven (dat is nog steeds zo); ik mocht thuis noch elders wapens hebben; en ik beklom de carrièreladder in de jaren daarna een stuk langzamer. Het lijkt erop dat misdaad alleen loont als je een misdadiger bent.

Ik ben geen slecht mens, wat iedereen die snel met zijn oordeel klaarstaat ook mag denken. Toen ik begon, dacht ik echt dat ik iets kon betekenen. Het enige wat me dreef was de wens het gajes van de straat te halen en te zorgen dat ze rekenschap aflegden voor hun misdaden. Na het geval-

Reid werd ik langzaamaan steeds onverschilliger. Ik veronderstel dat ik eindelijk besefte wat alle strafpleiters weten: hoe goed de wetgever het ook bedoeld heeft, in de praktijk functioneert de wet zo dat de misdadigers de wind mee hebben, de politie wordt gehinderd en het slachtoffer in de kou blijft staan.

Toen ik eenmaal zo cynisch was geworden, duurde het niet lang of ik raakte in verkeerd gezelschap verzeild. In mijn geval was het verkeerde gezelschap ongeveer zo verkeerd als maar mogelijk is, al kon ik niet weten hoe verkeerd toen ik voor het eerst met Raymond Keen, een van Noord-Londens meer kleurrijke entrepreneurs, in zee ging.

Ik werk nu ongeveer zeven jaar voor Raymond. Zoals altijd stelde het in het begin niet zoveel voor; zo gaat het altijd met dat soort dingen. Gewoon nu en dan een paar tips, een waarschuwing vooraf dat er een politieactie op komst is, een verkoop van wat in beslag genomen dope. Kleine dingen. Maar het waren net kankerknobbeltjes: kleine dingen die langzaam maar zeker groter worden. Ik keek er niet eens heel erg van op toen hij me twee jaar geleden vroeg een corrupte zakenman op te ruimen die vierkant weigerde hem de 22 mille te betalen die hij hem schuldig was. De zakenman was een grote smeerlap. Een van zijn nevenactiviteiten was de import van kinderporno. Raymond bood me tien mille om hem uit de weg te ruimen. 'Het zal iedere schuldeiser een hart onder de riem steken,' zei hij, hoewel ik niet goed wist hoeveel schuldeisers zijn voorbeeld zouden volgen en hun schulden zo definitief zouden afschrijven. Maar tien mille is een heleboel geld, vooral als je van een dienderloon moet rondkomen. En nogmaals, het was niet bepaald een vent die iemand zou missen. Dus wachtte ik hem op een avond op bij de garagebox die hij gebruikte. Toen hij naar buiten kwam en naar zijn auto liep, dook ik op uit de schaduw en volgde hem. Toen hij het portier opende, zette ik de geluidsdemper tegen de achterkant van zijn kale knikker en haalde de trekker over. Eén schot was afdoende, maar voor het evenwicht maakte ik het af op twee. *Poef, poef.* Over en uit. Ik was tien mille rijker. Een fluitje van een cent.

Maar drie lui in één keer? Danny had gelijk. Dit zou veel stof doen opwaaien, ook al leek Raymond, die het akkefietje geregeld had, zich weinig zorgen te maken dat het spoor naar hem terug te leiden zou zijn. Maar ja, Raymond was niet het type dat ergens van wakker ligt – in zijn branche is dat vermoedelijk een pluspunt.

Het begon laat te worden. Ik leegde mijn glas, dronk een glas kraanwater tegen de kater en zocht mijn bed op. Achteraf gezien zat het hele gedoe me toen al niet lekker; ik wilde het mezelf gewoon nog niet toegeven. Raymond Keen had me veertig mille betaald om die kerels om te leggen. Dat was een heleboel geld, zelfs na aftrek van Danny's 20 procent. Genoeg om heel veel te rechtvaardigen.

Maar bij lange na niet genoeg om te rechtvaardigen wat nog zou volgen.

3

Om exact tien over acht de volgende morgen begon de zaak bergafwaarts te gaan. Ik was net twintig minuten op en ik stond in de keuken wat brood te roosteren voor mijn ontbijt, toen mijn vaste telefoon rinkelde. Tot mijn verbazing was het Danny. Ik had niet verwacht dat ik die dag van hem zou horen. Hij klonk geagiteerd.

'Dennis, wat is er verdomme aan de hand?'

'Waar heb je het over?'

'Heb je het ochtendnieuws niet gezien?'

Ik voelde een steek van angst. 'Nee, niet gezien. Wat is er dan aan de hand?'

'Die drie kerels, dát is er aan de hand.'

'Wat bedoel je?'

'Ze waren niet wie jij zei dat ze waren, Dennis. Zet de televisie maar aan, dan zie je het zelf.'

Ik zweeg om mijn gedachten op een rijtje te zetten. Dit was niet wat ik wilde horen. Maar het belangrijkste was dat er niet te veel over de telefoon werd gezegd. 'Oké, luister. Blijf waar je bent en maak je geen zorgen. Ik kijk wel even en bel je later terug.'

'Het is mis, Dennis. Vies mis.'

'Ik bel je later terug, oké? Gewoon kalm blijven en doorgaan alsof er niets aan de hand is.'

Ik hing op en zocht meteen naar mijn sigaretten. Ik moest de zaken doordenken, proberen te achterhalen wat er verdomme fout was gegaan. Toen ik ze had gevonden, stak ik er een op, liep door naar de zitkamer en zette de televisie aan. Ik bleef nergens hangen; ik ging regelrecht naar de nieuwszender, maar daar waren ze al over iets anders bezig. Niet in staat een gevoel van angst te onderdrukken over wat ik te zien zou krijgen, schakelde ik over op teletekst. Ik wist dat er iets fout was, de vraag was alleen hoe fout.

Het was het belangrijkste onderwerp. Anders dan bij de andere berichten waren de koppen in grote, vette hoofdletters, zodat zelfs de meest kippige kijker kon zien dat dit belangrijk nieuws was.

Ik had deze drie moorden voor Raymond Keen gepleegd. Raymond had me verteld dat de mannen drugshandelaren waren, gewelddadige drugs-handelaren, die enkele van zijn zakenpartners veel last bezorgden. Maar de kop die me aanstaarde zei iets heel anders. Die zei: TWEE DOUANE-BEAMBTEN EN EEN BURGER BIJ HOTEL DOODGESCHOTEN.

Een paar ogenblikken had ik het krankzinnige idee dat ik het vuur had geopend op de inzittenden van de verkeerde Cherokee. Maar toen ik daar een paar seconden over nadacht, verwierp ik die mogelijkheid. Ik had wel degelijk degenen gedood die ik geacht werd te doden. Raymond Keen had me erin geluisd. Om een of andere reden had hij deze mannen uit de weg willen hebben en me voorgelogen om me zover te krijgen. Hij wist dat ik, als hij me vertelde dat het gewelddadige criminelen waren die de mensen van harddrugs voorzagen, er geen moeite mee zou heb-ben om de trekker over te halen.

Met een diepe zucht leunde ik achterover op de bank en sprak mezelf kalmerend toe. Er was een grote vergissing begaan, dat viel niet te ont-kennen. Maar die was door Raymond georkestreerd. Nu kwam het erop aan dat ik kalm bleef. Er zou veel meer politie worden ingezet om de moordenaars van twee hardwerkende douanebeambten op te sporen dan als het om drie gangsters was gegaan, dus zou ik uiterst voorzichtig moeten zijn. Ik moest uit zien te vinden waar die douaniers mee bezig waren geweest, en wie de burger was die ze bij zich hadden gehad. Ge-wapend met die kennis zou ik kunnen uitzoeken hoe groot de kans was dat de politie Raymond op het spoor zou komen. Het hele geval was bi-zar, want het leek me onwaarschijnlijk dat Raymond zich zou inlaten met iets wat hem en zijn zakenimperium in gevaar zou kunnen brengen. Een positie als de zijne bereik en behoud je niet door vertegenwoordi-gers van het gevestigde gezag te liquideren.

Ik bezit een mobiele telefoon die op naam staat van een man die ik nog nooit heb ontmoet, maar die trouw de rekening betaalt. Wanneer ik met Raymond contact moet opnemen, gebruik ik altijd dat toestelletje, en dat deed ik nu ook.

Helaas was het Luke die opnam. Luke is Raymonds persoonlijk assistent en lijfwacht. Hij is het sterke, zwijgzame type dat je pleegt aan te kijken alsof je hem zojuist een pets op zijn billen hebt gegeven en een kusje hebt toegezonden – één brok smeulende woede en agressie. Het verhaal gaat dat hij ooit een rivaal in de liefde met blote handen de benen gebro-ken heeft, en hij schijnt een expert te zijn in een oosterse vechtsport waarvan ik de naam kwijt ben. Nuttig om bij de hand te hebben bij ruzie in het café, maar dat is het wel zo ongeveer.

'Ja?' gromde hij bij wijze van begroeting.

'Met Dennis. Ik moet Raymond spreken.'

'Meneer Keen is niet bereikbaar.'

'Wanneer kan ik hem het best bereiken?'

'Dat zou ik niet weten.'

Gesprekken met Luke kunnen frustrerend zijn. Hij gedraagt zich altijd als een zware jongen uit een goedkope gangsterfilm.

'Dan wil ik een boodschap voor hem achterlaten. Zeg hem dat ik hem dringend moet spreken. Heel dringend. Hij weet waar het over gaat.'

'Ik zal zeggen dat je hebt gebeld.'

'Doe dat. En als ik aan het eind van de ochtend nog niet van hem heb gehoord, kom ik hem persoonlijk opzoeken.'

'Meneer Keen houdt niet van dreigementen.'

'Ik dreig niet. Ik vertel je gewoon wat er gebeurt als ik niets van hem hoor.'

Hij begon iets te zeggen, maar ik nam niet de moeite om erachter te komen wat het was. Ik hing op en stopte de mobiel in de zak van mijn ochtendjas. Wat een klotemanier om je dag te beginnen.

Ik ben van nature geen paniekerig type. Ik ben wel van mijn stuk te brengen, als de schok groot genoeg is, maar in het algemeen weet ik me zonder al te veel problemen te herstellen. Maar dit was andere koek. Ik had niet alleen mijn carrière en mijn vrijheid in gevaar gebracht, ik had ook elke morele regel die ik mezelf had gesteld geschonden. Ik had mannen gedood die dat, in elk geval op het eerste gezicht, niet verdienden.

Ik ging weer naar de zitkamer, vond nog een sigaret, stak hem op en moest hevig hoesten toen de rook door mijn keel trok. Ik schakelde teletekst uit en zapte doelloos langs de kanalen.

De telefoon ging opnieuw. Mijn vaste lijn, niet de mobiele. Ik liet hem rinkelen. Het kon Raymond niet zijn en Danny wilde ik even niet spreken. Niet zolang ik nog geen beter idee had van wat me te doen stond. Na vijf keer overgaan sloeg mijn antwoordapparaat aan. Mijn verveelde stem vertelde de beller dat ik niet thuis was, maar als hij een bericht, een nummer en de reden van zijn telefoontje achterliet, zou ik hem terugbellen. Of haar, natuurlijk. Als ik geluk had.

Na de pieptoon kwam de stem van mijn directe chef aan de lijn. Ik sprong van schrik bijna van mijn stoel. Wat wilde hij verdomme van me? Zo snel was de val toch niet dichtgeslagen?

'Dennis, met Karl.' Zijn stem klonk vermoeid. 'Ik heb je hier nodig.' Even bleef het stil, toen sprak hij verder. 'Ik ben bij het kanaal achter All Saints Street. Het is vijf voor halfnegen in de ochtend en we hebben hier een lijk. Als je dit bericht binnen de komende twee uur hoort, kom dan hierheen. Ga anders regelrecht naar het bureau. Tot ziens.'

Hij hing op.

Alsof ik al niet genoeg te doen had zonder een moordzaak erbij. Ik had al twee verkrachtingszaken, een gewapende overval, de vermissing van een huisvrouw, een zinloze steekpartij en god weet hoeveel berovingen onder handen. Allemaal in de afgelopen maand gebeurd. De afgelopen zeven dagen had ik er in totaal 59 uur werk op zitten, nog afgezien van de voorbereidingen voor de actie van de vorige avond, en ik was doodop. Het probleem was tegenwoordig tweeledig: ten eerste hadden we lang niet meer zoveel mankracht als vroeger of als onze buitenlandse collega's, want niemand wil tegenwoordig nog bij de politie; en ten tweede is er veel meer misdaad, vooral geweldsdelicten. Ik veronderstel dat het een met het ander te maken heeft, in elk geval ten dele. De criminelen van nu – en ik tel mezelf even niet mee – gaan er veel sneller toe over geweld te gebruiken. Ze hebben er ook meer plezier in. Iemand verwonden of doden is niet langer een middel tot een doel, dus een noodzakelijk kwaad. Voor een heleboel mensen hoort het bij de kick die ze ervan krijgen. Wanneer ik mensen doodde, deed ik dat tenminste nog vanuit de gedachte dat de wereld er beter van werd. Ik had misschien fouten gemaakt, maar dat waren fouten die te goeder trouw waren gemaakt.

Ik rookte de sigaret tot het eind toe op en gebruikte de brandende peuk om de volgende aan te steken. Toen die half op was, kon ik het niet langer uithouden. Ik kan namelijk gewoon niet stilzitten wanneer er een nieuw onderzoek begint, zeker niet als het om moord gaat. De jacht op moordenaars geeft me een kick – misschien geen gezonde kick, ik weet het niet – maar ik vind het heerlijk hun te laten voelen dat ík de man ben die hen te grazen neemt en hun hele leven in de war stuurt.

Bovendien zou de afleiding ervoor zorgen dat ik geen tijd had om te piekeren over dingen waar ik toch niets aan kon veranderen.

Dus drukte ik de sigaret uit in de reeds overvolle asbak en ging op weg naar Regent's Canal, het naargeestige toneel van menig gruwelijk misdrijf.

4

Het was tien over halftien en het regende toen ik op de plaats van het misdrijf arriveerde. Bij de toegang tot het jaagpad stond een geüniformeerde agent te praten met een man in een regenjas die eruitzag als een journalist. Je staat ervan te kijken hoe snel die lui een verhaal ruiken; het lijkt wel alsof ze een extra zintuig hebben waarmee ze van kilometers afstand een vers lijk kunnen bespeuren. Ik drong langs de persmuskiet heen, die me vuil aankeek maar zo wijs was niets te zeggen, en knikte naar de agent in uniform. Ik herkende hem van het bureau, hoewel me geen naam te binnen schoot. Hij herkende mij duidelijk ook, want hij stapte opzij en liet me door.

Dit deel van het kanaal was vrij goed onderhouden. De oude pakhuizen waren gesloopt om plaats te maken voor kantoorgebouwen, die een paar meter verder van de waterkant waren neergezet. In de vrijgekomen ruimte was een keurig plantsoen aangelegd, met een paar bankjes om het parkgevoel te versterken.

De nauwgezette, eentonige jacht op sporen en aanwijzingen was al in volle gang. Ruim twintig mensen waren druk doende om elke centimeter grond van de naaste omgeving af te speuren, op te meten en te fotograferen. Aan de rand van het kanaal stonden vier politieduikers in volledige uitrusting klaar om het troebele water in te gaan. Een van hen stond te praten met hoofdinspecteur Knox, de baas van mijn baas. Hij leidde een zaak als deze en was verantwoordelijk voor de soepele voortgang en zorgvuldigheid van het onderzoek. De sleutel tot een veroordeling zou vrijwel zeker in deze luttele vierkante meters liggen.

Bij de ingang tot een smalle ruimte tussen twee van de gebouwen was een tent geplaatst. Daar lag het lijk en daar zou het ook blijven totdat het minutieus was onderzocht en gefotografeerd. Naast de tent zag ik mijn baas in gesprek met iemand van het forensisch team. Ik liep zijn kant op en knikte naar twee collega-rechercheurs die ik herkende: Hunsdon en Smith. Ze stonden bij een van de bankjes een verklaring op te nemen van een oude man die een aangelijnde Jack Russell bij zich had. Ik nam aan dat de oude man het lijk had ontdekt. Hij zag er bleek en geschrokken uit en schudde zijn hoofd alsof hij nog steeds niet kon geloven wat hij gezien had. Waarschijnlijk was dat ook zo. Dat is altijd moeilijk voor mensen die voor het eerst in contact komen met het handwerk van moordenaars.

Mijn baas draaide zich om en begroette me met een kort knikje toen ik bij hem kwam staan. Het was een koude dag, maar inspecteur Karl Welland transpireerde. Ik vond hem er niet best uitzien. Dat was niets nieuws. Hij was veel te dik, liep snel rood aan, was gespannen als een veer en bevond zich, als mijn geheugen me niet in de steek liet, aan de verkeerde kant van de vijftig. Niet bepaald een kandidaat voor een onbezorgde oude dag. Hij zag er die dag nog slechter uit dan normaal en zijn bleke huid zat onder de felrode vlekken. Ik had veel zin om hem te zeggen dat hij toe was aan vakantie, maar ik hield het voor me. Het is niet aan mij om mijn superieuren op hun ongezonde leefstijl te wijzen.

Hij maakte zich los uit het gesprek dat hij voerde en ging me voor naar de tent. 'Het wordt er nooit makkelijker op, weet je,' zei hij.

'De dood hoort bij het leven, chef,' zei ik hem.

'Misschien, maar is het nou nodig dat mensen zó doodgaan?'

Ik bleef staan en volgde zijn blik. Het meisje kon niet ouder dan achttien zijn geweest. Ze lag op haar rug in de geplaveide steeg tussen de twee gebouwen, haar armen en benen gespreid in een slordige stervorm. Haar keel was zo ver en zo diep opengesneden dat haar hoofd bijna van haar lichaam was gescheiden en er vreemd scheef bij lag ten opzichte van de rest van haar lichaam; dik geronnen bloed bedekte haar gezicht en vormde grillige plassen aan weerszijden van het lichaam. Het bovenstuk van haar zwarte cocktailjurk was ruw opengescheurd en onthulde een kleine puntige blote borst. De rok was tot haar middel opgetrokken. Ze had geen ondergoed gedragen, of als ze dat wel had gedragen, dan nu in elk geval niet meer. Er was ook een heleboel gestold bloed rond haar vagina, wat het waarschijnlijk maakte dat haar moordenaar haar daar eveneens gestoken had. Ik zag meteen dat dit na haar dood moest zijn gebeurd, want haar handen en onderarmen vertoonden geen wonden die erop wezen dat ze had geprobeerd het mes af te weren. Ze was vrij snel gestorven, daar was ik zeker van. Haar gezicht was een grimas van pijn en haar donkere ogen puilden uit, maar er stond geen angst in te lezen. Misschien verbazing of geschoktheid, maar geen angst. Ze had nog steeds een van haar schoenen aan, een zwarte schoen met naaldhak. De andere lag pakweg een meter verderop.

'Ze moet het ijskoud hebben gehad in die kleding,' zei ik toen ik zag dat ze geen nylons of panty droeg; er lag ook niets van dien aard in de buurt van het lichaam.

29

'Lijkt me ook,' zei Welland. 'Ze was gedeeltelijk met een oud kleed bedekt toen we haar vonden. Het is al naar het lab.'

'Wat weten we tot dusver?' vroeg ik, terwijl ik op het lijk bleef neerkijken.

'Niet veel. Ze is vanmorgen even voor achten gevonden door een man die zijn hond uitliet. Er is niet veel moeite gedaan om haar te verbergen, en het ziet er niet naar uit dat ze hier al erg lang ligt.'

'Aan haar kleding te zien zou ik zeggen dat ze een prostituee was.'

'Dat lijkt me een redelijke veronderstelling.'

'Ze gaat met haar klant naar een afgelegen plek, hij trekt het mes, legt een hand over haar mond en vermoordt haar.'

'Daar lijkt het wel op, maar zeker is anders. Een heleboel meiden lopen er tegenwoordig schaars gekleed bij. Zelfs in weer als dit. Het eerste wat ons te doen staat is haar identiteit achterhalen. Ik zet jou ook in het team voor deze zaak, Dennis. Sergeant Malik zal je assisteren en je rapporteert aan mij. Hoofdinspecteur Knox leidt het onderzoek.'

'Ik heb al erg veel werk, chef.'

'Dan heb je een drukke week voor de boeg. Het spijt me, Dennis, maar we zitten krap in het personeel. Heel krap. En het lijkt erop dat het schuim der natie momenteel erg actief is. Ik kan het ook niet helpen.'

Hij had natuurlijk gelijk. We zaten tot onze nek in het werk. Het was een kwestie van pompen of verzuipen. Ik begon mijn aanvankelijke geestdrift al te verliezen. Het zag er op het eerste gezicht niet uit als een gemakkelijke zaak. Als dit meisje een prostituee was, was het zeer waarschijnlijk dat we te maken hadden met een lustmoordenaar. Als het een slimme jongen was, die handschoenen had gedragen en had opgelet dat hij geen speeksel, sperma of eigen bloed op de plaats van het misdrijf achterliet, zou het niet meevallen hem te vinden. Hoe je het ook bekeek, het zat erin dat er een heleboel werk in zou gaan zitten.

Ik wierp nogmaals een blik op het armzalige hoopje mens. Het zou je dochter maar wezen. Het was een trieste manier om aan je eind te komen.

'Ik wil dat deze zaak opgelost wordt, Dennis. Wie dit gedaan heeft...' Hij zweeg even om zijn woorden te kiezen. 'Wie dit gedaan heeft is niet meer dan een beest. Ik wil hem achter de tralies, waar hij thuishoort.'

'Ik zal meteen beginnen,' verzekerde ik Welland.

Hij knikte en veegde zijn voorhoofd weer af. 'Ja, doe dat.'

5

Om 13.05 uur zat ik op een bankje in Regent's Park in afwachting van mijn afspraak een sigaret te roken. Het regende al een tijd niet meer. Het dreigde zelfs een heel aardige dag te worden. Ik had de briefingsessie op het bureau bijgewoond, waar Knox zich had uitgesloofd om enig enthousiasme en spirit in het onderzoek te pompen. Geen eenvoudige taak, want niemand had veel hoop dat de dader snel zou worden gevonden. Ik had Malik op de identificatieklus gezet, wat niet al te veel tijd zou vragen als ze een prostituee was.

Ik mocht Malik. Hij was geen slechte kracht en hij was efficiënt. Als je hem vroeg iets te doen, deed hij het keurig, en dat kom je tegenwoordig niet vaak meer tegen. En hij was ook geen idealist, ook al zat hij pas vijf jaar bij het korps en had hij een universitaire studie achter de rug, een combinatie die meestal weinig goeds voorspelt. Die gestudeerde types, die in ons Britse systeem zo snel de hiërarchische ladder beklimmen, vinden dat je toch vooral de psychologische en economische achtergronden van misdaad moet proberen te doorgronden. Ze willen uitzoeken wat criminelen beweegt en drijft, in plaats van gewoon dat te doen waar ze voor betaald worden: ze oppakken.

Ik keek opnieuw op mijn horloge; dat doe ik constant als ik te vroeg ben voor een afspraak of de ander te laat. In dit geval was de ander te laat. Maar ja, Raymond behoorde nu eenmaal niet tot de meest punctuelen onder ons. Ik had honger. Afgezien van de toast die ik me die ochtend door de keel had gewrongen, had ik bijna 24 uur niet gegeten en mijn maag begon vreemde rommelende geluiden te maken. Ik zou eens regelmatiger en gezonder moeten gaan eten, besloot ik. Een van mijn jongere collega's had me verteld dat sushi heel gezond is. De Japanners eten het voortdurend. Volgens hem hebben zij de laagste longkankercijfers van de geïndustrialiseerde wereld, hoewel ze de zwaarste rokers zijn. Maar rauwe vis? Het was een hoge prijs voor een gezond leven.

'Zin in een wandelingetje, Dennis?' zei Raymond, mijn gedachten onderbrekend. 'Of blijf je liever mediteren?'

Daar was hij, zo fris als een hoentje, met een brede glimlach op zijn grote, ronde gezicht alsof de hele wereld zijn speeltuin was. Dat was Raymond Keen ten voeten uit. Hij was een van die forse, veerkrachtige kerels van wie de joie de vivre afspatte. Zelfs zijn kapsel, een magnifieke volle, zilverwitte haardos die zo geliefd is bij mannen van middelbare leeftijd die hun kalende leeftijdgenoten de ogen willen uitsteken, leek gemaakt om te wereld te vertellen wat een joviaal type hij was. Een beetje vreemd als je naging dat een van zijn belangrijkste en meest winstgevende activiteiten het runnen van een uitvaartcentrum was. Maar zoals je snel merkte wanneer je hem leerde kennen, was Raymond een man met een uiterst ironisch gevoel voor humor.

'Nee, ik denk dat ik maar een eindje met je meeloop,' antwoordde ik.

Ik stond op en we liepen over het gras naar de speelvijver. Een paar kinderen die op school hoorden te zitten waren aan het voetballen en een paar moeders liepen achter kinderwagens, maar voor de rest was het stil in het park.

Ik draaide er niet omheen. 'Wat is er verdomme gebeurd, Raymond? Je zei dat het om drughandelaars ging.'

Raymond deed een poging tot een berouwvolle glimlach, maar hij maakte geen overdreven schuldbewuste indruk. 'Doe me een lol, Dennis. Ik kon je toch niet vertellen wie het echt waren? Dan zou je ze niet hebben neergeschoten.'

'Dat weet ik ook wel! Daar gaat het juist om. Je hebt me betrokken in iets wat ingaat tegen alles waar ik voor sta.'

Raymond bleef stilstaan en keek me met een glimlach om zijn lippen aan. Of ik nu boos was of niet, het was duidelijk dat hij besefte dat ik niets aan de situatie kon veranderen. Hij had me in de tang, en hij wist dat ik dat wist.

'Nee, Dennis. Daar vergis je je in. Het was je eigen keuze. Goed, ik heb de zaak wat rooskleuriger voorgesteld...'

'Je bedoelt dat je hebt gelogen.'

'Maar ik moest van ze af. En jouw morele standpunt in dezen kennende – en wat dat betreft niets dan respect, Dennis – leek het me beter om een paar details weg te laten. Maar ik wil niet dat je er wakker van ligt. Die kerels waren tuig van de richel. Ze chanteerden een paar zakenrelaties van me en die wilden van hen af.' Hij zuchtte gewichtig. 'Het waren corrupte lui, Dennis.'

'En daar moet ik me beter door voelen?'

'Ik voel me er ook rot onder, als dat je troost. Ik heb het niet zo op moord en doodslag. Een mensenleven is een kostbaar iets, waar we niet lichtvaardig mee om mogen springen. Als er een andere manier was, welke dan ook, dan kun je er je straf op gaan dat ik die zou hebben geprobeerd.'

De uitdrukking 'er straf op gaan' lag Raymond in de mond bestorven, ook al betekende die helemaal niets en had ik het nooit van mijn leven iemand horen zeggen. Nu werkte zijn woorden op mijn zenuwen.

'Raymond, je hebt me belazerd. Heb je enig idee tot hoeveel ophef een moord op douanebeambten zal leiden? Dit waren niet drie drugshandelaren die niemand zal missen. Dit waren mensen met gezinnen, die stierven tijdens de uitoefening van hun functie.'

'Het waren corrupte figuren, die stierven omdat ze de verkeerde mensen probeerden te chanteren. Dat waren het.'

'Maar dat is niet wat de media zullen zeggen. Voor de media zijn die kerels overheidsdienaren, bruut vermoord tijdens de uitoefening van hun functie. Ze zullen aandringen op resultaten. Dáár kun je verdomme straf op gaan.'

'Even serieus, Dennis.'

'Ik ben serieus. Bloedserieus. De druk om resultaat te boeken zal enorm zijn.'

'Maar ze zullen geen resultaten boeken, wel? We hebben alles gedaan om onze sporen uit te wissen. Het was een goedgeplande actie. Alle eer aan jou, Dennis. Het was een staaltje van professionaliteit.'

Hij liep weer verder en ik liep met hem mee. Wat hem betrof was het gesprek voorbij. Hij had zijn zegje gedaan en zijn morrende oproepkracht zo goed mogelijk gekalmeerd. Nu was het tijd om weer over te gaan tot de orde van de dag.

Toen deed ik iets doms, iets heel doms. Iets wat mij en een heleboel andere mensen nog een heleboel ellende zou bezorgen. Ik vertelde hem dat ik gezien was.

Hij bleef geschokt stilstaan. Ik had niet anders verwacht.

'Wat bedoel je?' Er klonk nu iets scherps door in zijn stem, al wist ik niet goed of het boosheid of nervositeit was. Waarschijnlijk allebei. Ik had op slag spijt dat ik mijn mond had opengedaan. Ik had alleen een deuk willen slaan in dat zelfgenoegzame harnas van zelfvertrouwen van hem. Nou, het zag ernaar uit dat ik daar maar al te goed in geslaagd was.

'Ik bedoel dat ik ben gezien. Door iemand van het personeel, een keukenmeid of zoiets.'

'Heeft ze je goed kunnen bekijken?'

'Nee. Het was donker en regenachtig, en ze stond een eind verderop.'

'Hoe ver?'

'Zo'n 15, 20 meter. En ik had mijn hoofd omlaag. Ik betwijfel of ze me zou kunnen beschrijven.'

'Mooi.' Hij leek gerustgesteld. 'Waarom zeiden ze daar op het nieuws niets van?'

'Bij zoiets als dit, een moord waarbij alles wijst op een grondige voorbereiding, willen ze de getuige niet onnodig in gevaar brengen. Bovendien zijn ze haar waarschijnlijk nog aan het verhoren.'

'Hoe komt het dat je haar niet neergeschoten hebt?'

'Had je dat dan gewild?'

'Het zou geen slecht idee zijn geweest.'

'Wat? Vier moorden? Kom op, Raymond, we zitten hier in Engeland, niet in Cambodja.'

'Tja, als het waar is dat ze niets heeft gezien, zou het ook niet veel zin hebben gehad...'

'Volgens mij hééft ze niets gezien.'

'Misschien niet. Het heeft natuurlijk geen zin om iemand zomaar te doden.'

'Nee, daar is een mensenleven veel te kostbaar voor.'

Raymond keek me ontstemd aan. Hij was niet iemand die graag werd geplaagd. 'Ik geloof niet dat je in de positie bent om zo hoog van de toren te blazen, Dennis.'

'Wat hebben die douaniers voor iets vreselijks gedaan dat ze dood moesten?'

'Zoals ik al zei, chanteerden ze een paar van mijn zakenpartners. Partners die belangrijk zijn om mijn zaken soepel te laten verlopen.'

'Dat is niet echt een antwoord op mijn vraag.'

'Nou, dat spijt me dan, Dennis, maar meer details zijn momenteel niet beschikbaar.'

'Er was sprake van twee douanebeambten. Wie was die derde persoon?'

'Vanwaar die belangstelling? Je kunt ze er niet levend mee maken.'

'Ik wil weten wie ik gedood heb. En waarom.'

Raymond zuchtte theatraal. 'Ook hij was tuig van de richel. Hij dacht dat hij de andere twee erin luisde. Daarin vergiste hij zich. Nou, dat is alles wat ik erover te melden heb.'

Ik nam een laatste trek aan mijn sigaret en drukte hem met mijn voet uit. Ik was nog steeds kwaad.

'Bekijk het eens vanuit mijn standpunt,' vervolgde hij. 'Gewoon voor de verandering. Ik had iemand nodig die deze klus voor me klaarde, en jij bent de beste man die ik voor dat soort werk heb. Het is jammer dat je voornaamste talent in die richting ligt, want het is een barbaars talent, maar het is niet anders.'

'Je hoefde toch niet per se mij te gebruiken? Iemand als jij heeft genoeg andere contacten.'

'Nou, en? Denk je dat ik eerst ga rondbellen voor een prijsopgaaf? Ik had geen keus, Dennis. Daar komt het op neer. Ik had geen keus.'

'Vraag me nooit meer zoiets te doen.'

Raymond haalde zijn schouders op, zo te zien maakte hij zich niet al te druk. 'Gisteravond was een uitzondering. Het zal niet meer gebeuren.' Hij keek op zijn horloge en toen weer naar mij. 'Ik moet gaan. Om twee uur heb ik een klant.'

'Een dode of een levende?'

'Ze is overleden,' zei hij streng. 'Een auto-ongeluk. Een prachtige meid, en nog maar 23... Had haar hele leven nog voor zich.' Hij vouwde zijn handen voor zich en zweeg een moment, ik vermoedde uit respect voor de dode. Toen was het weer *back to business*. 'Hoe dan ook, ik moet me voorbereiden, en de tijd tikt door. Ik wil niet dat die arme ziel te laat op haar eigen begrafenis arriveert.'

'Dat is heel attent van je.'

'Een beetje attentheid kost niets, Dennis.'

'Nu we het daar toch over hebben: er is nog de kleine kwestie van mijn honorarium.'

'Alsof ik dat zou vergeten.' Hij viste een sleutel uit het borstzakje van zijn duur uitziende pak en gooide hem naar me toe. 'Het geld zit in een bagagekluis op King's Cross Station. Zelfde plek als de vorige keer.'

Ik stopte de sleutel in de binnenzak van mijn colbert en weerstond de neiging hem te bedanken. Er was alles bij elkaar genomen niet veel waar ik hem dankbaar voor moest zijn, vond ik.

Hij voelde dat mijn ergernis nog niet was gezakt en schonk me een plichtmatige glimlach. 'Je hebt goed werk verricht, Dennis. Het zal niet worden vergeten.'

'Nee,' zei ik. 'Daar heb ik ook zo'n vermoeden van.'

Nadat onze wegen zich gescheiden hadden, pakte ik een sandwich in een café in een zijstraat van Marylebone Road. Ze hadden niets met sushi, dus bestelde ik gerookte zalm. Dat leek me nog het dichtst in de buurt te komen. De sandwich smaakte naar karton, maar ik wist niet goed of dat aan de slechte kwaliteit van het brood lag of aan mijn afgestompte smaakpapillen. Ik at hem voor ongeveer driekwart op, spoelde hem weg met een flesje veel te duur mineraalwater en rookte toen snel achter elkaar twee sigaretten.

Op de terugweg naar het bureau ging ik langs bij Len Runnion, die in een zijstraat van Gray's Inn Road een uitdragerij dreef. In zekere zin was Runnion een van Tomboys opvolgers. Hij handelde in gestolen waar en gebruikte de uitdragerij als dekmantel. Hij had echter niet de klasse van Tomboy. Runnion, een klein kereltje met een grijns waarmee vergeleken die van Raymond nog oprecht leek, had sluwe, ratachtige oogjes die voortdurend heen en weer schoten terwijl hij praatte. En hij keek je nooit recht in de ogen, iets wat ik niet uit kan staan. Voor mij is dat een teken dat iemand veel te verbergen heeft. Afgaande op wat ik van Runnion wist en uit zijn manier van doen kon opmaken, denk ik dat hij genoeg geheimen had om een half politiekorps aan het werk te houden.

Bij de gewapende overval die ik nog steeds onder handen had, waren de twee daders een postkantoor binnengevallen en er met een paar honderd autobelastingplaatjes en een klein geldbedrag vandoor gegaan, nadat ze de vrouw van de postdirecteur en een van de klanten hadden neergestoken. Ik had het sterke vermoeden dat het amateurs waren, die niet goed zouden weten wat ze met de plaatjes moesten beginnen, afgezien van ze doorverkopen aan andere criminelen. Voor dat soort buit steken beroeps niet twee mensen neer. Het was dus een redelijke veronderstelling dat ze de buit via iemand als Runnion kwijt zouden proberen te raken, en in dat geval wilde ik het weten.

Runnion beweerde dat hij van geen belastingplaatjes afwist. 'Wat zou ik ermee moeten?' vroeg hij me, terwijl hij een paar protserige namaakjuwelen oppoetste. Ik gaf het voor de hand liggende antwoord, waarop hij zei dat hij geen idee had waar hij zulke zaken zou moeten slijten. Natuurlijk geloofde ik er geen snars van. Lieden in zijn branche weten altijd waar ze contrabande kunnen slijten. Ik vertelde hem dat de daders de vrouw van de postdirecteur en een van de klanten hadden neergestoken en dat het weinig had gescheeld of de klant was doodgebloed. 'Hij was 61 en probeerde het personeel te beschermen.'

Runnion schudde quasi-ongelovig zijn hoofd. 'Dat is toch nergens voor nodig?' zei hij. 'Geweld is nooit nodig. Het gaat allemaal om zorgvuldig plannen, toch? Als je goed plant, loopt niemand kleerscheuren op. Die jeugd van tegenwoordig, die doet maar wat. Het komt door de scholen, weet je. Ze leren ze niets meer.'

Waarschijnlijk was dat waar, maar ik had er geen behoefte aan het uit de mond van een schooier als Len Runnion te horen. Ik drukte hem op het hart dat hij, als hij werd benaderd door lui die gestolen belastingplaatjes aanboden, ze aan het lijntje moest houden, ze terug moest laten komen en mij meteen moest inlichten.

Hij knikte. 'Ja, ja, geen punt. Spreekt vanzelf. Ik doe geen zaken met dat soort klootzakken.' Natuurlijk deed hij dat om de drommel wel. Runnion stond erom bekend dat hij vuurwapens leverde aan wie ze maar nodig had, gewoonlijk op huurbasis. We hadden hem er nooit voor gepakt, maar dat zei niets. We wisten dat hij het deed. 'Als ik iets hoor, bent u de eerste die ik bel, brigadier.'

'Dat zou ik maar doen, Leonard. Dat zou ik maar doen.'

'En zit er voor mij nog een bonusje aan, als ik afkom?' De ogen schoten heen en weer als vliegen boven een wei met verse koeienvlaaien.

'Er zal vast wel iets te regelen zijn,' vertelde ik hem, wetend dat omkopen meestal effectiever is dan dreigen. Waar kon ik hem per slot van rekening mee dreigen? Dat we zijn handel onder de loep zouden nemen wanneer we daar tijd voor hadden? Daar zou hij niet bepaald van ondersteboven raken.

Het was vijf voor twee toen ik Runnions winkel verliet. In plaats van mijn weg naar het bureau te vervolgen besloot ik Malik te bellen om te horen hoe alles ervoor stond.

Hij nam vrijwel meteen op. 'Miriam Fox.'

'Miriam?'

'Het slachtoffer,' zei hij. 'Achttien jaar, net geworden. Drie jaar geleden van huis weggelopen. Sindsdien zwerft ze op straat.'

'Miriam. Een vreemde naam voor een hoertje. Ik neem tenminste aan dat ze een hoertje was.'

'Ja, dat was ze. Zes veroordelingen voor tippelen. De laatste keer was twee maanden geleden. Kennelijk was ze van goede komaf. Haar ouders wonen in Oxfordshire, de vader doet iets belangrijks in computers. Ze zitten er warmpjes bij.'

'Het soort mensen dat hun kind Miriam noemt.'

'Het is wel een naam voor een meisje uit gegoede kringen,' beaamde Malik.

'Een wegloopster dus.'

'Dat vind ik het vreemde: op de hele wereld proberen mensen zich aan de armoe te ontworstelen, een beter bestaan op te bouwen, en dit meisje doet precies het omgekeerde.'

'Doe geen moeite om mensen te begrijpen,' zei ik hem. 'Dat is onbegonnen werk. Is de familie op de hoogte gesteld?'

'De plaatselijke politie is nu bij hen.'

'Mooi.'

'Ik heb hier haar laatst bekende adres. Een flat in Somers Town, niet ver van King's Cross Station.'

Ik moest het Malik nageven: hij had niet stilgezeten. 'Is de woning al verzegeld?' vroeg ik hem.

'Ja. Volgens de inspecteur hebben ze er een mannetje gepost.'

'Sleutels?' Het was altijd de moeite waard naar dat soort dingen te vragen. Je zou er nog van staan te kijken hoe vaak dat soort simpele dingen over het hoofd werden gezien.

'Ik moest ze zelf ophalen. De huisbaas is een inhalige klootzak. Het bleek dat ze achter was met de huur. Hij vroeg me wat hij kon doen om de hand te leggen op het geld dat ze hem schuldig was.'

'Ik hoop dat je hem hebt gezegd dat hij het rambam kon krijgen.'

'Ik zei dat hij maar met haar pooier moest gaan praten. En dat ik zijn adres zou geven zodra ik het had.'

Voor het eerst die dag glimlachte ik. 'Ik wed dat dat hem veel plezier deed.'

'Ik geloof niet dat er veel was wat hem vandaag plezier kon doen. Hoe dan ook, de inspecteur wil dat wij een kijkje gaan nemen op het adres. Een beetje rondneuzen.'

Ik vertelde Malik waar ik was en hij zei dat hij me op zou komen halen. Hij hing op en ik stak een sigaret op, met mijn hand om de aansteker tegen de koude novemberwind.

Terwijl ik daar in de vervuilde Londense stadslucht stond, bedacht ik dat Malik misschien gelijk had. Wat had Miriam Fox bezield om hierheen te komen?

6

Een van de akeligste taken van het recherchewerk vind ik het doorzoeken van de bezittingen van iemand die is vermoord. Wanneer het een geijkt geval is, wat de meeste zijn, is dat niet altijd nodig, maar soms heb je geen keus en dan is het een pijnlijke aangelegenheid, om de eenvoudige reden dat het slachtoffer er iemand van vlees en bloed door wordt en je een beeld krijgt van wat hem of haar bezighield. Daardoor komt het allemaal erg dichtbij. Wanneer je je best doet om rationeel en objectief te blijven, is dat iets waar je niet op zit wachten.

De flat van Miriam Fox bevond zich op de derde etage van een sjofel uitziend pand, dat van een eenvoudige lik verf enorm zou zijn opgeknapt. De voordeur zat niet op slot, dus we liepen regelrecht naar binnen. In het halletje stonden stinkende vuilniszakken en de gang erachter was koud en rook muf. Achter een van de deuren klonk dreunende technomuziek. Het ergerde me dat mensen zo leefden. Zuinigheid is een mooi ding, maar dit was onnodige verwaarlozing. Het had niets te maken met armoede. Het ging om zelfrespect. Je vuilnis aan de weg te zetten kost niets en van een pot verf ga je echt niet failliet. Voor de prijs van een paar buitenlandse biertjes of een gram heroïne kun je heel wat verf kopen, plus kwasten voor iedereen. Het is allemaal een kwestie van prioriteiten. Er stond een geüniformeerde agent buiten de deur van flat nummer 5. Iemand in flat nummer 4, verderop in de gang, had ook muziek op staan, maar gelukkig niet zo hard als die vent beneden. Het klonk ook een stuk beter en hipper – een vrouw die ernstig zong over iets wat duidelijk belangrijk voor haar was. De geüniformeerde agent keek opgelucht dat hij van zijn bewakingstaak werd ontheven en nam snel de benen.

Ik controleerde het slot op sporen van braak, zag er geen en opende de deur.

Zoals verwacht was het interieur een puinhoop. In die zin paste het bij de rest van het pand. Maar het was niet de puinhoop van iemand die helemaal was afgegleden en zich niet langer om haar omgeving bekommerde – het beeld dat veel mensen hebben bij straathoeren. Het was de puinhoop van een tienerkamer. Een onopgemaakte bedbank besloeg bijna de helft van het vloeroppervlak van de niet bepaald ruime zitkamer. Hij lag vol met kleren, niet de sexy kleren die een prostituee draagt om klanten te trekken, maar maillots en truien, dat soort dingen. Gewone dingen. Links en rechts van het bed stond een versleten stoel, en vanaf alle drie de meubelstukken kon je naar een oude draagbare televisie kijken die op een ladekast stond. Aan de muur hingen platen: een paar impressionistische reproducties; een kleurige fantasyposter van een vrouwelijke krijger op een zwarte hengst, met het zwaard in de hand en het blonde haar wapperend in de denkbeeldige wind; een zwaarmoedig ogende popband die ik niet herkende; en een paar foto's.

Ik bleef staan waar ik stond en keek de kamer rond. Een deur aan de linkerkant leidde naar een badkamer, via een deur rechts kwam je in een keukentje dat er niet veel groter uitzag dan een flinke klerenkast. Voorzover ik kon zien was er maar één raam in de hele flat, al was het gelukkig groot genoeg om wat licht toe te laten. Het keek uit op een bakstenen muur.

Op de vloer voor mij, tussen de tienerbladen, lege cd-doosjes, pakjes Rizla-vloei en andere troep, stond een enorme ronde asbak die zo groot was als een etensbord. Er lagen zo'n tien tot vijftien peuken in, plus de resten van een paar joints, maar wat mijn aandacht trok waren de propjes aluminiumfolie, de kleine bruine pijp en de donkere vlekken van gekristalliseerde vloeistof die er als gemorste verfdruppeltjes over verspreid waren.

Het verbaasde me niet dat ze aan crack verslaafd was. De meesten van die meiden zijn dat, vooral de jonge. Het is óf crack óf heroïne. Het houdt hen afhankelijk van hun pooier en maakt dat het geld dat ze verdienen nooit genoeg is.

Ik stak een sigaret op, want het leek me dat het nu toch niets meer uitmaakte. Malik wierp me een afkeurende blik toe terwijl hij zijn handschoenen aantrok, maar net zoals Danny de avond ervoor zei hij niets.

We gingen zwijgend aan het werk. Malik begon met de ladekast waar de televisie op stond. We wisten allebei waarnaar we zochten: kleine aanwijzingen, zaken die voor het ongeoefende oog op zich weinig belangrijk waren, maar die samen met wat het onderzoek verder naar boven bracht konden worden gebruikt om een beeld te construeren van het leven en uiteindelijk de dood van Miriam Fox.

Ze moest ooit best een knappe meid zijn geweest. Er hing een foto van haar onder een schuine hoek tegen de muur geprikt. Op die foto stond ze in dezelfde kamer als waar wij nu waren, gekleed in spijkerbroek en een hemelsblauw topje dat een melkwit middenrif bloot liet. Ze had geen schoenen aan en haar blote voeten waren lang en smal. Ze had één hand op haar heup, terwijl ze met de andere door haar dikke zwarte haar streek. Ze trok een spottend pruilmondje naar de fotograaf. Ik denk dat de pose sexy bedoeld was, maar de algehele indruk was die van een jong meisje dat haar best doet om als een vrouw over te komen. Ik kende haar niet, en zou haar ook nooit kennen, maar op dat moment had ik met haar te doen.

De drugs hadden hun tol geëist. Haar gezicht was uitgemergeld en haar ogen stonden hol en vermoeid. Het leek alsof ze in geen maanden behoorlijk had gegeten, wat waarschijnlijk ook zo was. Maar helemaal hopeloos leek haar toestand nog niet. De schade leek nog niet onherroepelijk. Met wat tijd, goede nachtrust en een gezond eetpatroon had ze haar leven ten goede kunnen keren en weer mooi kunnen worden. Ze had haar jeugd nog mee gehad.

Naast de foto hing een spiegel in de vorm van een glimlachende maan. Ik zag mezelf erin en kon me niet aan de indruk onttrekken dat ook mijn uiterlijk een ongezonde levensstijl begon te weerspiegelen. Mijn jukbeenderen staken veel te ver uit. Ze waren zo geprononceerd dat het leek alsof ze aan de rest van mijn gezicht wilden ontsnappen. Om het nog erger te maken waren er kleine gesprongen adertjes aan weerszijden van mijn neus verschenen. Ze waren nog vrij klein, in totaal drie, hadden de vorm en grootte van geluksspinnetjes, maar ze verontrustten me omdat ze, nu ze er eenmaal waren, voor altijd zouden blijven. Helaas had ík mijn leeftijd niet mee.

Een ijdele man kan niets ergers overkomen dan te worden ingehaald door de werkelijkheid. Dat kan een hele klap zijn. Ik heb mezelf altijd beschouwd als een man die er behoorlijk goed uitziet. Om eerlijk te zijn hebben aardig wat vrouwen dat in de loop der jaren tegen me gezegd. Niemand die het gezicht zou zien waar ik nu naar keek zou dat nog hebben gezegd.

Er waren twee pasfoto's, nog aan elkaar vast, tussen de plastic coating en het glas geschoven. Ik verwijderde ze zo voorzichtig mogelijk en onderwierp ze aan een nader onderzoek. Ze waren duidelijk kort na elkaar gemaakt in een van die fotocabines zoals je ze op treinstations en in een enkel warenhuis ziet, want ze waren in grote lijnen identiek: twee lachende meiden met de armen om elkaar heen geslagen, de gezichten tegen elkaar aan gedrukt. Een van de twee was Miriam Fox, de ander was jonger en mooier. Het jongste meisje had blond krulhaar dat kort was geknipt en, anders dan Miriam, een rond engelentoetje met een paar grappige sproeten. Alleen aan haar ogen – lang niet zo fris en helder als

de rest, want hoe ze ook hun best deden om vrolijk te kijken, daar slaag-
den ze niet helemaal in – kon je zien dat ook zij wellicht een straatkind
was. Ik schatte haar op veertien, maar ze kon ook nog twaalf zijn geweest. Ze waren allebei gekleed in dikke jassen en het meisje had een
dikke das om haar nek, dus ik vermoedde dat de foto vrij recent was.

Ze leken goede maatjes. Misschien kon dit meisje enkele van de lacunes
omtrent Miriam Fox' leven invullen. We zouden haar moeten lokalise-
ren, als ze tenminste nog in de stad was.

Ik stopte de foto's in mijn notitieboekje en begaf me naar een gehavend
uitziende klerenkast naast de badkamerdeur.

We liepen alles systematisch na. Malik ontdekte een bundeltje bankbil-
jetten: acht briefjes van twintig pond, een van vijftig (die kom je niet
vaak meer tegen) en een van tien. Hij leek erg ingenomen met de
vondst, al had ik geen idee waarom. Een prostituee die contant geld in
haar flat bewaarde, was nauwelijks groot nieuws te noemen.

'Het betekent dat ze beslist van plan was hier terug te komen,' legde hij
me uit.

Ik vertelde hem dat dat me nogal logisch leek. 'Als ze is vermoord door
een klant die ze op straat heeft opgepikt, dan was ze natuurlijk van plan
hier terug te komen. Wat dacht je dan?'

Malik knikte instemmend. 'Maar we zijn nog steeds op zoek naar een
motief, toch?' zei hij onverstoorbaar. 'En dit wijst er in elk geval op dat
ze niet voor iets op de loop was en werd gegrepen voordat ze kon ontkomen. Dat maakt onze theorie van een sadistische klant heel wat plausibeler.'

Plausibel. Mooi woord, moest ik ook eens meer gaan gebruiken. Maar
Malik had natuurlijk gelijk. Het hielp inderdaad om andere theorieën uit
te sluiten, zodat we onze naspeuringen meer konden toespitsen, maar ik
vond dat hij de zaken nodeloos ingewikkeld maakte. Malik probeerde
het met een Sherlock Holmes-blik te bekijken, terwijl dat helemaal niet
nodig was. Als een prostituee met een afgesneden keel, verminkte geslachtsdelen en gescheurde kleren aan de rand van een beruchte rosse
wijk wordt gevonden, is het vrij duidelijk wat er gebeurd is.

Dat dacht ik tenminste.

In de klerenkast was niets informatiefs te vinden. Hij bevatte een paar
laden met allerlei prullaria; een paar boeken, waaronder vreemd genoeg
twee van Jane Austen (hoeveel hoeren lezen Jane Austen?); een zakje
dope; een ongeopende slof Marlboro Lights; een sieradenkistje vol goedkope sieraden. Niets ongewoons, maar geen adresboekje of iets anders
wat ons verder kon helpen. De moordenaar zou een van haar vaste klan-

ten kunnen zijn, bijvoorbeeld iemand die verliefd op haar was, maar wiens liefde niet werd beantwoord. Uit frustratie vermoordt hij haar. In een vlaag van drift verminkt hij het lijk. Een adresboekje had gegevens van die man kunnen bevatten, als hij bestond. Maar natuurlijk werkt het tegenwoordig een beetje anders. Ze kon de gegevens over haar klanten ook in een palmtop of een mobieltje hebben opgeslagen in plaats van ze op papier te zetten. In een pand als dit legde je natuurlijk geen gemakkelijk door te verkopen spullen zoals elektronische speeltjes te kijk zodat je buren ze konden pikken, dus als ze iets van dien aard bezat, en dat leek me erg waarschijnlijk, leek het me dat ze die ergens in de flat zou hebben verstopt.

'Had ze een mobiel bij zich toen ze haar vonden?' vroeg ik Malik.

'Ik geloof van niet,' zei hij schouderophalend. 'Maar ik weet het niet zeker.'

Ik overwoog Welland te bellen en het hem te vragen, maar besloot toen dat het waarschijnlijk handiger was om er gewoon naar te zoeken. Ik kon me niet herinneren dat hij in zijn briefing iets over een mobiele telefoon had gezegd. 'Help me eens om dit bed op te tillen, wil je?'

Malik tilde het op terwijl ik eronder keek. Afgezien van een heleboel stof, nog een boek (al weer een Jane Austen) en een slipje, lag er niets. Ik kwam overeind en Malik zette het bed weer neer. Ik vroeg me net af waar ik nu eens zou gaan kijken, toen er hard op de deur werd geklopt. We bleven stokstijf staan en keken elkaar aan. Weer werd er geklopt. Degene aan de andere kant was niet bepaald geduldig. Ik was heel benieuwd wie het was, dus ik liep naar de deur en opende hem voordat hij nogmaals kon aankloppen.

Een stevig gebouwde zwarte man van achter in de twintig keek me dreigend aan. Hij draaide er niet omheen. 'Wie ben jij verdomme?' vroeg hij, terwijl hij me opzij drong en de flat in liep. Hij bleef staan toen hij Malik met rubberhandschoenen bij het bed zag staan. Hij begreep meteen hoe laat het was. Ik sloot de deur om een snelle ontsnapping te voorkomen. 'Jullie zijn smerissen, hè?' voegde hij er ietwat onnodig aan toe.

'Nu u hier toch bent,' zei ik, terwijl ik achter hem ging staan, 'willen we u een paar vraagjes stellen.'

'Wat is er aan de hand?' vroeg hij en hij draaide zich snel naar me om. Ik kon zien dat hij de mogelijke redenen van onze aanwezigheid probeerde in te schatten, en of hij er belang bij had om te blijven. Hij had niet veel tijd nodig om te besluiten dat hij beter kon maken dat hij wegkwam. Hij gaf me een harde duw tegen de borst en rende naar de deur. Ik wankelde, maar wist op een of andere manier overeind te blijven. Hij greep de deurknop, trok de deur open en probeerde hem voor mijn neus dicht te slaan. Het scheelde niet veel of het was hem gelukt, maar mijn reflexen lieten me niet in de steek en ik slaagde erin naar buiten te glippen en achter hem aan te rennen, met Malik op mijn hielen.

In mijn schooltijd deed ik aan hardlopen en op mijn dertiende liep ik de 100 meter in 12,8 seconden, maar dertien was lang en veel sigaretten geleden.

Maar op de korte afstand was ik nog steeds snel, en terwijl hij de hoek om vloog en met twee treden tegelijk de trap af stormde, was ik maar een paar meter achter hem. De voordeur stond op een kier en hij trok hem open en bleef rennen, alles in een min of meer doorgaande beweging. Maar ik begon op hem in te lopen. Toen ik de bovenste tree van de buitentrap bereikte, dook ik op zijn rug en greep hem vast in een wanhopige omhelzing. 'Oké, afgelopen!' hijgde ik zo gezaghebbend als ik kon. Maar het leek niet te werken. Hij bleef doorlopen, worstelde zich los uit mijn greep en slaagde erin een elleboog in mijn gezicht te planten. Ik slaakte een kreet, maar bleef hem volgen, met één hand uitgestrekt om hem bij zijn kraag te grijpen, terwijl ik me met zwoegende longen afvroeg hoe ik deze vent klein zou kunnen krijgen. Plotseling hield hij abrupt in en draaide zich half om, zodat hij naast me kwam, en haalde uit om me een dreun te verkopen. Hoewel ik precies wist ik wat er zou gaan gebeuren, kon ik het met geen mogelijkheid verhinderen, daarvoor had ik zelf nog te veel vaart. Zijn vuist raakte me recht op mijn rechterwang en bracht me volledig uit balans. De klap dreunde door mijn hoofd en ik beet op mijn tong terwijl ik tegen een muur viel. Mijn benen zwabberden onder me, lieten me toen in de steek en ik viel achteruit op het trottoir, recht op mijn krent.

Malik hield onmiddellijk in en bleef naast me staan. 'Alles goed, brigadier?' riep hij met meer bezorgdheid dan ik van hem zou hebben verwacht.

'Ga achter hem aan!' hijgde ik, terwijl ik hem wegwuifde. 'Vooruit, ik mankeer niets.'

Wat natuurlijk kletskoek was. Ik had het gevoel alsof ik dood was. Mijn longen stonden op springen en de hele rechterkant van mijn gezicht bonsde.

Ik opende mijn ogen en merkte dat ik behoorlijk wazig zag. Vanaf de plek waar ik waar ik was gevallen, zag ik Malik met zijn volle 1 meter 70 de straat door verdwijnen, gewapend met niets meer dan scherpe bevelen. Op de een of andere manier had ik niet het idee dat er een arrestatie ophanden was.

Ik zou eens moeten stoppen met roken. Alles bij elkaar kon ik niet meer dan 30 meter hebben gelopen, maar ik had het gevoel of ik er een sprint van een kilometer op had zitten. Het probleem met te weinig lichaamsbeweging, zeker als je het combineert met een ongezonde manier van leven, is dat je niet beseft hoe slecht je conditie is. Ik zou weer eens naar de sportschool moeten, ook al was mijn lidmaatschap al bijna twee jaar verlopen. Ik kon niet nóg eens zo afgaan. Dat stuk verdriet, dat naar zijn gedrag te oordelen vast en zeker de pooier van Miriam Fox was, had me tot moes kunnen slaan als hij dat gewild had, zo ongelijk lagen de verhoudingen.

Aan de overkant van de straat kon ik een vrouw van middelbare leeftijd uit het raam naar me zien kijken. Ze keek alsof ze met me te doen had. Toen ik haar blik opving, wendde ze zich echter af en verdween.

Terwijl ik voorzichtig ging staan, voelde ik een machteloze woede in me opkomen. Hij had me compleet voor schut gezet. Ik wilde dat ik het wapen had dat ik de vorige avond had gedragen. Dan had ik die klootzak aan gort kunnen schieten. Ik zou me niet eens moe hebben hoeven maken. Ik had gewoon de trap af kunnen lopen, op het midden van zijn rug hebben kunnen richten en op mijn gemak kunnen vuren. Hij mocht dan een stevige knaap zijn, maar ik moest de eerste nog tegenkomen op wiens rug lood afketste.

Malik kwam weer in beeld: hij kwam rustig teruglopen, en mijn woede bedaarde. We zouden hem wel krijgen. Het was een kwestie van geduld. Misschien, heel misschien, zou ik hem als hij weer op vrije voeten was op een avond opsporen en hem uit zijn lijden verlossen. Bij de gedachte alleen al voelde ik me al beter.

Malik keek chagrijnig. 'Ik ben hem kwijtgeraakt,' zei hij terwijl hij voor me bleef stilstaan. 'Hij was te snel.'

'Ik weet dat ik het niet moet zeggen, maar ik ben bijna blij dat je hem niet hebt ingehaald.'

'Ik kan uitstekend voor mezelf zorgen, brigadier. U bent trouwens degene die de klappen heeft opgelopen. Gaat het een beetje?'

Ik wreef over mijn wang en knipperde een paar keer met mijn ogen. Ik zag nog steeds een beetje wazig, maar het werd al minder. 'Ja, ik geloof het wel. Maar die smeerlap had een goede punch.'

'Dat zag ik. Wie denkt u dat het was?'

Ik vertelde het hem en hij knikte instemmend. 'Ja, ik dacht ook al iets in die richting. Wat doen we met hem?'

'Het zal niet lang duren voor we zijn naam weten. Er zijn vanavond heel wat agenten op straat om met de andere hoeren te praten. Ze komen er wel achter wie hij is. Dan pakken we hem bij zijn kraag.'

Ik bedacht dat hij ook wel eens de pooier van het blonde meisje op de foto met Miriam zou kunnen zijn. Bij die gedachte voelde ik plotseling een beschermende neiging jegens haar opkomen. Ze was te jong om haar lichaam op straat te verkopen en te kwetsbaar om onder de duim te zitten bij iemand zoals hij. Hoe eerder we hem grepen, hoe beter.

We hernamen ons speurwerk in de flat, maar we vonden niets van betekenis. Ik nam contact op met Welland, en hij droeg ons op om met de andere bewoners van het pand te gaan praten. Dat leverde niets op. Nummer 1, die van de technomuziek, vertikte het om open te doen, waarschijnlijk omdat hij ons niet kon horen. Nog een paar uur en hij zou helemaal niets meer kunnen horen. Nummer 2 was niet thuis. Nummer 3, een kleurrijk uitgedoste Somalische vrouw met een baby op de arm, sprak geen Engels. Ze herkende Miriams foto, maar ik denk dat ze dacht dat we haar flat zochten, want ze bleef maar naar boven wijzen. Zonder een Somalische tolk zouden we niet veel verder komen, dus bedankten we haar en vertrokken.

Nummer 4 deed uiteindelijk open nadat we minstens drie keer hadden aangeklopt. Hij was een lange slungel met een John Lennon-brilletje en een slecht verzorgd baardje. Hij wierp één blik op ons en begreep meteen dat we van de politie waren. In onze regenjassen en goedkope pakken konden we echt niets anders zijn. Hij leek niet erg blij ons te zien, wat niet zo vreemd was gegeven het onmiskenbare aroma van vers uitgeblazen wiet dat door de kier in de deuropening naar buiten kwam.

Ik zei wie we waren en vroeg of we binnen konden komen. Hij wilde zeggen dat het nu niet goed uitkwam, zoals ze allemaal zeggen als ze iets te verbergen hebben, maar ik was niet van plan om deze man te laten gaan, niet na de vergeefse pogingen elders in het huis. Ik vertelde hem dat het om een moordonderzoek ging en dat we niet geïnteresseerd waren in het feit dat hij in de privacy van zijn eigen woning aan het blowen was. Malik, die van de antigedoogschool was (wanneer het hem uitkwam, natuurlijk), schonk me de onvermijdelijke afkeurende blik waar ik al aan gewend begon te raken bij mijn ondergeschikten, maar ik negeerde hem. De vent had niet veel keus, dus hij liet ons binnen en zette de muziek uit. Hij ging zitten op een grote zitzak en gebaarde vaag naar de andere aanwezige zitzakken ten teken dat we ook plaats konden nemen.

Ik zei dat we liever bleven staan. Hij keek nerveus en verward terug, maar daar kon ik niet mee zitten. Ik wilde dat hij dit gesprek serieus nam, dat hij zijn hersens pijnigde om informatie op te diepen waar we iets aan hadden.

In de praktijk werd ik niet veel wijzer van hem. Zijn naam was Drayer.

Hij voegde eraan toe dat zijn voornaam Zeke was, maar ik zei hem dat ik niet geloofde dat iemand zijn kind Zeke noemt, niet bij zijn geboorte, die minstens veertig jaar geleden plaats moest hebben gevonden. Hij hield vol van wel. Ik vroeg hem of het de naam was die op zijn geboortebewijs stond. Hij gaf toe dat dat niet zo was. 'Hebt u hem dan misschien door de rechter laten veranderen?' Met tegenzin bekende hij dat hij dat niet had gedaan.

Uiteindelijk kreeg ik uit hem dat zijn echte voornaam Norman was. 'Norman is een prima naam,' zei ik hem. 'Niet beroerder dan Dennis, zoals ik heet.'

'Dat zeker niet,' zei hij droogjes. De brutale hond.

Norman bleek dichter van beroep. Hij droeg zijn werk voor in enkele pubs en clubs rond King's Cross en sleet zijn gedichten af en toe aan een paar tijdschriften en bloemlezingen. 'Het is geen vetpot,' bekende hij, 'maar ik kan er fatsoenlijk van leven.' Rondkijkend in zijn afgeleefde woonkamer wist ik niet of ik het zo zou hebben uitgedrukt. Maar goed, iedereen heeft recht op zijn eigen illusies.

Norman leek oprecht uit het veld geslagen toen hij hoorde dat Miriam degene was die was vermoord. Hij had haar niet echt gekend, zei hij, want ze was nogal op zichzelf, maar als hij haar in de gang was tegengekomen, had ze altijd geglimlacht en gegroet. 'Het was een aardig meisje, weet u. Er ging nog iets van uit. Zo zijn er niet veel in deze stad.'

We knikten instemmend. 'De grote stad kan hard zijn,' zei ik rijkelijk overbodig. 'Kreeg ze veel bezoek? Herenbezoek?'

'Eh... nee, ik geloof het niet,' zei hij nadenkend. 'Maar één man heb ik een paar keer naar boven zien gaan.'

'Hoe zag hij eruit?' vroeg Malik.

'Hij was gespierd, goedgebouwd. Aantrekkelijk voor vrouwen, lijkt me. En hij straalde iets vurigs uit, iets hartstochtelijks. Agressief bijna. Alsof er ergens vanbinnen een vulkaan op uitbarsten stond.'

'Dat is een verschrikkelijke beschrijving,' zei ik hem. 'Probeer het nog eens. Was hij groot, klein? Zwart, blank?'

'Hij was zwart.'

Ik beschreef de vent die me zojuist een dreun had verkocht, en al snel bleek dat ze een en dezelfde waren. Nou, wat dat betreft had hij dus gelijk. Van agressie kon je wel spreken.

'Hoe vaak kwam hij bij haar over de vloer?'

'Ik heb hem misschien twee of drie keer in de gang of op de trap gezien. Hij heeft nooit iets tegen me gezegd.'

'In hoeveel tijd?'

Hij haalde zijn schouders op. Ik denk dat hij kwaad was dat ik de draak had gestoken met zijn karakterisering. 'Ik weet het niet, misschien drie maanden.'

'En wanneer hebt u hem voor het laatst gezien?'

'Een paar weken geleden. Zoiets.'

'Niet in de afgelopen twee of drie dagen?'

'Nee.'

'Hoelang woont u hier al?' vroeg Malik.

'Ongeveer een jaar nu.'

'En woonde mevrouw Fox hier al toen u hier introk?'

'Nee. Ze kwam... Ik weet het niet, pakweg een halfjaar geleden.'

'En u herinnert u geen ander mannelijk bezoek?'

Hij schudde zijn hoofd. 'Nee, ik geloof van niet. Hoor ik dat dan te weten?'

'Ik dacht dat dichters er een eer in stelden opmerkzaam te zijn,' zei ik hem. 'U weet wel: je omgeving observeren en commentaar geven op wat je ziet.'

'Wat bedoelt u? Waar hebt u het over?'

'Ze was prostituee, meneer Drayer. Wist u dat niet?'

Dat bleek hij niet te weten. Waarschijnlijk kwam dat doordat hij zich geen andere mannelijke bezoekers herinnerde. Kennelijk had ze werk en privé gescheiden gehouden. Ik liet hem de pasfoto's zien en vroeg hem of hij het blonde meisje herkende. 'Ja,' zei hij. Hij had haar een paar keer samen met Miriam zien komen en gaan. 'Ze leken goede vrienden. Ze lachten heel wat af samen. Net schoolmeiden.'

'Dat hadden ze eigenlijk moeten zijn,' zei ik.

We stelden hem nog wat vragen over zijn eigen achtergrond en over de andere mensen in het gebouw, maar dat leverde niets opmerkelijks op. Norman wist zo mogelijk nog minder over zijn andere buren dan over Miriam.

Het was net kwart voor zes geweest toen we eindelijk terug waren op het bureau en rapport uitbrachten aan Welland. Die had zijn intrek genomen in een klein kantoor naast de meldkamer, vanwaar hij zijn kant van het onderzoek kon regelen. Hij was kwaad omdat een van zijn getuigen in een andere zaak, een meisje dat tegen haar ex-vriend getuigde, die iemand bij een kroeggevecht had neergestoken, had besloten om de stekker eruit te trekken en haar mond dicht te houden. Kennelijk had iemand haar op andere gedachten weten te brengen door een beetje met geweld te dreigen. Gevolg: de bodem was onder Wellands zaak uit gevallen.

'Ik heb de hele middag aan de telefoon gehangen met het parket,' gromde hij tussen twee felle trekken aan zijn sigaret door. 'Ze maken een drukte alsof ze ik-weet-niet-wat zijn.'

Malik maakte de vergissing te vragen of ze onder bewaking had gestaan. Welland keek hem dreigend aan. 'Die verdomde steekpartij vond drie maanden geleden plaats en de zaak komt pas in februari voor. Ik kan geen man missen om haar al die tijd te bewaken. Waar moet ik hem verdomme vandaan halen? Ik kan nog steeds niet toveren!'

Malik gaf het op, want hij wist wel beter dan zich te laten betrekken in een van Wellands tirades.

Welland rookte het laatste deel van zijn sigaret met drie felle halen op en gebruikte de brandende peuk om de volgende aan te steken. 'Wat is er met jouw gezicht gebeurd?' vroeg hij me ten slotte. Toen ik het hem vertelde, schudde hij boos zijn hoofd. 'Zodra we zijn naam hebben, gaat er een arrestatiebevel uit. Wie weet kan hij hier wat licht op werpen. Hebben jullie daar iets gevonden waar we wat aan hebben?'

Ik schudde mijn hoofd. 'Niet veel. Er was geen adresboek of mobiele telefoon of zoiets, niets wat ons een idee geeft van haar klantenkring.'

'We zullen gewoon vanavond moeten rondvragen bij de meiden van King's Cross. Misschien kunnen die wat namen ophoesten.'

'Ze heeft vast een mobiele telefoon gehad,' zei ik. 'Is er al iemand bezig na te gaan of er een op haar naam was geregistreerd?'

'Ja, daar heb ik Hunsdon op gezet, maar het gaat even duren.'

Ik vertelde hem over het meisje op de foto's en opperde dat het een goed idee zou zijn om haar op te sporen.

'Ja, je hebt gelijk. Misschien weet zij meer. Morgenvroeg om halfnegen precies bespreken we de zaak. Dan krijgen we trouwens ook de voorlopige resultaten van de lijkschouwing, dus zorg dat je er bent. Verslapen is er niet bij. Bij deze zaak is het belangrijk de vaart erin te houden,' zei hij bij wijze van afsluiting. 'Je weet wat ze zeggen over de eerste 48 uur.'

Dat wist ik, maar mijn vaart was eruit voor die dag. De rechterkant van mijn gezicht deed nog steeds pijn, en aangezien ik vroeg weer present moest zijn, besloot ik dat het tijd was om af te nokken. Ik vroeg Malik of hij zin had om een borrel met me te pakken. Het was meer uit beleefdheid dan ergens anders om, want ik dacht dat hij toch zou afslaan. Hij keek minstens twee seconden te lang op zijn horloge; toen glimlachte hij en zei: 'Waarom niet, eigenlijk?' Dat was niets voor hem; meestal ging hij aan het eind van zijn dienst liever meteen weg, terug naar zijn gezin, al was hij niet afkerig van een praatje met zijn bazen als hij dacht dat hij daar iets mee opschoot.

We togen naar een pub genaamd de Roving Wolf, waar altijd veel rechercheurs en ook wel geüniformeerden kwamen. Het stond er vol met mensen die hun werk erop hadden zitten. Enkelen kende ik van gezicht en ik zei een paar mensen gedag terwijl ik me een weg naar de bar baande en mijn bestelling opgaf – voor mezelf een biertje en voor Malik een groot glas jus d'orange. We vonden een tafeltje in de hoek, buiten het voetengetrappel, en ik stak een sigaret op.

'Goed, door wie is Miriam Fox dus vermoord?' vroeg hij terwijl hij van zijn jus dronk.

'Goeie vraag.'

'Wat denkt u?'

'Tja, het is nog te vroeg om er iets zinnigs over te zeggen, en het zal sterk afhangen van de resultaten van de lijkschouwing, maar ik veronderstel dat mijn eerste gedachte de voor de hand liggende is, en wel omdat de voor de hand liggende gedachte meestal de juiste is.'

'Een pervers type?'

'Dat denk ik, ja. Zeg nou zelf, er is veel wat daarop wijst. Ze stierf ter plekke, daar is geen twijfel aan. De grond om het lijk was zo bloederig dat ze er niet achteraf naartoe kan zijn gebracht. En de locatie doet vermoeden dat de dader geen bekende van haar was. Het is het soort plek waar een hoer zich terugtrekt met een klant of een moordenaar met zijn slachtoffer.'

'Hoe schat u onze kansen op een resultaat in?'

'Daarvoor is het nog te vroeg. Als de moordenaar slordig is geweest, wat veel van die kerels zijn, dan zitten we gebeiteld. Het lab heeft hem dan zo.'

'Behalve als hij geen bekende van de politie is, natuurlijk.'

Bij dat scenario stond ik liever niet stil. 'Klopt. Maar iemand die tot zoiets in staat is... een jong meisje van achteren beetgrijpen en haar van oor tot oor de keel doorsnijden... Zelfs vandaag de dag denk ik niet dat er veel zijn die daartoe in staat zijn. Zo iemand heeft allicht al eerder iets gedaan wat de aandacht van de politie getrokken heeft. Maar als hij het gepland heeft en voorzichtig is geweest en iemand heeft gekozen die hem niet kent...'

'Zoals een prostituee.'

'Zoals een prostituee... Dan kan hij inmiddels mijlenver weg zijn.'

'En wat denkt u? Denkt u dat hij een planner is, of iemand die zijn driften niet in de hand heeft?'

'Mijn intuïtie zegt dat hij een planner is. Maar eigenlijk kan ik dat moeilijk hardmaken, behalve dan dat hij een goede plek heeft gekozen om haar naartoe te brengen en duidelijk wist wat hij deed. En jij? Hoe kijk jij ertegenaan?'

Malik glimlachte vermoeid. 'Ik word er somber van dat we al die opsporingsmethoden leren, terwijl we ze in de praktijk zo zelden nodig hebben.'

'Wat bedoel je?'

'Nou, tenzij die vent een idioot is, of wij toevallig veel geluk hebben, zullen we hem niet te pakken krijgen, toch? Hoe knap we ook zijn.'

'Politiewerk hangt van geluk aan elkaar. Maar je weet wat ze zeggen? Aan geluk moet je werken.'

'Nou, dan hoop ik dat we het krijgen, want anders is het gewoon een kwestie van afwachten, niet?'

'Hij hoeft het niet nog eens te doen,' zei ik. 'Soms blijft het bij één keer.'

'In dat geval zal hij misschien nooit zijn gerechte straf ondergaan.'

'Dat is de andere kant ervan. Laten we hopen dat het zover niet komt. Op succesvol labwerk,' zei ik, terwijl ik mijn glas hief.

'Op succesvol labwerk,' herhaalde Malik, al keek hij alsof hij niet helemaal overtuigd was.

Een paar momenten zaten we zwijgend voor ons uit te peinzen. Ik nam een flinke slok van mijn bier en bedacht dat ik blij was dat de dag voorbij was.

'Hebt u gehoord over die schietpartij in Hertfordshire van gisteravond?'

Onmiddellijk was ik weer bij de les. Om eerlijk te zijn had ik sinds mijn ontmoeting met Raymond niet meer aan de avond ervoor gedacht. Misschien klinkt het harteloos, maar ik had het gewoon te druk gehad. Ik voelde even iets van berouw toen Malik erover begon, maar het gevoel was een stuk zwakker dan het geweest was. Ik was niet blij met de gang van zaken, maar gebeurd is gebeurd. De tijd heelt niet alleen alle wonden, maar doet dat soms ook verbazend snel.

'Ja. Ik vermoed dat er meer achter zit dan je op het eerste gezicht zou zeggen.'

'Ik ook. Een vriend me, iemand die ik nog van de middelbare school ken, werkt bij de politie van Hertford. Die behandelt de zaak. Voorlopig tenminste.'

'Ja, dat heb ik gehoord. Wat heeft hij er tot nu toe over te melden?'

'Ik heb hem nog niet gesproken. Ik vermoed dat hij het erg druk heeft. Net als wij. Ik denk dat ik het vanavond maar eens probeer, als hij tenminste niet moet overwerken.'

Ik nam op mijn gemak een slok van mijn bier, in het besef dat ik dit zeer voorzichtig zou moeten aanpakken. 'Kun je hem niet een beetje uithoren over dit geval? Het intrigeert me.'

'Mij ook. Het is een interessante zaak. Hij draagt het stempel van de onderwereld. Wat de vraag opwerpt wat die douaniers aan het onderzoeken waren.'

Dat deed het zeker. 'Het moet in elk geval iets groots geweest zijn.'

'Dat zou je wel denken, hè? Ik denk dat het erom gaat uit te zoeken wie die derde man was. Die burger. Als je weet op welke manier hij erbij betrokken was, denk ik dat je het motief kent, en bij zoiets is het vinden van het motief twee derde van het werk.'

'Maar het bewijs is een ander verhaal, niet? Het was duidelijk een goed geplande actie, dus je mag aannemen dat de lui die erachter zitten hun sporen goed hebben uitgewist. Ook al kom je erachter wie het zijn, dan nog moet je een zaak tegen ze zien op te bouwen.'

Malik knikte. 'Je moet iemand aan de praat zien te krijgen, dat is altijd cruciaal. Bij zoiets als dit moeten aardig wat mensen betrokken zijn, en er zijn er altijd wel een paar die de druk niet aan kunnen.'

Ik dacht aan Danny. Zou hij doorslaan? Ik betwijfelde het. Hij had geweten wat we gingen doen en was er bewust in gestapt. Maar Malik had gelijk. Er waren aardig wat mensen bij betrokken, van wie ik sommigen helemaal niet kende. Ze konden allemaal gaan praten, al was het een beetje laat om daar nu over in te gaan zitten. Ik was blij dat ik via Malik een manier had om te horen hoe het onderzoek verliep.

'Hoe dan ook zal het een harde noot zijn om te kraken,' voegde ik eraan toe. 'Tijdrovend.'

'Misschien. Maar wel interessant. Ik zou dolgraag een praatje maken met de man die het gedaan heeft. Met de man die de trekker heeft overgehaald, bedoel ik.'

'Waarom? Wat denk je dat hij je zal vertellen? Ik vermoed dat hij het om het geld heeft gedaan... Zoiets voor de hand liggends en banaals.'

Malik glimlachte. 'Dat zal best. Het is vrijwel zeker een huurmoordenaar. Maar hij moet wel keihard zijn om zonder blikken of blozen drie mensen dood te schieten. Zomaar.' Hij knipte met zijn vingers om te illustreren wat hij bedoelde. 'Mensen die hij vrijwel zeker nooit eerder heeft ontmoet. Mensen die hem nooit iets hebben misdaan.'

'De dader is waarschijnlijk in wezen vrij normaal.'

'Normale mensen vermoorden elkaar niet.'

Ditmaal was het mijn beurt om te glimlachen. 'Normale mensen vermoorden elkaar voortdurend.'

'Daar ben ik het niet mee eens. De meeste moordenaars mogen er dan normaal uitzien, maar vanbinnen is er altijd een rotte plek die maakt dat ze doen wat ze doen.'

'Ik weet het niet. Het is niet altijd zo ondubbelzinnig.'

Malik keek me fel aan. 'Dat is het wel. Moord is moord, en wie een moord pleegt deugt niet. Dat staat als een paal boven water. Dat ligt zwart-wit. Sommige moorden zijn minder gruwelijk dan andere, maar het is nooit goed te praten. Onder geen enkele omstandigheid. Het zijn gewoon verschillende schakeringen van hetzelfde zwart.'

Ik kon zien dat het diep zat, en het leek me beter om er niet veel meer over te zeggen. Je weet maar nooit wanneer zulke gesprekken nog eens ter tafel komen en tegen je kunnen worden gebruikt. Dus gaf ik hem maar gelijk, waarna het gesprek in koetjes en kalfjes verzandde, totdat het onvermijdelijk naar de zaak terugkeerde. Waar hadden we immers verder over moeten praten?

We concludeerden dat Welland gelijk had om de vaart erin te houden. Als we de komende paar dagen niet met aanknopingspunten kwamen, en het bleek echt iemand te zijn geweest die het slachtoffer niet kende – waar eerlijk gezegd alles op leek te wijzen – dan zou de bodem heel snel onder deze zaak uit vallen en zouden we met lege handen staan. Dan was het óf afwachten tot onze mysterieuze dader weer zou toeslaan (een scenario dat op zich al zorgwekkend genoeg was), óf hij zou voorgoed verdwijnen in de berg van onopgeloste zaken, wat me op een of andere manier nog erger leek.

Malik dronk twee drankjes om de gelegenheid te hebben er een voor mij te bestellen, maar toen was het tijd om terug te keren naar de schoot van zijn gezin in Highgate, waar zijn mooie vrouw en twee jonge kinderen op hem wachtten. Hij bood aan een taxi met me te delen, maar ik besloot nog even te blijven. Ik had honger, maar ik had zin in nog een biertje voordat ik naar mijn flat terugkeerde. Ik had de smaak te pakken.

Een van de stamgasten, een bejaarde man met een schorre stem die ik vaag kende, kwam bij me zitten en we babbelden een tijdje over ditjes en datjes. Gewone dingen: voetbaluitslagen, de prijs van bier, wat een zootje de regering ervan maakte. Soms is het leuk om met burgers te praten. Je hoeft je hoofd er niet steeds bij te houden en bang te zijn dat je iets mist. Je komt vanzelf van het een op het ander. Maar toen de beste man maar bleef doorgaan over de enorme eksterogen van zijn vrouw en ik begon te hopen dat ik nooit zo oud als hij zou worden, begreep ik dat het tijd was om op te stappen. Het was acht uur toen de taxi me bij mijn voordeur afzette. Het loodgrijze wolkendek dat het grootste deel van de ochtend boven de stad had gehangen, was nu helemaal uiteengevallen, je kon zelfs een enkele ster zien. De temperatuur was navenant gedaald en de avond voelde prettig winters aan.

Het eerste wat ik deed toen ik binnenkwam was Danny bellen, maar hij was niet thuis. Ik probeerde hem op zijn mobiel, maar kreeg zijn voicemail, dus liet ik een bericht achter dat ik hem de volgende dag om vijf uur 's middags thuis hoopte te treffen, zodat ik hem het geld zou kunnen geven. Toen dook ik onder de douche om het stof van de dag van me af te spoelen en dacht na over eten.

Ik vond een pak met romige garnalenrisotto in de vriezer. GEREED IN TWINTIG MINUTEN stond er op de verpakking en de foto zag er niet al te afstotelijk uit, dus ontdooide ik het in de magnetron. Terwijl het op temperatuur kwam, ging ik op mijn vaste plek op de bank zitten, zette de televisie aan en schakelde meteen door naar de nieuwszender.

Twee pasfotoachtige portretten domineerden het scherm. Ze waren van de bestuurder van de Cherokee en de passagier naast hem. De bestuurder zag er anders uit dan de vorige avond. Op de foto glimlachte hij breed en had hij lachrimpeltjes rond zijn ogen. Je kreeg de indruk dat hij bij leven waarschijnlijk een aardige vent was geweest. Ook het vettige gezicht van de oudere man naast hem zag er beter uit. Hij keek nog steeds droefgeestig naar de camera, alsof hij zojuist een uitbrander had gekregen van iemand die twintig jaar jonger was. Maar de onrust die hij de vorige avond had getoond was weg, en zo te zien had hij zijn haar gewassen en het netjes gekamd, waardoor hij er een stuk florissanter uitzag.

Het verslag onthulde dat de bestuurder Paul Furlong was, 36 jaar oud en vader van twee jonge kinderen. Zijn passagier was de 49-jarige Terry Bayden-Smith, die al vanaf zijn eindexamen middelbare school bij de douane werkte. Bayden-Smith was gescheiden en had waarschijnlijk geen kinderen, want daar werd geen melding van gemaakt. Hun gezichten verdwenen van het scherm en maakten plaats voor een mannelijke verslaggever in een jas van schapenvacht die buiten het Traveller's Rest stond. Het terrein was nog steeds afgezet met politielint en de Cherokee stond nog steeds op de plek waar hij naast mij was gestopt, maar er was weinig activiteit. Op de achtergrond stond een geüniformeerde agent die de plek bewaakte, maar hij was de enige die ik zag. De reporter zei dat er meer dan zestig rechercheurs op deze zaak waren gezet en dat de politie er alle vertrouwen in had dat de moordenaar zou worden gevonden. Men was een aantal mogelijkheden aan het natrekken, maar volgens de reporter had een hoge politiefunctionaris verklaard dat een snel resultaat onwaarschijnlijk was.

Ik vroeg me af of Raymond de waarheid had gesproken toen hij zei dat ze corrupt waren. Zou dat mijn daden hebben gerechtvaardigd? Waarschijnlijk niet. Opnieuw betrapte ik mezelf erop dat ik spijt had van mijn rol in het geheel. Corrupt of niet, er zou een enorme druk op de opsporingsambtenaren komen te liggen. Anders dan wij zouden ze alle middelen krijgen die ze nodig hadden, zoals altijd bij zaken waarbij de publieke opinie moord en brand schreeuwt. En opnieuw kwam het derde slachtoffer van de schietpartij nauwelijks ter sprake, en nog steeds werd zijn naam niet genoemd, wat me verbaasde. Ik moest Raymond maar eens laten uitzoeken wie hij was. Inmiddels was ik er vrij zeker van dat hij wel iets meer was dan louter tuig van de richel.

De moord op Miriam Fox kreeg geen aandacht, zelfs niet op teletekst. Ik vermoed dat een dode prostituee niet dezelfde nieuwswaarde heeft, al zou dat vast veranderen als nog een hoertje dezelfde weg ging. Het publiek smult nergens zo van als van een seriemoordenaar, zeker als hij het ver van hun bed zoekt.

Ik at mijn risotto terwijl ik naar *Family Fortunes* keek. Zoals altijd deed Les Dennis wat hij kon met beperkte middelen, niet ongelijk aan het hoofdstedelijke politiekorps. Geen van beide families was erg snugger, en de Dobbles uit Glasgow hadden zo'n zwaar accent dat je je afvroeg hoe ze door de audities waren gekomen. Les maakte een paar grappen over de noodzaak van een tolk en lachte hartelijk terwijl hij de zaak op gang hield, maar je kon merken dat hij er een beetje moe van werd. Uiteindelijk verloren ze van de Engelse familie, waarvan ik de naam ben vergeten. Die mocht doorgaan en won uiteindelijk de auto.

Daarna keek ik een film. Het was een romantische komedie, die heel onderhoudend zou zijn geweest als ik me beter had kunnen concentreren. Ik moest steeds aan het gezin van Paul Furlong denken. Ik stelde me voor hoe ze er nu bij zaten, samen op de bank in de huiskamer, met rode, betraande gezichten. In mijn fantasie waren de kinderen een jongen en een meisje en hadden ze blond haar. De jongen was de oudste, misschien vijf, en het meisje was een lief hummeltje van ongeveer drie. Het joch hief telkens zijn gezichtje naar zijn moeder op en vroeg dan waarom papa weg was gegaan en waar hij naartoe was. De moeder, die haar armen om hen heen had geslagen, zei met een door emotie verstikte stem dat hij naar de hemel was, omdat je daar soms naartoe moet als God je om een bepaalde reden nodig heeft. Ik vroeg me af hoe ik me zou hebben gevoeld als iemand toen ik nog klein was mijn vader van me had afgepakt. Mijn vader was nu dood. Hij was vijf jaar geleden overleden en zelfs toen was het een klap geweest, want ik had hem altijd op handen gedragen. Toen ik vijf was, was hij zo'n beetje Onze-Lieve-Heer, want hij had alles geweten wat er te weten viel. Ik zou er kapot van zijn geweest als iemand hem toen van me had weggerukt.

Uiteindelijk kon ik mezelf niet langer kwellen. Eenzaam in een miezerig flatje zitten zwelgen in het schuldgevoel dat ik kinderen hun vader had afgepakt was niet echt verstandig. Dus toen de film op zijn eind liep en de twee die elkaar eerst niet hadden kunnen luchten of zien elkaar hadden gevonden en in de zonsondergang verdwenen, ging ik naar bed. Ik was zo moe dat ik al bijna in slaap was voordat mijn hoofd het kussen raakte.

7

De meeste nachten is mijn slaap een diep zwart gat waarin niets gebeurt, maar die nacht was anders. Ik droomde een heleboel vage dingen en werd keer op keer wakker. Alles was heel verward, een slordige caleidoscoop van beelden, gedachten en herinneringen die een fractie van een seconde glashelder waren en dan even snel wegvielen als stervende filmhelden en plaatsmaakten voor de volgende.

Eén droom bleef me bij. Hij voltrok zich in de schemerige tijd vlak voor dageraad. In deze droom woonde ik in een televisiestudio een opname van *Family Fortunes* bij. Ik zat op de tribune, maar het publiek was niet meer dan een waas. De studio was heel donker, maar er stond een spot op presentator Les Dennis, dus hem kon je goed zien. Ik herinner me nog dat hij een roze pak met een limoengroen overhemd aanhad. Les introduceerde een van de families, maar ik kon de naam niet verstaan, omdat het allemaal heel warrig was. Hij maakte met iedere deelnemer een praatje, en als hij voor een afzonderlijke speler bleef staan, werd er een spot op die persoon gericht, zodat je kon zien wie wie was.

De eerste was de bestuurder van de Cherokee, Paul Furlong. Hij had maar één oog, het andere was een bloederige massa op de plek waar mijn kogel hem geraakt had, maar hij keek best blijmoedig en lachte toen Les een grapje maakte. Toen kwam de passagier die naast hem had gezeten, Bayden-Smith. Hij zag er nog steeds somber uit en hij miste het grootste deel van de bovenkant van zijn hoofd. Toen hij sprak, klonk zijn stem traag en lodderig, net een grammofoonplaat die op de verkeerde snelheid wordt afgedraaid, en het kostte me een paar tellen om erachter te komen dat dit kwam doordat zijn kaak onder een vreemde hoek aan zijn gezicht hing. Ik herinnerde me dat ik dacht dat ik blij was geweest dat hij geen kinderen had. Daarna kwam de passagier die op de achterbank had gezeten, maar zijn gezicht kon ik niet echt goed zien en hij keek telkens weg. Les probeerde hem op zijn gemak te stellen door te zeggen dat hij had gehoord dat hij een uitstekend skateboarder was, en of hij daar iets over wilde vertellen. Maar nog steeds weigerde hij ons aan te kijken. Miriam Fox, die in een nauwsluitende zwarte jurk naast hem stond met haar keel van oor tot oor doorgesneden, legde beschermend een arm om zijn schouder.

'Jij bent Miriam,' zei Les.

'Dat klopt,' zei Miriam met opgewekte stem.

'En wat brengt jou hier, Miriam?'

'Ik ben hier bij de doden.'

'Hier bij de doden!' zei Les lachend. 'Dat klinkt goed!' En hij keek naar het publiek, en dat lachte toen ook. 'En wie is dit?' voegde hij eraan toe, terwijl hij naar degene aan de andere kant van Miriam keek.

Ik kon niet zien wie het was, want het licht werd niet op haar gericht; ze bleef een silhouet in het donker, maar ik had een griezelig gevoel van vertrouwdheid. Ze was klein, kleiner dan Miriam, en ik meende krullend haar te zien.

'Is het je zus?' vroeg Les, nog steeds glimlachend. Daarop keek Miriam plotseling heel bedroefd, alsof Les een tragisch geheim had aangeroerd. Ze wilde iets zeggen, maar er kwamen geen woorden uit haar mond. In elk geval geen woorden die ik kon verstaan.

Het bleef lange tijd stil op het toneel, en ook het publiek viel stil. Toen wendde Les zich weer tot ons en ook hij keek somber.

'Dit zijn de doden,' zei hij.

En toen werd ik zwetend en angstig wakker.

Deel 2

Jacht op de levenden

8

'Miriam Ann Fox, achttien jaar, stierf aan een enkele steekwond in de hals, die vanaf de achterkant werd toegebracht. De wond was bijna 5 centimeter diep, wat suggereert dat er sprake was van (a) een zeer scherp mes en (b) een zeer sterk iemand die de fatale wond toebracht. Uit de hoek van de wond kunnen we opmaken dat de dader aanzienlijk langer was dan zij. Ze was 1 meter 58; hij – en ik denk dat we in dit geval veilig kunnen aannemen dat het een hij was – is vrijwel zeker tussen de 1 meter 75 en 1 meter 85. Het slachtoffer is óf doodgebloed, óf in haar bloed gestikt als gevolg van deze ene wond. De patholoog denkt dat de dader haar overeind hield terwijl ze stierf en haar toen op haar rug op de grond heeft gelegd alvorens haar viermaal in de vaginastreek te steken.'

'Dus de dader heeft geen seks met haar gehad?' vroeg iemand uit de groep.

Het was 8.35 uur de volgende morgen en Malik, ik en de veertien andere rechercheurs die op de zaak-Miriam Fox waren gezet, zaten in de meldkamer terwijl hoofdinspecteur Knox, het officiële hoofd van het onderzoek, naast een whiteboard een samenvatting stond te geven van hetgeen we tot dan toe wisten. Welland zat naast hem, maar leek ook nu niet zichzelf. Als iemand me om een diagnose had gevraagd, zou ik hebben gezegd dat hij was opgebrand, iets wat steeds meer voorkomt bij dienders van zekere leeftijd, en ik vroeg me even af hoelang hij het nog zou redden bij het korps.

Niets van dat alles bij Knox, een forse, charismatische man met een diepe, sonore stem die ver droeg. 'Er zijn geen aanwijzingen dat ze onmiddellijk voor of onmiddellijk na haar dood seks heeft gehad,' vervolgde hij. 'Volgens de patholoog is ze zondagavond ergens tussen acht en tien uur gestorven. We hebben gesproken met een paar van de meiden die in die omgeving werken, en ze is door minstens twee van hen om acht uur nog gezien, de tijd waarop ze meestal met haar werk begon. Ze heeft kort met een van de meiden gesproken, en haar was niets bijzonders aan het slachtoffer opgevallen. Daarna is ze naar haar gebruikelijke plek gelopen, te weten de hoek van Northdown en Collier Street.

Daar werd ze opgepikt door een auto, een donkerblauwe sedan, het merk hebben we nog niet. Meestal proberen de meiden het kenteken op te nemen, maar uitgerekend deze keer niet.'

Er steeg een berustend gekreun op uit de groep mannen, mijzelf inbegrepen. Je rekent niet op veel meevallers in de loop van je werk, maar bij een zaak als deze heb je er toch wel een páár nodig.

Knox zweeg om een slok van zijn thee te nemen. 'Maar ver zijn ze niet gereden, zoals we weten. Het slachtoffer is vermoord op dezelfde plek als waar ze gevonden is. Hemelsbreed is dat niet meer dan een paar honderd meter van de plek waar ze werd opgepikt. Het is van groot belang dat we die wagen vinden. We hebben een dozijn geüniformeerde agenten beschikbaar die in de naaste omgeving huis aan huis zullen navragen of iemand in de buurt van de plaats van het delict een voertuig heeft gezien dat aan de beschrijving voldoet. Als we geluk hebben' – nog meer gekreun – 'heeft iemand zelfs een blik op hem geworpen. Na de moord moet hij onder het bloed hebben gezeten. We zijn alle bewakingscamera's op de mogelijke routes al aan het checken, maar tot dusver zonder resultaat.'

'Dus geen van de hoeren heeft de auto herkend?' vroeg Capper, die net als ik de rang van brigadier had. Ik mocht Capper niet, van meet af aan al niet. Hij had een afstotelijk kapsel en stonk uit zijn bek, maar daar had ik nog mee kunnen leven. Ik ergerde me vooral aan de manier waarop hij hielen likte.

Knox haalde zijn schouders op. 'Ze zien zoveel donkere sedans in hun werk dat niemand zich deze herinnert.'

'U zei dat de hoertjes vaak de kentekennummers van hun klanten noteerden.' Nu was ik degene die zijn stem liet horen.

'Dat klopt.'

'Houden ze die ergens bij?'

Hij schudde zijn hoofd. 'Nee, daar ziet het niet naar uit, als we afgaan op de meiden met wie gisteravond is gepraat. Maar het is nog steeds mogelijk dat we het nummer achterhalen. We gaan een oproep doen op *Crimestoppers* en in de omgeving zelf. Er worden vanmorgen biljetten in de buurt aangeplakt, in de hoop dat iemand zich iets herinnert. We moeten uitzoeken of ze vaste klanten had. De meeste meiden hebben die wel. We hebben twee verklaringen van meiden die zeggen dat ze meer dan eens is opgepikt door iemand in een rode sportwagen, maar niemand van hen heeft zijn gezicht gezien. Kennelijk had ze een vriendin die samen met haar tippelde, ene Molly Hagger. Ik meen dat jij een foto van haar hebt, Dennis. Maar zij is al een paar weken niet gesignaleerd.'

Ik voelde een korte steek van angst. Dus zo heette ze. Molly. En nu werd ze vermist. 'In de flat van het slachtoffer hing een foto van haar met het slachtoffer,' zei ik. 'Hij zag er recent uit, dus misschien is het nuttig om eens met die Molly te babbelen.'

'Als we haar kunnen vinden.'

'Hebben we een adres?' vroeg ik.

Knox knikte. 'We denken van wel. Een van de meisjes dacht dat ze in Coleman House verbleef. Dat is een gemeentelijk kindertehuis in de wijk Camden. We hebben er nog geen contact mee gehad. Ga jij er met Malik maar eens heen om uit te zoeken waar ze kan uithangen, en of iemand van de andere mensen daar over informatie over het slachtoffer beschikt.'

Ik knikte. 'Komt voor elkaar.'

'We moeten ook de pooier van het slachtoffer zien aan te houden. Hij is inmiddels geïdentificeerd als Mark Wells. Dennis heeft gisteren een korte ontmoeting met hem gehad.' Hij keek naar mij en trok tot groot vermaak van de rest veelzeggend zijn wenkbrauwen op. 'Wells heeft een lange geschiedenis van geweldpleging, waaronder geweld tegen vrouwen. We kunnen hem op z'n minst vastzetten voor het uitschakelen van brigadier Milne.'

Opnieuw werd er gelachen. Ik glimlachte minzaam om te laten zien dat ik best tegen een grapje kon, al had ik niet zo'n zin om te lachen. Mijn gezicht deed nog steeds pijn en sinds de vorige dag was er een donker wordende blauwe plek onder mijn rechterjukbeen verschenen.

'We gaan een huiszoekingsbevel en een arrestatiebevel aanvragen, en die zullen halverwege de ochtend wel beschikbaar zijn. We gaan hem stevig aanpakken. Het is in alle opzichten een brutale figuur, maar hij beschikt waarschijnlijk over nuttige informatie over het slachtoffer, en het is essentieel dat we die uit hem krijgen. Hij is ook een potentiële verdachte. Tot dusver zijn onze enige bewijzen voor seksueel geweld de steekwonden rond de vagina, dus het is heel goed mogelijk dat de moordenaar de indruk wil wekken dat het om een lustmoord gaat terwijl dat in werkelijkheid niet zijn belangrijkste drijfveer was. Ik wil niet te veel op die theorie inzetten, want momenteel is het alleen nog theorie, maar we moeten het in gedachten houden. En dat betekent dat we Mark Wells goed onder de loep nemen.'

Hij zweeg opnieuw en nam een slok van zijn thee. 'We hebben ook de namen nodig van iedereen in een straal van 5 kilometer die de afgelopen twee jaar is opgepakt voor het uitlokken van prostitutie, met bijzondere prioriteit voor diegenen die wegens gewelds- of zedenmisdrijven zijn veroordeeld. En we zullen ze allemaal moeten verhoren.' Verscheidene mensen kreunden en Knox produceerde een begrijpende glimlach. 'Het zal niet gemakkelijk worden – dat is het nooit – maar we moeten elk mogelijk spoor volgen. Dat betekent praten met het soort mensen dat dit kan hebben gedaan, met andere woorden: mannen die bekendstaan om hun gewelddadig optreden jegens vrouwen. Dit moordonderzoek is 24 uur oud, dames en heren. Het lijk is nu nog warm, maar het zal snel afkoelen, dus er is veel werk aan de winkel. Heel veel werk. Ik wil deze moordenaar achter slot en grendel en ik heb jullie daarvoor nodig.' Hij zette deze laatste zin kracht bij door met zijn vlakke hand op een van de bureaus te slaan, een typisch Knox-gebaar. Volgens mij dacht hij soms dat hij op Wall Street werkte.

Dappere woorden ook. Of ze door daden zouden worden gevolgd, stond echter nog te bezien.

De rest van de bijeenkomst werd besteed aan de verdeling van de taken en nam pakweg tien minuten in beslag, het vragenrondje inbegrepen. Zodra het papierwerk rond was, zou Welland de inval in het huis van Mark Wells leiden. Dat zat me niet helemaal lekker. Ik was door die hufter geslagen, dus wilde ik in het team zitten dat hem inrekende, maar ik wilde ook meer te weten komen over Molly. Die dingen waren moeilijk te combineren.

Om 9.20 uur vertrokken Malik en ik naar Coleman House. Het waren moeilijke tijden voor onze afdeling van de hoofdstedelijke politie en de budgetten waren krap, dus besloten we de belastingbetaler wat geld te besparen en de bus te nemen. Achteraf gezien hadden we waarschijnlijk nog beter kunnen gaan lopen. Een ongeval op Holloway Road had het verkeer in de war gestuurd en we kwamen vast te zitten. Voor ons gevoel uren van optrekken en stoppen, optrekken en stoppen.

Terwijl de wereld nu eens aan ons voorbijtrok en dan weer stilstond, vertelde ik Malik over mijn droom. Die had me echt geschokt. 'Ik weet dat het idioot klinkt, maar het leek bijna een soort waarschuwing.'

Hij kon het niet laten om te grijnzen. 'Zozo. Denkt u dat Les Dennis in gevaar kan verkeren?'

'Ik meen het, Asif. Deze droom was anders dan andere. Je kent me. Je weet dat ik niet bijgelovig of spiritueel ben of iets in die geest. Ik ben zelfs geen christen. Dus het heeft niets te maken met mijn geestelijke instelling. Hij was gewoon zo levendig dat ik toen ik wakker werd honderd procent zeker wist dat die Molly dood was.'

'Vertel hem nog eens.'

Ik liep hem helemaal door, alleen de details van de dode douaniers liet ik weg, en ik deed het fluisterend zodat geen van de andere passagiers, een mix van oude omaatjes en buitenlandse studenten, kon horen wat ik zei. Ik wilde niet dat ze dachten dat ik niet goed wijs was.

Tegen de tijd dat ik klaar was, waren we in totaal zo'n 30 meter opgeschoten.

Malik schudde zijn hoofd en keek me aan met een blik die deed vermoeden dat hij het uiterst onrechtvaardig vond dat hij orders moest aannemen van iemand met zo weinig werkelijkheidszin. 'Ik zou me maar geen zorgen maken, brigadier. Het is maar een droom. Voor hetzelfde geld is alles in orde met dat meisje.'

'Ik hoop het maar. Het beviel me niets te horen dat ze al een paar weken niet gesignaleerd is.'

'Alleen niet door haar collega's op straat. Misschien is ze van gedachten veranderd. Misschien is ze tot het besef gekomen dat prostitutie en drugsgebruik een doodlopende weg zijn.'

Ik lachte. 'Geloof je dat echt?'

'Erg waarschijnlijk is het niet...'

'Dat is nog zacht uitgedrukt.'

'Maar het is wel mogelijk. Of misschien heeft ze gewoon haar werkterrein verlegd. Die kans is groter dan dat ze ergens dood in een greppel ligt.'

Malik zei deze laatste paar woorden een beetje te hard en een paar mensen draaiden hun hoofd om en keken ons bevreemd aan. 'Je hebt gelijk,' zei ik. 'Je hebt me overtuigd.'

Maar dat had hij niet.

We verlieten de bus op Junction Road toen het duidelijk werd dat we zo nergens kwamen, en namen de ondergrondse. Gelukkig reed die nog vrij normaal en het was 10.20 uur toen we station Camden uit liepen. Het begon langzaam maar zeker een zonnige winterdag te worden, dus legden we de rest van de afstand te voet af.

Coleman House was een groot Victoriaans gebouw van rode baksteen dat in een zijstraat van de hoofdstraat stond. Een van de ramen op de tweede verdieping was dichtgetimmerd, maar voor de rest zag het er goed onderhouden uit. Op het muurtje voor de ingang zaten een jongen en een meisje samenzweerderig te roken. Het meisje droeg een heel kort rokje en grote zwarte sportschoenen met plateauzolen, waardoor ze er met haar spillebenen uitzag als een mutant. Terwijl we dichterbij kwamen, keken ze naar ons en de jongen trok een smalend gezicht. 'Zijn jullie van de politie?' zei hij.

'Dat klopt,' zei ik hem, en ik bleef voor hen stilstaan. 'We doen onderzoek naar een moord.'

'O, ja? Op wie dan wel?' vroeg hij met een nieuwsgierige blik. Morbide stuk vreten.

'Nou, vertel eerst maar eens hoe je zelf heet.'

'Ik? Wat heb ik ermee te maken? Ik heb niks gedaan.'

'U kunt hem niet dwingen om zijn naam te geven,' zei het meisje zelfverzekerd, terwijl ze me recht aankeek. Ik schatte haar op dertien, en zonder de mee-eters rond haar mond en de overdadig aangebrachte goedkope make-up zou ze best een knappe meid zijn geweest. Dertien, en nu al een wandelende rechtswinkel. Ik had zo'n voorgevoel dat ze dat hier allemaal zouden zijn.

'Ik probeer niets van dien aard,' vertelde ik haar. 'Ik wil gewoon graag weten met wie ik praat.'

'Als u met hem wilt praten, moet er een bevoegde volwassene bij zijn.'

'En sinds wanneer ben jij meester in de rechten, jongedame?'

Ze stond al klaar om weer een bijdehand antwoord te geven, maar we werden onderbroken voordat ze de kans kreeg een betoog af te steken.

'Kan ik u helpen, heren?'

De stem was afkomstig van een aantrekkelijke vrouw van begin veertig. Behoorlijk lang – pakweg 1 meter 75 – en aan haar toon te horen iemand die behalve volwassen beslist ook bevoegd was.

Ik draaide me naar haar toe en glimlachte, het vuur openend met charme. 'Dat hoop ik. Ik ben brigadier Milne en dit is mijn collega, sergeant Malik. We zijn hier in verband met een lopend onderzoek.'

Ze schonk ons een flauwe glimlach. 'Zo. Wat is het deze keer?'

'Het gaat om een moord die is gepleegd.'

'O.' Ze keek onthutst. 'Had u een bepaalde reden om met deze twee kinderen te praten?'

'Ik stelde me alleen maar voor.'

'Nietes,' zei het meisje. 'Hij probeerde erachter te komen wie we waren.'

'Ik handel dit verder wel af, Anne. Zouden John en jij niet bij Amelia zijn?'

'We roken alleen even een sigaretje,' zei het meisje zonder op te kijken.

'Misschien kunt u beter binnenkomen, heren; dan praten we daar verder.'

Ik knikte. 'Natuurlijk. En u bent?'

'Carla Graham. Ik leid Coleman House.'

'In dat geval, graag. Gaat u voor,' zei ik, en we volgden haar door de dubbele deuren het gebouw in.

Het had de weinig uitnodigende sfeer van een Engels ziekenhuis: hoge plafonds; linoleumvloeren; voorlichtingsposters aan de muren die waarschuwden tegen het gezamenlijk gebruik van spuiten, ongewenste zwangerschap en een hele batterij andere obstakels voor een gelukkig en vervullend leven. En er hing een akelige geur van lysol. Niet bepaald een warm nest.

Carla Graham had een ruim kantoor aan de andere kant van het gebouw. Ze liet ons binnen en we namen plaats voor het forse bureau terwijl ze er zelf achter ging zitten. Ook hier waarschuwende posters. Een ervan was een grote foto van een jong kind, niet ouder dan vijf, dat onder de blauwe plekken zat. De kop erboven zei: ZET DE BEUK IN KINDERMISHANDELING. Eronder stond: NIET IN KINDEREN.

'Nou, wat is er gebeurd?' vroeg Carla. 'Ik hoop niet dat een van onze cliënten erbij betrokken is.'

'Met cliënten bedoelt u kinderen?' Het was Malik die de vraag stelde.

'Ja, dat klopt.'

'We weten het nog niet, daarom zijn we hier.' Vervolgens vertelde ik haar over het lijk dat de vorige dag gevonden was. 'Daar heb ik niets van gehoord,' zei ze. 'Wie was het arme kind?'

'Haar naam was Miriam Fox.' Op Carla's gezicht viel geen herkenning te lezen, dus ging ik verder. 'Ze was een achttien jaar oude prostituee, van huis weggelopen.'

Ze schudde haar hoofd en zuchtte. 'Wat triest toch. Een schok is het niet echt, want dat risico is er altijd. Maar wel verschrikkelijk triest.'

Malik boog zich naar voren in zijn stoel en ik kreeg onmiddellijk het gevoel dat hij Carla Graham niet erg mocht. 'Ik neem aan dat u haar niet kende?'

'De naam zegt me niets, nee.'

Ik haalde de foto waarop Miriam voor de camera poseert uit de binnenzak van mijn pak en reikte hem haar aan. 'Dit is ze. We denken dat het een recente foto is.'

Ze bestudeerde hem vrij lang voordat ze hem teruggaf. Terwijl ik hem aanpakte, zag ik dat ze sierlijke handen had, met goed verzorgde, ongelakte nagels.

'Ze komt me vaag bekend voor. Misschien heb ik haar ooit gezien met een van de cliënten, maar zeker durf ik het niet te zeggen.'

'We hebben met een paar van de andere meisjes gepraat die in dezelfde buurt werken als Miriam. Zij zeggen dat ze goed bevriend was met een meisje dat Molly Hagger heet. Ze zeiden dat Molly hier in Coleman House woonde.'

'"Woonde" is het goede woord. Molly heeft hier enkele maanden opvang genoten, maar drie weken geleden is ze vertrokken en sindsdien hebben we haar niet meer gezien.'

'Dat lijkt u niet erg te verontrusten, mevrouw Graham,' zei Malik, die zijn ergernis over het feit dat ze het verlies van een van haar 'cliënten' zo licht opnam maar nauwelijks wist te verbergen.

'Meneer Malik,' zei ze, terwijl ze zich naar hem toe wendde, 'Coleman House huisvest 21 kinderen in de leeftijd van twaalf tot zestien, die allemaal een moeilijke achtergrond hebben en allemaal meer of minder ernstige gedragsproblemen vertonen. Ze worden hier geplaatst door de deelgemeente Camden en wij doen ons best voor hen, maar de wet staat niet aan onze kant. Als ze 's avonds uit willen gaan, dan gaan ze uit. Als ik of iemand van mijn personeel hen met een vinger zou aanraken om hen tegen te houden, kunnen we zo een aanklacht aan onze broek krijgen, en gelooft u me: daar schrikken ze niet voor terug. Het komt erop neer dat deze kinderen doen wat ze willen omdat ze weten dat ze dat kunnen maken. De helft kan zijn eigen naam nog niet schrijven, maar hun rechten kennen ze op hun duimpje. Heel vaak besluiten ze eenvoudig dat ze genoeg van ons hebben en stappen ze op. Soms komen ze terug, soms niet.'

'Gaat u niet naar ze op zoek?' hield Malik aan.

Ze keek hem aan zoals een leerkracht een bijzonder domme leerling aankijkt. 'We zijn zwaar onderbemand. Het is al moeilijk genoeg om oog te houden op degenen die hier willen zijn. En waar zouden we haar moeten zoeken? Ze kan overal zijn.'

'Hebt u haar vermissing gemeld?' vroeg ik.

'Ik heb de Dienst Maatschappelijk Werk van Camden op de hoogte gebracht en die zal de politie hebben ingelicht, maar ik heb het niet zelf gemeld. Ik zag er de zin niet van in.'

'Hoe oud is Molly Hagger?'

'Dertien.'

Ik schudde mijn hoofd. 'Erg jong om op straat rond te zwerven.' Dat meende ik. Veel te jong.

Ze wendde zich tot mij. 'Meneer...?'

'Milne.'

'Meneer Milne, ik kan me voorstellen dat u vindt dat ik Molly's vertrek niet serieus genoeg neem, en ik begrijp uw beider bezorgdheid, maar probeert u het eens van mijn kant te bekijken. Ik werk nu al een hele tijd in de hulpverlening en heb een heleboel jongeren geprobeerd te helpen om een beter bestaan op te bouwen. Maar hoe ouder ik word, hoe moeilijker het is. Heel vaak willen deze jongeren helemaal niet geholpen worden. Ze krijgen genoeg mogelijkheden aangeboden, dat kan ik u verzekeren, maar de meesten willen gewoon snel leven, drugs gebruiken, drinken. Ze zijn zelfstandig, maar wat ze met die zelfstandigheid doen... Ze zijn wars van elke vorm van gezag, maar vaak zijn ze niet in staat om voor zichzelf te zorgen. Natuurlijk zijn ze niet allemaal zo, sommigen willen echt wel luisteren en iets leren, en in de praktijk steek ik in hen de meeste energie. Maar als ik ze probeer te helpen en ze blijven hun neus ophalen voor die hulp, dan moet ik er uiteindelijk een streep onder zetten.'

'En was Molly Hagger zo iemand? Was ze een van degenen die hun neus ophaalden?'

'Molly had een zeer moeilijke achtergrond. Ze was vanaf haar vierde jaar seksueel misbruikt door zowel haar moeder als haar moeders vriend. Op haar achtste werd ze opgenomen in een kindertehuis, en sindsdien is ze van het ene tehuis naar het andere gegaan.'

Ik dacht aan het meisje op de foto en voelde een lichte misselijkheid opkomen. 'Jezus...'

'Het komt veel meer voor dan de meeste mensen denken. Dat zou u moeten weten, meneer Milne.'

'Het wordt er niet minder schrijnend om.'

'Nee, daar hebt u gelijk in. Maar om uw vraag te beantwoorden: Molly was niet een van onze lastigste meisjes. Ze had niet zo'n moeite met haar hulpverleners als sommige andere cliënten, maar ze had een heel andere kijk op het leven. Een kijk die een rechtstreeks gevolg was van de dingen die ze had meegemaakt.'

'Wat bedoelt u?'

'Nou, ze had een heel losse en pragmatische houding ten opzichte van seksualiteit. Vanaf zeer jonge leeftijd heeft ze zowel mannelijke als vrouwelijke sekspartners gehad, en vanaf haar tiende vroeg ze geld voor haar diensten.'

'Is ze al eens eerder weggelopen?'

'Ze is bij een aantal gelegenheden weggelopen en enige tijd niet gesignaleerd. De laatste keer die me bijstaat was ongeveer een jaar geleden, toen ze iets begon met een oudere man. Ze heeft een paar maanden met hem samengewoond voordat hij genoeg van haar kreeg en haar op straat zette. Toen is ze weer naar ons toe gekomen.'

'Dus u denkt dat zoiets nu ook het geval kan zijn?'

'Molly kennende lijkt me dat zeer waarschijnlijk.'

Ik knikte, optimistischer nu dat ze nog in leven was. 'We zullen met al uw andere... eh... cliënten en de rest van het personeel moeten spreken om na te gaan of er iemand anders bij is die Miriam Fox kende en ons verder kan helpen.'

'De meeste cliënten zijn momenteel niet aanwezig. De meesten zijn naar school, als ze niet spijbelen. Degenen die nu in het gebouw zijn, zijn degenen met leerproblemen, die individueel les krijgen. Aan hen hebt u waarschijnlijk niet veel.'

Dat klopte. Het waren er zeven en we ondervroegen ze een voor een in Carla Grahams kantoor, waar zij bij was. Twee beperkten hun antwoorden op onze vragen tot ja of nee en van de rest beweerde slechts één van Miriam Fox te hebben gehoord, en dat was Anne Taylor, de jeugdige juridisch expert die ik eerder had ontmoet. Ze zei dat ze Molly 'een beetje' had gekend en dat Molly en Miriam vriendinnen waren geweest, hoewel Miriam een stuk ouder was. Anne had Molly 's avonds een paar keer buiten gezien met Miriam (ze ontkende te weten dat ze in de prostitutie zaten), maar beweerde dat ze afgezien van 'hoi' en 'doei' Miriam niet had gekend. 'Ze kwam nogal verwaand over,' vertelde ze ons. 'Ze vond zichzelf beter dan de anderen.'

En dat was het. Carla probeerde haar pupillen aan de praat te krijgen, maar het was een verloren strijd. Ze waren niet van plan de politie wijzer te maken, integendeel. Daarna ondervroegen we de andere aanwezige personeelsleden, in totaal vier. Twee van hen herkenden de foto van Miriam en identificeerden haar als een vriendin van Molly, maar geen van hen had voldoende contact met haar gehad om meer informatie te kunnen geven.

'Ik weet niet hoeveel u hiermee bent opgeschoten,' zei Carla toen we klaar waren.

'Moeilijk te zeggen,' zei ik. 'Dat heb je met moordonderzoek. Dat kan behoorlijk tijdrovend zijn door alle mensen met wie je moet praten. Je krijgt een berg informatie, maar af en toe zit er iets tussen, zelfs al heb je dat niet meteen in de gaten.'

'Nou, ik hoop dat u succes boekt. Het is een verontrustende gedachte dat er ergens een maniak rondloopt die zo weer zou kunnen toeslaan.'

'We krijgen hem wel, daar ben ik zeker van.' Ik stond op en Malik volgde mijn voorbeeld. 'In elk geval bedankt voor de hulp die u ons vanmorgen hebt gegeven. Dat waarderen we bijzonder.'

'Ik zal u uitlaten,' zei ze, waarna ze opstond en ons het kantoor uit leidde.

Bij de dubbele deuren schudde ik haar de hand terwijl Malik haar toeknikte en naar buiten liep. 'We komen een andere keer terug om met de andere cliënten te praten,' zei ik haar.

'Natuurlijk. Maar het zou prettig zijn als u uw komst telefonisch aan-
kondigt, dan kan ik zorgen dat ik er ben als u komt.'

Ze had leuke ogen. Ze waren diepbruin, met lachrimpeltjes in de hoe-
ken. Ik zou beslist alleen terugkomen als zij er was.

'Dat zal ik doen. Er zal waarschijnlijk niet veel tijd overheen gaan. We
kunnen geen enkele mogelijkheid ongebruikt laten.'

Er brak een hysterisch gegil en geschreeuw los in een van de kamers aan
de gang. Het klonk alsof een van de vrouwelijke cliënten niet geheel tevreden was over de dienstverlening. Het antwoord kwam in de vorm van
het bedaarde stemgeluid van een van de maatschappelijk werkers. Het
werd begroet met nog een scheldkanonnade. Over een onmogelijke taak
gesproken. Carla Graham zuchtte gelaten. 'Ik kan maar beter even gaan
kijken wat er aan de hand is.'

'U hebt geen gemakkelijke baan hier,' zei ik haar.

'Elke baan heeft zijn moeilijke kanten,' antwoordde ze met een spijtige
glimlach om haar lippen. Toen draaide ze zich om en liep weg.

'Volgens mij vond u haar wel leuk,' zei Malik toen ik me buiten bij hem
voegde.

Ik grijnsde. 'Ze is een aantrekkelijke vrouw.'

'Beetje aan de oude kant.'

'Voor jou misschien. Niet voor mij.'

'Maar een maatschappelijk werkster, brigadier? Niet bepaald een combinatie waar een zegen op rust, niet met uw opvattingen.'

'Ja. Op de een of andere manier denk ik niet dat het zou werken.' Maar
ergens hoopte ik dat het wel zou kunnen. Ik had behoefte aan wat ro-
mantiek in mijn leven. Het liep tegen enen, dus gingen we lunchen bij
een McDonald's aan de hoofdstraat. Malik ging voor de McNuggetsKip,
terwijl ik de traditionele route van een Big Mac met friet nam, met als
toetje een warme appelbeignet, weggespoeld met een cola. Niet bepaald
de ideale start van mijn nieuwe dieet.

'Ik mocht haar niet,' zei Malik, terwijl hij langzaam op een McNugget
kauwde.

'Weet ik.'

Hij at zijn mond leeg. 'Ze was te cynisch, weet u? Alsof niets haar
raakte.'

'Het zal niet veel anders zijn dan in ons werk. Je bouwt een pantser op
zodat je niet geraakt wordt. Je moet wel. Ik bedoel, wees nou eerlijk, hoe
zou jij het vinden om met die kleine rotzakken te moeten werken?'

'Geen discipline. Dat is het probleem.' Hij prikte nog een McNugget
aan zijn vork. 'Denkt u dat een van hen iets wist?'

71

'Iets belangrijks? Ik betwijfel het. Ik denk dat we het wel zouden hebben gemerkt als een van hen had gelogen. Zo goed kunnen ze niet toneelspelen.'

'Dus het was eigenlijk een beetje verspilde tijd.'

Ik glimlachte. 'In sommige opzichten misschien.'

Hij negeerde mijn opmerking en begon over iets anders. 'Ik stond te kijken van de voorlopige bevindingen vanmorgen.'

'Dat er geen sporen van verkrachting waren?'

Hij knikte.

'Ik ook. Dat roept de vraag op waarom ze vermoord is.'

Malik joeg op zijn laatste McNugget en prikte hem vast. 'Daarom moeten we met de pooier praten.'

Maar met de pooier praten was onze collega's net zo moeilijk gevallen als het ons de dag tevoren was afgegaan. Toen we weer op het bureau waren, hoorden we dat hij niet thuis was geweest toen brigadier Capper en drie anderen daar een aantal uren eerder hadden aangeklopt. Hij scheen een vriendin in Highbury te hebben met wie hij veel optrok, maar bij haar thuis hadden ze hem ook niet aangetroffen. En haar evenmin. Beide woningen werden nu bewaakt en alle patrouilles hadden opdracht hem op te pakken als ze hem tegen het lijf liepen. Tot dusver zonder resultaat.

Toen ik die middag om 16.20 uur vertrok onder het mom van een afspraak met mijn dokter (Malik bezorgde me een schuldgevoel door bezorgd te kijken en te vragen of het iets ernstigs was), naderde het onderzoek de 36-uursgrens met weinig substantiële aanknopingspunten en met een verdachte tegen wie eigenlijk nog geen enkel bewijs was en die tot dusver zelfs geen redelijk motief had.

Natuurlijk was een groot deel van de wedstrijd nog 'ongelopen', zoals een sportcommentator zou zeggen, maar hoe je het ook bekeek, het begin was niet bepaald hoopgevend.

9

Nadat ik de koffer op King's Cross had opgehaald, bracht ik hem naar huis, telde de inhoud (alles was aanwezig) en vulde een gewatteerde envelop met Danny's deel. Ik sloot de envelop en borg de rest van het geld, op een paar honderd pond handgeld na, in een kluis in mijn slaapkamer. Daar zou het niet lang blijven. Ik heb een persoonlijke kluis in een hotel in Bayswater waar ik mijn onrechtmatig verkregen buit bewaar. Ooit zal ik een lief bedrag bij elkaar hebben. Het brengt geen rente op, maar het blijft aangroeien.

Ik kende Danny nu acht jaar. Hij was de broer van een meisje met wie ik verkering had. Ze heette Jean Ashcroft en was de enige vrouw van buiten het korps met wie ik iets had gehad sinds ik in dienst was getreden. We trokken ongeveer een jaar met elkaar op, en een tijdje leek het erop dat het serieus zou worden. We waren zelfs al naar een huis aan het uitkijken – dichter bij iets als een vaste relatie ben ik nooit gekomen – en ik denk dat je wel kunt zeggen dat ik van haar hield, voorzover ik ooit in romantische zin van een vrouw gehouden heb. Maar toen verziekte Danny alles. Niet met opzet, maar het resultaat was hetzelfde. Kijk, in die tijd was hij een beetje een rakker. Hoewel hij intelligent en van nette familie was, had hij geen baan, en die wilde hij ook niet. Hij handelde liever in drugs. Dat was gemakkelijker en verdiende beter. Op een of andere manier wist hij zijn illegale activiteiten voor de rest van zijn familie, inclusief zijn zus, verborgen te houden. Dus was het een enorme schok voor hen toen een van zijn armzalige deals uit de hand liep en hij forse klappen opliep.

Het was eigenlijk een typisch voorbeeld van kleinburgerlijke naïviteit. Hij had een half pond aan speed onder zich die hij geacht werd aan een van zijn klanten te verkopen, maar die klant besloot dat het gemakkelijker was om het spul af te pakken dan ervoor te betalen en liet hem in een hinderlaag lopen. Op weg naar de flat van zijn klant dreven drie maten van die figuur hem in het trappenhuis in het nauw. Maar omdat Danny zelf nog niet voor het spul had betaald, voelde hij er weinig voor het uit handen te geven. Een zeer eenzijdige strijd volgde, waaruit Danny tevoorschijn kwam met een kaakfractuur, een verbrijzeld jukbeen, een

73

zware hersenschudding en god weet hoeveel gebroken ribben. En hij was de speed toch kwijt, die ze tussen zijn gebroken vingers uit hadden moeten trekken.

Hij lag bij elkaar drie weken in het ziekenhuis, wat gegeven het feit dat hij niet particulier verzekerd was een idee geeft van de ernst van zijn letsel. Bovendien waren de poppen nu goed aan het dansen. Omdat het in ons district was gebeurd, vond zijn vader dat ik van zijn praktijken af had moeten weten en er een eind aan had moeten maken, of hem op z'n minst had moeten inlichten. Dus keerde hij zich tegen mij. Danny's ma volgde zijn voorbeeld, want zij was een van die mensen die niet in staat zijn zich een eigen mening te vormen. In feite had ik daar best mee kunnen leven, geen punt. Ik had met geen van beiden veel op gehad. Het probleem was Danny. Toen hij eenmaal uit het ziekenhuis was, wilde hij wraak nemen op de man die hem had benadeeld. Hij maakte zich ook zorgen omdat de dealer van wie hij het spul had gekocht zijn geld wilde zien. In feite had hij een heleboel steun nodig en de enige die hij kende die in een positie was om hem die te geven was ik. Ik had altijd goed met Danny kunnen opschieten, ook al was het hem nooit gelukt zijn drugshandel voor me te verbergen. In feite was ik echt op hem gesteld.

Dus toen hij mij om hulp kwam smeken, zei ik dat ik zou doen wat ik kon. De vent die hem de speed had verkocht was geen grote jongen, dus een beetje dreigen met vervolging of erger was genoeg om van hem af te komen. Het probleem was het verlangen naar wraak. Danny wilde dat ik hem hielp om die vent om zeep te helpen. Eigenlijk was helpen niet eens het juiste woord, want het zag ernaar uit dat het meeste op mij zou neerkomen. Danny was niet langer dan 1 meter 65 en vrij tenger, dus hij was niet wat je noemt een partner waar je iets aan had. Hij wilde de vent op dezelfde manier in het nauw drijven als hem was gebeurd en hem dan een koekje van eigen deeg geven, maar dat praatte ik hem uit het hoofd. Ik weet niet eens waarom ik zo gek was me ermee in te laten. Ik had hem kunnen zeggen dat hij gewoon zijn verlies moest nemen en dankbaar moest zijn dat hij niet langer in het krijt stond bij die andere kerel, maar dat deed ik niet. Misschien was het een kwestie van trots. Misschien wilde ik dat hij naar me opkeek. Ik weet het niet.

Hoe dan ook, ik bedacht een compromis. Een paar maanden eerder had ik tijdens een huiszoeking zo'n vijftig XTC-pillen gevonden. Omdat we de verdachte al klem hadden op ruim tien andere aanklachten, had ik de pillen in mijn zak gestopt met het idee dat ze misschien nog eens van pas konden komen. Niet zozeer als handel – zelfs toen was men het al oneens over de effecten ervan, en ik wilde niet dat iemand doodbleef in iets wat ik verkocht – maar omdat ze natuurlijk goed van pas kwamen om misdadigers achter de tralies te krijgen die erg moeilijk op hun daden te pakken waren. Ik had nog nooit eerder valse bewijzen geplant, maar ik had van genoeg gevallen gehoord om te weten dat het meestal werkte. Als het goed gebeurde.

Dat was het lastige deel. De vent, ene Darren Frennick, kwam niet vaak zijn flat uit, behalve af en toe om te dealen, en we hadden ongestoorde toegang nodig. We dachten er weken over na, pijnigden onze hersens om een manier te vinden om binnen te komen. Ten slotte kwamen we met een eenvoudige, maar sluitende oplossing. Frennick was zo lelijk als de nacht, maar had net als alle jonge kerels een gezond libido. Ik kende destijds een meisje dat als escort werkte en wel een lastige klus aankon. Dus deden we het volgende: nadat we haar een fors bedrag betaald hadden, gefourneerd door Danny, en haar de tabletten hadden gegeven, stuurden we haar naar de flat. Ze klopte op de deur, en toen Frennick opendeed, vertelde ze hem dat ze zijn escort voor die avond was. Eerst zei hij dat hij van niets wist, maar het was een mooie meid en hij wilde een gegeven paard niet in de bek kijken, dus nodigde hij haar binnen en schopte het groepje maten die hij op bezoek had de deur uit.

Zoals we al hadden vermoed, was hij niet van zins haar ergens naartoe te escorteren, maar gaf hij er de voorkeur aan om direct tot zaken te komen. Maar zijn avances waren nog niet begonnen of ze beweerde dat ze 'niet zo'n soort meisje' was en dat 'escort' gewoon 'gezelschap' betekende. Hij vroeg haar wat haar verdomme bezielde en bleef aan haar zitten, waarop ze hem een paar van haar kungfu-bewegingen demonstreerde. Eén serie stoten en trappen later lag hij voor pampus op de vloer. Vliegensvlug viste ze met een pincet het zakje pillen uit haar handtas. Ze wreef ze even over zijn vingers en mikte ze toen onder zijn bed. Inmiddels begon hij weer bij te komen, dus rende ze gillend en schreeuwend de deur uit, belde met haar mobiel naar de politie en zei dat hij haar pillen had opgedrongen en had geprobeerd haar te verkrachten. Ze gaf het adres en zijn voornaam, en de politie, waar hij goed bekend was, was er in een vloek en een zucht. Natuurlijk had zij zich inmiddels uit de voeten gemaakt.

Vijf minuten later belde ze nogmaals naar de politie om te zeggen dat het haar speet, maar dat ze geen aanklacht tegen hem wilde indienen, maar dat ze wel had gezien dat hij de pillen onder zijn bed had verborgen. De meldkamer gaf die informatie door aan de agenten ter plekke, die de flat door de openstaande deur binnen waren gegaan. Darren

Frennick, versuft en bebloed, werd gearresteerd en in voorlopige hechtenis genomen. Uiteindelijk draaide hij voor negen maanden de cel in voor het bezit van harddrugs. Danny vond dat niet genoeg, maar ik verzekerde hem dat hij niet op meer mocht rekenen.

En daar had het bij moeten blijven. Maar dat mocht niet zo zijn. Ik geloof niet dat Jean ooit het hele verhaal heeft gehoord, maar op een of andere manier kreeg ze lucht van het feit dat ik een escort had gebruikt om Frennick erin te luizen. Daaruit trok ze de conclusie dat dit een kant van mij was die ze nog nooit van me had gezien, een kant waar ze niet blij mee was. Daarna begon het tussen ons te wringen. Jean vroeg telkens of ik ooit met prostituees naar bed was geweest en geloofde me niet als ik dat ontkende. Eerst ging het plan om samen te gaan wonen overboord, een paar maanden later de relatie zelf.

Eigenlijk had ik het Danny nooit hebben hoeven te vergeven dat hij mijn kans op een vaste relatie had verknald, een kans die waarschijnlijk de enige in mijn leven zal blijven. Maar hij was me zo dankbaar voor wat ik gedaan had, en hij voelde zich zo schuldig over de problemen die hij had veroorzaakt, dat ik er niet moeilijk over wilde doen. Jean en ik hebben elkaar daarna eigenlijk nooit meer gezien. Ze kreeg een relatie met een beëdigd taxateur uit het noorden en verhuisde met hem naar Leeds, maar Danny en ik bleven contact houden. Af en toe deden we zaken met elkaar. Ooit verkocht ik hem een paar kilo dope die ik aan zijn onrechtmatige eigenaar had ontfutseld. Hij probeerde het door te verkopen, maar bood het uiteindelijk aan undercoveragenten van Narcotica aan en werd opgepakt. Ze zetten hem flink onder druk om zijn bron te onthullen, maar zijn ervaring met Darren Frennick had hem gehard. Hij was bang voor de gevangenis – wie niet? – maar hij hield zijn mond, hoewel ze hem zeiden dat hij een lichtere straf zou krijgen als hij meewerkte. Uiteindelijk kreeg hij achttien maanden.

Danny was niet bepaald Guus Geluk; noch was hij, in criminele termen, een van de besten in zijn werk, maar ik vertrouwde hem volkomen, en er zijn weinig mensen van wie ik dat kan zeggen. Daarom huurde ik hem in toen ik die drie mannen ging opruimen. Omdat ik wist dat hij zijn mond zou houden.

Hij woonde in een huurwoning, een souterrain in Highgate, niet ver van het kerkhof, en het was tien over halfzes toen ik eindelijk bij hem aanbelde. Hij opende de deur langzaam, met de ketting erop, en stak zijn hoofd eromheen. Zijn gezicht was bleek en hij had wallen onder zijn ogen. Hij zag eruit als iemand die veel kopzorgen heeft.

'Je bent laat, Dennis.'

76

'Dat komt door de stress van het politiewerk. Het maakt het nagenoeg onmogelijk om op tijd te komen. Geef de regering maar de schuld. Die laat alle criminelen lopen.'

Hij maakte de ketting los en liet me binnen. Ik liep achter hem aan de keuken in en zag dat hij op blote voeten liep en dat zijn overhemd achter uit zijn broek hing. Een slordig gezicht. Kennelijk had hij de hele dag nog geen voet buiten de deur gezet.

'Wil je thee of zo?' vroeg hij terwijl hij de ketel opzette.

'Graag. Een kopje thee gaat er wel in.' Ik legde de envelop met zijn aandeel op het aanrecht en leunde tegen het fornuis. 'Ik heb je geld bij me.'

Hij knikte terwijl hij twee kopjes van een van de schappen pakte. 'Mooi.'

'Mag ik roken?'

'Anders vraag je dat ook niet.'

'Nou, ik zie dat je in een gevoelige bui bent, dus dacht ik: laat ik beleefd zijn.'

Hij draaide zich naar me om. Er stond een lichte walging op zijn gezicht te lezen. 'Dit hele gedoe glijdt jou langs je kouwe kleren af, hè?'

Ik stak een sigaret op. 'Natuurlijk niet. Maar het is nu eenmaal gebeurd. De volgende keer passen we natuurlijk beter op, maar treuren verandert niets aan de zaak.'

'Het gaat niet om treuren. Het was heel fout, Dennis, en de politie zal niet rusten tot ze iemand gepakt hebben. Met andere woorden: ons.'

Ik trok aan de sigaret, moe van al het verbale steekspel in mijn leven. Ik had ooit de kans gehad om leerling-loodgieter te worden. Dat zou heel wat meer hebben opgebracht, met veel minder geduvel. Op dit moment wilde ik dat ik die weg was ingeslagen.

'Danny, er is één ding dat je over politiewerk moet weten. Het draait allemaal om sporen. Als je een spoor achterlaat wanneer je je misdaad pleegt, zoals de meeste mensen doen, dan zal de politie dat volgen tot ze je vinden.'

'Ga me niet de les lopen lezen, Dennis. Daar zit ik niet op te wachten.'

'Maar als je geen spoor achterlaat, dan valt er niets te volgen. De politie loopt dan gewoon met de kop tegen de muur.'

Hij zuchtte en goot de thee op. Ik sloeg hem gade terwijl hij met zijn lepel tegen de theezakjes tikte. Hij was nerveus, heel nerveus; ik kreeg het gevoel dat ik zijn koelbloedigheid misschien had overschat. Ik trok lang en bedachtzaam aan mijn sigaret. Van de meeste sigaretten die ik rook geniet ik niet. Ik denk dat het met de meeste rokers zo is. Je stopt er alleen een in je mond omdat je weet dat je anders alleen maar aan roken zult denken en aan het moment waarop je de volgende zult opsteken. Maar deze sigaret was anders. Hij smaakte me echt.

'Als ik jou zo zie, zou ik bijna willen dat ik was gaan roken.'

'Wil je er een?'

'Je zou me er verdorie nog een geven ook, hè? Christus, Dennis, de dingen waarin jij me betrekt. Terwijl je verdomme een smeris bent...'

Hij gaf me mijn kop thee aan. De smaak was niet erg best. Te slap en te veel melk.

'Het spijt me van die klus, Danny, echt waar. Ik had geen idee dat het om lui van de douane ging. Anders had ik me er verre van gehouden.'

'Wat was jou dan verteld? Oorspronkelijk?'

'Dat het om drie drugshandelaren ging. Volgens mijn contact probeerden ze een paar van zijn vrienden onder druk te zetten.'

'En wie was je contact?'

Danny had Raymond nooit ontmoet, en voorzover ik wist had hij ook nog nooit van hem gehoord. Ik hield Raymond Keen en mijn banden met hem liever zo stil mogelijk. Om voor de hand liggende redenen. 'Dat wil je niet weten,' zei ik hem. 'Echt. Dat heeft geen zin.'

Hij dacht daar een paar seconden over na en liet het toen rusten. 'Maar hoe wist je dat ze er zouden zijn? Bij het Traveller's Rest?'

'Die kerels? Kennelijk had mijn contact het zo opgezet dat ze erheen gingen voor een gesprek om de lucht te klaren met zijn relaties. Het enige wat ik hoefde te doen was ze neer te knallen wanneer ze arriveerden.'

Hij schudde zijn hoofd en zuchtte. 'Weet je, ik loop de hele dag aan dit gedonder te denken. Eigenlijk meteen al. En als het douanelui waren... Ga zelf maar na. Als het douanelui waren, hoe wist jouw contact dan dat ze daar zouden zijn?'

'Hij zegt dat ze corrupt waren. Het draaide om chantage, meer weet ik niet. Het was tuig; ze waren duidelijk betrokken bij iets wat niet deugde.'

'Maar hoe weten we dan dat de politie geen spoor zal vinden?'

'Via ons zullen ze niks vinden.'

'Maar als ze nou een spoor vinden dat naar jouw contact leidt? Als die kerels corrupt waren, dan zal de politie daarachter komen, niet? En als ze op een of andere manier betrokken waren bij die vent die jou heeft ingehuurd, dan zullen ze dat spoor naar hem kunnen herleiden.'

'Nee, hoor. Alles was heel zorgvuldig gepland.'

'Maar dat is nog niet het ergste,' vervolgde hij, mijn commentaar negerend.

Ik keek naar hem. 'O?'

'En als ze niet corrupt waren, Dennis?'

Ik begon er moe van te worden. 'Hoor eens, Danny, mijn contact is een zakenman van middelbare leeftijd die in de loop der jaren een aardige cent heeft verdiend. Wat ik je probeer duidelijk te maken is dat het een intelligente man is. Hij zal niets doen waardoor hij stront kan krijgen.'

Ik had de sigaret en de thee tegelijkertijd op en mikte de een bij de ander.

Danny zuchtte. 'Ik loop de hele dag al te denken: misschien steekt hier meer achter dan je op het eerste gezicht zou zeggen. Het kan wel eens om iets veel groters gaan dan wij denken. Als die douanelui niet corrupt waren, dan waren ze bij iets betrokken wat zo gevoelig lag dat ze ervoor moesten sterven.' Hij beklemtoonde de laatste woorden als een detective uit een boek die een speech houdt tot alle verdachten. 'En als dat zo is, dan zit jouw contact er niet alleen tot zijn nek toe in, maar heeft hij ook zelf een aantal verdomd goede contacten om zoiets te kunnen opzetten.'

'Nou, in dat geval hoef je je geen zorgen te maken. Want dan is er immers niet veel kans dat we gepakt worden, toch?'

'Misschien niet, maar... Je moet niet vergeten...'

'Wat? Wat moet ik niet vergeten?'

Hij zuchtte opnieuw en wikte zijn woorden. Het kostte hem veel tijd om onder woorden te brengen wat hij wilde zeggen. 'Dat het weinig zin heeft om ons te laten leven. Wij zijn een risicofactor, Dennis. Losse draden in een web, een heel, heel groot web. En nu we onze rol vervuld hebben...' Hij liet de rest in de lucht hangen.

'Jezus, Danny, het wordt tijd dat je eens een goede baan krijgt. Je kijkt te veel naar de televisie. Dit is geen maffiafilm. Als we onze mond houden en onze gang gaan alsof er niets is gebeurd, overkomt ons niets. Dat heb ik je die avond ook al gezegd. Niets wat er sindsdien gebeurd is verandert daar iets aan.'

'Ik hoop dat je gelijk hebt,' zei hij, maar hij klonk niet overtuigd.

Ik voelde me vaderlijk worden. 'Ik heb gelijk. Geen zorgen.' Ik stapte op hem af en klopte hem op de schouder, niet op een betuttelende manier, meer van mannen onder elkaar. 'Probeer er gewoon niet aan te denken. En vergeet niet: binnen een paar dagen is het allemaal overgewaaid.'

'Ja, ik weet het, ik weet het. Maar het valt niet mee. De hele dag binnen zitten.'

'Heb je zin om mee te gaan naar een pubquiz?'

'Hoe zeg je?'

'Een pubquiz. Er is er een waar ik op dinsdagavond heen ga als ik tijd heb. We spelen in teams van vier. Normaal speel ik met nog een paar kerels, maar we komen vaak een vierde man tekort.'

Danny keek me verbijsterd aan. Zijn ongewoon lichtblauwe ogen puilden uit alsof ze op steeltjes stonden. 'Meen je dat? Jezus, Dennis, ik weet niet hoe jij met jezelf kunt leven.'

'Hoezo? Omdat ik naar pubquizzen ga?'

'Je weet best wat ik bedoel.'

'Zoals ik al zei, moeten we gewoon ons normale leven voortzetten. En wat is er nu normaler dan een pubquiz?'

'En dan te bedenken dat mijn zus met jou zou trouwen.'

'Gelukkig kwam jij de zaak verzieken, hè?'

Hij keek me met een schuldbewuste blik aan, wat ik al verwacht had. Het was eigenlijk wreed dat ik hem nog een keer liet boeten voor iets wat zo lang geleden gebeurd was.

Ik grijnsde naar hem ten teken dat ik maar een grapje maakte, en sloeg hem nogmaals op de schouder. Nog steeds van mannen onder elkaar. 'Kom op, het wordt lachen. Jezus, het lijkt me toch een stuk lolliger dan hier op je nagels zitten bijten en naar de televisie koekeloeren om te zien of je foto verschijnt op een opsporingsbericht.'

'Ik wil niet meer de bak in, Dennis. Niet nog eens.'

'Dat hoeft ook niet,' zei ik hem. 'Dat zweer ik.' We keken elkaar lang aan. 'Nou, ga je mee?'

'Waar is het?'

'In de Chinaman, een pub vlak bij City Road.'

Danny dacht er even over na. Het leek alsof hij probeerde af te wegen of hij zich zoiets frivools kon veroorloven, terwijl hij toch eigenlijk al zijn aandacht nodig had om het in zijn broek te doen. Uiteindelijk leek hij zichzelf toch een paar uurtjes ontspanning te gunnen.

'Ach, waarom ook niet?' Hij pakte de envelop. 'In elk geval heb ik genoeg geld om een drankje te bestellen.'

10

'Het was een accountant.' Malik kauwde op zijn sandwich terwijl hij sprak.

'Dus je hebt met je maat gesproken?'

Hij knikte terwijl hij zijn mond leegmaakte. 'Ja, gisteravond. Hij heeft de klok rond gewerkt.'

'Dat kan ik me voorstellen.'

Het was tien voor halfdrie de volgende middag en we zaten in de kantine van het bureau. Een behoorlijk onproductieve ochtend was opgegaan aan het vergelijken van alle verklaringen die onze collega's en wij tot dusver hadden opgenomen, en aan pogingen er een lijn in te ontdekken. Tot dusver had zich niets duidelijks afgetekend en ook de enige verdachte, de pooier, was nog steeds niet gevonden. Niemand wist ook waar hij verder nog uit kon hangen.

'Hoe vorderen ze met het onderzoek?'

'U weet hoe het is, brigadier. Hij kon natuurlijk niet veel loslaten, maar ze schijnen het van allerlei kanten te benaderen. Ik kreeg de indruk dat ze zich concentreren op de accountant en proberen vast te stellen wat hij bij die douaniers te zoeken had.'

'Twee douaniers en een accountant. Klinkt als de titel van een slechte film.'

'Het is een pikante combinatie, dat geef ik toe.'

Ik had geen zin meer in de Caesar salad die ik had besteld en schoof het bord weg. Ik dacht al aan de onvermijdelijke sigaret. 'Wat denkt je maat ervan?'

'Hij zei dat ze al een heleboel informatie over de accountant boven tafel hadden en dat niets erop wees dat hij niet zuiver op de graat was. Hij had geen strafblad of zo.'

Ik herinnerde me het gezicht van de accountant, zijn geschokte blik toen hij in de loop van mijn pistool had gekeken. Ik stak de sigaret op. 'Wat had hij dan bij hen te zoeken?'

'Dat is de grote vraag. Volgens mijn vriend was er een officiële reden voor. Hij wilde niet zeggen wat precies, maar ik kreeg de indruk dat de accountant over bepaalde informatie beschikte die nuttig was voor die douanebeambten.'

'Dus ze zijn er vrij zeker van dat die douanelui iets in onderzoek hadden?'

Malik knikte langzaam. 'Dat is mijn indruk, ja. Hij was er niet pertinent over, maar ik denk dat ze het vanuit die gezichtshoek bekijken.'

'Dus dat ze daar op dat tijdstip zouden zijn, kon de moordenaar alleen weten...'

'Als er door een interne bron gelekt is. Een verontrustende gedachte. Het is geen prettig idee dat er binnen opsporingsdiensten corrupte figuren rondlopen.'

'Dus jij denkt dat de moordenaar is getipt?'

Hij haalde zijn schouders op. 'Daar ziet het wel naar uit. Wat zou het anders kunnen zijn?'

Ik hoopte maar dat Maliks informatie niet klopte – wat natuurlijk best mogelijk was. In grote zaken waar veel rechercheurs bij betrokken zijn worden vaak allerlei tegenstrijdige theorieën opgeworpen. Mij kwam het beter uit om te geloven dat de drie slachtoffers tuig van de richel waren, zoals Raymond ze genoemd had. Niet alleen maakte dat mijn aandeel een stuk verteerbaarder – althans voor mij – maar ik had ook het gevoel dat het opsporingsteam het dan een stuk moeilijker zou hebben om resultaat te boeken. Als het lek bij de douane zelf zat, zou de lijst van mensen die hadden kunnen weten waar die mannen naartoe gingen en wanneer ze daar zouden zijn vrij kort zijn.

Maar voorlopig was het nog gissen. Ik wist dat ik meer informatie uit Raymond los zou moeten krijgen, maar ik zou heel goed moeten oppassen hoe ik dat deed. Ik had hem nooit eerder als een bedreiging gezien, maar plotseling had ik weinig zin om hem een reden in handen te geven om ook mij uit de weg te willen hebben. Misschien had er meer waarheid geschuild in Danny's woorden dan ik aanvankelijk had gedacht.

'Wat kijkt u bedenkelijk, brigadier. Was gisteren alles goed bij de dokter?'

'O, ja, ja hoor. Geen problemen. Niets ernstigs in elk geval. Ik zie er gewoon niet erg naar uit om steeds maar op pad te moeten om de rest van die kinderen van dat tehuis te ondervragen. Het lijkt gewoon onbegonnen werk.'

We moesten nog steeds verklaringen opnemen van bijna twee derde van de kinderen, en hoewel ik het een prettig idee vond om die aantrekkelijke Carla Graham weer te zien, had ik weinig zin om nog tijd te verspillen met praten met brutale blagen die hun uiterste best deden om zo weinig mogelijk behulpzaam te zijn. Ik had Knox al verteld dat ik niet verwachtte dat het iets zou opleveren, maar hij had voet bij stuk gehouden. Hij wilde er zeker van zijn dat alle wegen waren bewandeld, al was het maar om ingedekt te zijn tegen eventuele toekomstige kritiek van superieuren die ontevreden waren over het gebrek aan resultaten.

'Was u niet degene die mij aan het begin van mijn loopbaan vertelde dat slechts vijf procent van het politiewerk ergens toe leidt, en dat die vijf procent altijd helemaal uitgesmeerd zijn over de honderd procent die je te doen hebt?'

Ik grinnikte. 'Heb ik dat echt gezegd? Shit, dat moet lang geleden zijn geweest.'

'Twee jaar. Niet langer.'

'Dan moet ik hebben gelogen.'

'Wat is dan het antwoord? Het geheim van het politiewerk?'

Ik stond op het punt hem te vertellen dat het neerkwam op onverschillig zijn en zorgen dat je een alternatieve bron van inkomsten had, toen Hunsdon binnenkwam. Hij keek tevreden. Er zaten een stuk of tien mensen verspreid over de kantine, de meesten van de uniformdienst. Omdat recherchemensen altijd naar elkaar toe trekken, kwam hij naar ons toe.

Hij bleef staan toen hij bij ons was, boog zich glimlachend naar voren en zette zijn handen plat op de tafel.

'Ik zie dat je staat te popelen om ons iets te vertellen,' zei ik hem.

'We hebben de pooier.' Hij zei het op de toon van iemand die zegt: 'We hebben de zaak opgelost.' Ietwat optimistisch, vond ik.

'Zo? Waar hing hij uit?'

Hunsdon ging zitten en stak een sigaret op. 'Hij heeft zich gemeld. Hij kwam tien minuten geleden binnenlopen met zijn advocaat.'

'Wie gaat hem verhoren?' vroeg Malik.

'Knox, samen met Capper. Ze gaan hem stevig aanpakken.'

Hij keek niet naar Malik terwijl hij sprak. Zoals veel jongere rechercheurs mocht Hunsdon Malik niet. Voor een deel kwam dat doordat Asif gestudeerd had, maar ook doordat hij Aziaat was. De indruk bestond dat hij positief werd gediscrimineerd vanwege zijn etnische achtergrond, een indruk die werd versterkt doordat het hogere personeel hem altijd behandelde als het lievelingetje van de klas. De onvrede was ongerechtvaardigd en dom, maar was moeilijk de kop in te drukken. Het pleitte voor Malik dat hij zich er niets van aantrok.

'Denk je dat hij het gedaan heeft?' vroeg ik hem.

Hunsdon haalde zijn schouders op. 'Wat hebben we anders?'

'Niet bepaald een reden om het hem in de schoenen te schuiven,' zei ik.

'Ja, maar dat is het niet alleen, toch? Het slachtoffer is niet verkracht, maar ze is toegetakeld op een manier die bedoeld lijkt om het op een uit de hand gelopen verkrachting te laten lijken, dus waarschijnlijk gaat het niet om een lustmoordenaar. Bovendien is hij kort na de moord bij de flat van het slachtoffer gezien en heeft hij u geslagen toen u hem probeerde te ondervragen. En daar komt nog bij dat hij een geschiedenis van geweldpleging heeft en het slachtoffer al eerder heeft mishandeld. Een paar maanden geleden heeft hij haar met gebroken ribben en een hersenschudding het ziekenhuis in gejaagd.'

'Hmm, maar dat is niet hetzelfde als haar de keel afsnijden en haar geslachtsdelen verminken.'

'Hij past in het profiel, brigadier. Hoe je het ook bekijkt, hij past in het profiel.' Hij sprak deze laatste woorden kordaat uit, en op een manier die duidelijk maakte dat verdere discussie geen zin had.

Dat had ook geen zin. Of het nu waar was of niet, het betekende minder werk voor de rest van ons.

'Hoe vlot het met de belgegevens van de mobiele telefoon? Had Miriam er een?'

Hij knikte. 'Ja. En het kostte verdomd veel telefoontjes om eraan te komen. De telefoonmaatschappij stuurt ons een lijst van haar inkomende en uitgaande gesprekken van de afgelopen maand.'

'Misschien levert het iets op.'

'Je weet nooit,' zei hij, maar hij klonk niet erg geïnteresseerd. Wat hem betrof hadden we onze man al.

11

Zoals verwacht kostte het ons die middag in Coleman House verscheidene uren om de verschillende 'cliënten' te vinden die we nog niet gesproken hadden. We kregen er een paar te pakken, maar van geen van hen werden we veel wijzer. Om eerlijk te zijn bleek het een beetje verspilde tijd. Tot mijn teleurstelling was Carla er ook niet. Ze had een vergadering in Essex en was om vijf uur nog niet teruggekeerd. Tegen die tijd besloten we er een punt achter te zetten. Ik belde naar Welland en zei hem dat hij maar beter een paar geüniformeerde agenten kon sturen voor de rest van de verklaringen, omdat het gewoon niet de moeite was om ons daarvoor in te zetten. Hij stemde er zonder veel gemor in toe.

Die avond was het Maliks beurt om vroeg op te stappen. Hij moest zijn kinderen bij zijn schoonmoeder ophalen, omdat zijn vrouw, een accountant met een chique clientèle, naar een seminar was, in Monte Carlo of een exotische bestemming van gelijke orde. Het zette me aan het denken. Het laatste seminar dat ik had bijgewoond was in Swindon geweest. 'De rol van de politie in het eenentwintigste-eeuwse Groot-Brittannië' was het thema geweest – ongeveer even interessant en informatief als een auto zien wegroesten. Ik had beslist het verkeerde beroep gekozen.

We vertrokken tegelijk en ik nam de ondergrondse naar King's Cross. Ik overwoog terug te gaan naar het bureau om te zien of er nog iets moest gebeuren, maar besloot dat het een beter idee was om iets te gaan drinken. Welland had me verteld dat ze de pooier nog steeds aan het verhoren waren, maar dat er tot dusver niets opmerkelijks te melden viel. Dat verbaasde me niets. Je komt alleen met je advocaat opdagen als je niet te veel wil loslaten.

Ik vond een pub op Euston Road, vlak bij het gelijknamige station, die er niet al te lullig uitzag, en ging aan de bar zitten. De barman was een jonge Australiër met een paardenstaart en een zilveren ringetje door zijn wenkbrauw. Er waren maar een paar klanten, dus maakten we een praatje. Het was een blijmoedig type; dat zie je vaak bij Australiërs. Ik denk dat het iets te maken heeft met het feit dat ze in een zonnig klimaat opgroeien. Ik vroeg hem hoe het daar met de misdaad was gesteld. Hij vertelde me dat het er niet rooskleurig voor stond.

'Het holt achteruit,' zei hij. 'Heel veel wapens en steeds meer mensen die bereid zijn ze te gebruiken.' Ik antwoordde dat dat overal zo was. 'Vertel mij wat,' zei hij. 'Vooral hier. Ik dacht altijd dat Londen zo'n veilige stad was.'

'Dan ben je zo'n vijftig jaar te laat,' zei ik hem, en daar lieten we het bij. Toen ik de pub verliet, kort na zevenen, besloot ik naar huis te gaan lopen; dan kon ik tegelijk eens een kijkje nemen in de rosse buurt waar Miriam Fox en haar jonge vriendin Molly Hagger hun activiteiten hadden ontplooid.

King's Cross beantwoordt niet aan het beeld dat mensen van een rosse buurt hebben. Aan de grote doorgangsroute liggen de twee treinstations aan één kant van de straat, bijna naast elkaar – King's Cross en St. Pancras – terwijl aan de andere kant een paar afgetrapte fastfoodrestaurants en gokhallen elkaar hebben opgezocht. Enkele verwaarloosde seksshops met hun typerende zwartgeschilderde ramen en schreeuwerige neonletters zijn het enige teken dat hier mensen komen met seks in gedachten, maar zelfs die zaken zien er eenzaam en een beetje misplaatst uit. King's Cross is geen Amsterdam of Hamburg. Er is geen opvallende prostitutieactiviteit op de hoofdwegen, zelfs niet 's nachts. De prostituees zijn er misschien wel, maar je merkt ze niet zo snel op. In de wijk is het meestal vrij druk, omdat Marylebone Road het westen en oosten van de stad met elkaar verbindt, en er is altijd veel volk op de been, zodat hoerenlopers er iets missen waar ze erg op gesteld zijn: anonimiteit.

Maar laat je de felle lichten achter je en betreed je de donkere, slecht verlichte achterafstraten, dan wacht je een nieuwe wereld. Hoeren en crackdealers doemen op en verdwijnen als geesten. Soms zie je ze niet eens, maar bereiken hun naargeestige stemmen je vanuit de portieken en stegen. De vragen die ze stellen zijn altijd dezelfde: 'Dope? Dope?' 'Zin in een wip?' Soms voel je hoe hun ogen zich in je boren om je te doorgronden, je zwakke plek te vinden, of misschien om te kijken of je de moeite van een beroving waard bent. Auto's rijden langzaam voorbij met mannen die kijken of er iets van hun gading is. Als je naar binnen kijkt, zie je dat de bestuurders meestal mannen van middelbare leeftijd zijn. Maar ze kijken nooit terug; ze wenden altijd hun hoofd af. Het zijn zakenlui die stiekem wat opwinding zoeken. Sommigen zijn gewoon gefrustreerd en hebben behoefte aan een snelle wip en een vluchtige bevrediging. Anderen zijn pervers, lui die dingen met een vrouw willen doen die hun eigen vrouw nooit zou goedkeuren. Die dingen gedaan willen hebben die u en ik niet zouden goedkeuren. En ergens onder hen bevinden zich de psychopaten, de verkrachters en de moordenaars, die de buurt afschuimen in hun voortdurende jacht naar prooi. Die andere wereld bestaat op 50 meter afstand van King's Cross Station, maar als je er niet speciaal naar zoekt, zul je hem nooit zien, en als je hem niet ziet, zul je nooit de verziekte mentaliteit begrijpen die hem gaande houdt.

Het was een zachte avond en er stond een stevige wind. In de zak van mijn regenjas omklemde ik een kleine knuppel die ik nu en dan, puur voor noodgevallen, bij me draag. Hij is krap 30 centimeter lang en is op een winterdag gemakkelijk te verbergen. Ik heb hem nog nooit in woede gebruikt en ik peins er niet over hem te gebruiken als ik dienst heb – dat kan me mijn baan kosten – maar nu was ik blij dat ik hem bij me had.

Twee oudere prostituees, met gezichten die gerimpeld en gebarsten waren als oud leer, stapten uit het donker op mijn pad. Ze droegen belachelijk korte rokken en waren zwaar opgemaakt. 'Heb je zin, schat?' zei de een met een geforceerde geile glimlach. 'Met een echte vrouw?'

'Ik ben van de politie,' zei ik, terwijl ik me zo beleefd mogelijk langs haar heen wrong.

'Nou en? Zelfs smerissen hebben recht op een pleziertje,' riep ze me na, maar haar enthousiasme was bekoeld.

Ik zei niets. Wat viel er te zeggen?

Ik had met haar te doen. Met hen allebei. Volgens enkele collega's die aan de zaak werkten waren deze oudere dames van plezier verbitterd over de concurrentie die ze van hun jeugdiger collega's zoals Miriam Fox en haar vriendinnen ondervonden, wat niet verbazend was. Het is al moeilijk genoeg om te concurreren met alles wat nieuwer, beter, anders is, laat staan als ze onder de prijs werken. Deze rivaliteit had al een aantal incidenten opgeleverd waarbij oudere prostituees de jonge hadden aangevallen. Bij diverse gelegenheden hadden ze zelfs de politie gebeld om de minderjarige activiteit te melden, in de hoop dat de meisjes van de straat zouden worden gehaald. Nu bleven de twee concurrerende groepen uit elkaars buurt, maar het was de jeugd die het meeste succes had.

Vanavond was het stil, ongetwijfeld een gevolg van het onderzoek, maar de zaken zouden spoedig weer op de oude voet doorgaan. Uiteindelijk is er niets wat het kapitalisme kan stuiten. Dat heeft me altijd tegengestaan aan de Britse houding ten opzichte van betaalde seks: het is heel mooi om morele bezwaren te hebben tegen prostitutie, maar daarmee is het verschijnsel nog niet de wereld uit. Het perkt het niet eens in. Het zou veel beter zijn om de zaak zo te reguleren dat de meiden gezond, veilig en zelfstandig kunnen werken. Dan zouden de rosse buurten toeristische attracties kunnen worden, in plaats van riskante, van drugs vergeven buurten zoals waar ik nu doorheen liep. Meiden zoals Miriam Fox zouden vrijwel zeker nog in leven zijn als ze in Amsterdam of Barcelona hadden gewerkt, of in andere steden waar ze zo verstandig zijn niet tegen de menselijke natuur in te gaan.

De kreet kwam van ergens achter me.

De eerste keer ging hij het ene oor in en het andere oor uit. Je verwacht lawaai op een straat als deze. Toen kwam er nog een, harder en wanhopiger nu. Het klonk als een jong meisje, een tiener, maar vooral als iemand die om hulp riep. De stem werd steeds hysterischer en ik wist meteen dat er iets helemaal fout zat.

Ik draaide me snel om. Ongeveer 30 meter verderop stond een auto met brandende lichten en draaiende motor midden op de weg. De bestuurder, die ik niet goed kon zien, hing aan de passagierskant naar buiten en had een meisje vast, dat zich hevig verzette. Er leek verder niemand in de buurt te zijn.

Een deel van me wilde er niet bij betrokken raken. Voor me uit doemden de heldere lichten en veiligheid van Gray's Inn Road op. Ik mocht dan politieman zijn, maar ik had geen dienst. Dit was mijn eigen tijd, en ik zou een groot risico kunnen lopen door tussenbeide te komen. Als het een ruzie met haar vriend was, zou ze me niet bedanken; dat doen ze nooit. Ik kon een mes in mijn buik krijgen of een pistool in mijn ribben, als dank voor mijn ridderlijkheid.

Maar dat deel van me is goddank nog steeds het kleinst. Ik trok de knuppel uit mijn zak, rende de weg op en sprintte naar de auto. Het meisje hing al half naar binnen en haar gegil werd steeds harder toen ze besefte dat ze op het punt stond ontvoerd te worden. Haar dunne blote benen trappelden wild terwijl ze centimeter voor centimeter in het voertuig verdween, dat nu langzaam in beweging kwam.

Ik weet niet of hij me aan hoorde komen. Ik sloeg geen alarm – het heeft nooit zin om je aanwezigheid van de daken te schreeuwen als het niet hoeft – maar mijn voetstappen op het asfalt waren goed te horen. Toen ik er was, schoot de auto naar voren, maar pas nadat ik het meisje bij haar benen had gepakt en haar had teruggetrokken. Een moment lang bleef de bestuurder haar vasthouden en ik was doodsbang dat hij me over het asfalt zou meesleuren. Ik struikelde en kwam half ten val, maar ik hield uit alle macht vast en slaagde er op een of andere manier in om op de been te blijven. Dat deed voor hem de deur dicht. Het spel was uit, hij zou zijn buit niet krijgen. Dus liet hij los, waarop zij naar buiten schoot en op straat belandde. Door de plotselinge beweging sloeg ik ook tegen de grond en had ik het nakijken: hij ging er met piepende banden vandoor en sloeg een hoek om voordat ik het kenteken had kunnen zien.

Ik krabbelde op, stak de knuppel weg en hielp haar overeind. 'Gaat het?'

Ze keek me voor de eerste keer aan en ik herkende haar meteen als Anne Taylor, het meisje dat buiten Coleman House had gezeten toen we daar de vorige dag waren gearriveerd. Ze leek nu een stuk minder van zichzelf overtuigd. Haar ogen waren betraand en haar make-up was doorgelopen. Ze zag er erg geschrokken uit.

Ze knikte langzaam, terwijl ze haar rok en topje op schade controleerde. 'Ik geloof het wel... Ja, alles oké.'

Ik nam haar bij de arm en trok haar de stoep op. 'Kende je hem?' vroeg ik.

'Waarschijnlijk een of andere smeerlap,' antwoordde ze zonder op te kijken. 'Ik heb hem nooit eerder gezien.'

'Hoe zag hij eruit?'

Ditmaal keek ze op. 'Hoor eens, ik ga geen aangifte doen of zo.' Ze schudde haar arm los.

'Nou, een dankjewel lijkt me wel op zijn plaats. Ik bedoel, ik heb je zojuist uit een benarde positie geholpen. Er had van alles met je kunnen gebeuren.'

'Ik kan heel goed voor mezelf zorgen.'

'Ja, dat zag ik.' Ik diepte mijn sigaretten op en bood haar er een aan. Ze pakte hem aan en ik gaf haar een vuurtje. Zelf stak ik er meteen ook een op. 'Nou, bedankt dan. Dat was aardig van u.' Het werd met tegenzin uitgesproken, maar ik neem aan dat het beter was dan niets. Wat is dat toch met die jongeren van tegenwoordig? Geen een van die blagen heeft nog manieren.

'Wil je ergens een kop koffie pakken? Een beetje op verhaal komen?'

'Nee, ik mankeer niets. Het gaat best.'

'Kom op. Ik betaal.'

Ik kon merken dat ze dacht dat even zitten met een warm drankje misschien wel prettig was. Het probleem was het gezelschap. 'Ik heb geen zin in gezeur aan mijn kop en allemaal vragen. Ik heb wel iets beters te doen.'

'Kom, gewoon een kop koffie en een sigaret. Daar ben ik zelf ook wel aan toe. Ik ben niet gewend aan dit soort lichaamsbeweging.'

Ze nam me geringschattend op. 'Ja, dat kan ik wel zien.'

We vonden een café op Gray's Inn Road dat niet helemaal vergeven was van het uitschot. Ik bestelde twee koffie en we vonden een tafeltje achterin.

'Het verbaast me dat je zo snel na het gebeurde weer de straat op gaat.'

'Ik dacht dat u niet zou gaan zeuren. Als u gaat preken, ben ik weg. Ik zou nu geld kunnen verdienen, weet u.'

'Of achter in de wagen van die vent liggen, vastgebonden en gekneveld...'

'Hoor eens, ik heb geen zin in dit gezeik...' Ze maakte aanstalten om op te staan.

'Al goed, al goed, ik zal niet preken. Ik maak me gewoon zorgen over je veiligheid, dat is alles.' Ze ging weer zitten. 'Je bent door het oog van de naald gekropen. Vergeet dat niet.'

'Maak u over mij maar niet bezorgd. Ik kan wel voor mezelf zorgen.'

'Ja, dat zei je al. Ik vermoed dat Miriam Fox hetzelfde dacht.'

'Er zitten altijd smeerlappen tussen. Dat is een risico van het vak.'

'Als je het zo stelt, ja. Toen we elkaar gisteren spraken, zei je dat je niet wist dat Miriam Fox prostituee was. Dat was niet waar, hè? Je wist het wel.'

'Jullie smerissen zijn allemaal hetzelfde, hè? U houdt niet op met vragen.'

Ik lachte. 'Ach, dit is gewoon een vertrouwelijk babbeltje. Wat je hier zegt, mag niet als bewijs worden gebruikt. Dat moet jij toch weten? Ik probeer alleen uit te zoeken wie Miriam heeft vermoord en hem van de straat te halen. Zodat hij het niet nog eens kan doen.' Ik pakte nog twee sigaretten en stak ook nu de hare aan. 'Het is in je eigen belang, waarschijnlijk meer dan in het mijne, dat dat gebeurt.'

Ze dacht er even over na, waarbij haar eigenbelang duidelijk worstelde met haar aangeboren wantrouwen tegen de handhavers van wet en orde. Ik trok aan mijn sigaret en wachtte. Ik had geen haast.

'Ja, ik wist dat ze tippelde,' zei ze uiteindelijk. 'Natuurlijk wist ik dat, maar ik had niet veel met haar te maken. Ze was een kreng.'

'In welk opzicht?'

'Nou, ze vond zichzelf heel wat, weet u wel? Ze keek op de rest van ons neer alsof wij uitschot waren. En ze was ook een manipulerende trut. Altijd achter je rug om praten en mensen tegen elkaar opzetten. Ik heb haar nooit gemogen, dus bleef ik uit haar buurt.'

'Ze was met Mark Wells, niet?'

Anne knikte. 'Ja, en met hem heb ik ook niks te maken.'

'Waarom niet?'

'Het is een halvegare. Als je het bij hem verbruit, slaat hij je helemaal verrot.'

'Denk je dat hij iets te maken kan hebben gehad met de moord op Miriam?'

'Ik dacht dat de dader een maniak was.'

'Dat is mogelijk, maar dat weten we nog niet zeker. Het kan ook iemand anders zijn geweest. Iemand die haar kende. Iemand zoals Mark Wells.'

Ze haalde haar schouders op. 'Ik heb geen idee.'

'Denk je dat hij ertoe in staat is?'

'Hoor eens, dat moet u mij niet vragen. Op dat soort vragen wil ik geen antwoord geven.'

'Anne, niets van wat je hier tegen mij zegt gaat verder dan deze tafel, en je naam zal nooit worden genoemd. Ik probeer me gewoon een beeld te vormen, meer niet.'

'Als Mark Wells ooit te horen zou krijgen dat ik zijn naam tegen u genoemd heb, zou hij me de nek omdraaien.'

Ik overwoog haar te vertellen dat hij al in hechtenis was, maar hield het voor me. Ik wilde haar antwoorden niet sturen, niet meer dan ik al had gedaan in elk geval. 'Hij zal er niets van horen. Dat zweer ik. Niemand zal er iets van horen.'

'Het is een gemene vent. Ik heb heel nare verhalen over hem gehoord, dat hij mensen in elkaar ramt als ze hem dwarszitten. En ik heb gehoord dat hij iemand heeft neergestoken omdat hij hem geld schuldig was. Maar waarom zou hij Miriam willen vermoorden? Ze bracht hem geld in het laatje.'

Daar had ze gelijk in.

'Trouwens,' vervolgde ze, 'hij zit al krap in de meiden.'

'Wat bedoel je?'

'Nou, Molly was een van zijn meiden. En zij is nu weg.'

Ik dacht terug aan mijn droom. 'Waar denk je dat Molly naartoe is? Ik zou haar een paar vragen over Miriam willen stellen. Ze waren goede maatjes, niet?'

Ze knikte. 'Ja. Joost mag weten waarom. Ze was zo ongeveer de enige die Miriam mocht.'

'Heb je een idee waar ze naartoe kan zijn?'

Ze keek neer op het tafelblad, terwijl ze heftig aan het restant van haar sigaret trok. We hadden een redelijk volwassen gesprek, en in zekere zin was ze rijp voor haar leeftijd, maar op dat moment leek ze even jong als ze was: een kind gevangen in de wereld van volwassenen.

Ze bleef voor mijn gevoel een hele tijd zo zitten, zonder iets te zeggen. Ik leunde achterover en dacht dat ik haar misschien op een of andere manier tegen de haren in gestreken had. Het was moeilijk te zeggen. Toen ze begon te praten deed ze dat op zachte toon, zonder op te kijken: 'Ik geloof niet dat ze ergens naartoe is.'

Ik wist niet zeker of ik haar goed had verstaan. 'Wat? Wat zei je?'

Ditmaal keek Anne me recht in de ogen, en ze zag eruit alsof ze in tranen uit zou barsten. 'Ik zei: "Ik geloof niet dat ze ergens naartoe is."'

12

'Wat denk je dan dat er met haar is gebeurd?' vroeg ik kalm.

'Ik weet het niet,' zei ze met afgewende blik.

'Je zult toch wel een reden hebben om dat te denken?'

'Zeg, hou eens op met al die verrotte vragen.'

Ik bleef een tijd zwijgen en bedacht ondertussen dat ik blij was dat ik niet met kinderen werkte. Vooral tieners.

'Ik denk gewoon niet dat ze ergens naartoe is, dat is alles. Ik weet het wel zeker.' Ditmaal zei ik geen woord, maar ik was geïntrigeerd. 'Ze zou Mark niet in de steek hebben gelaten. Dat weet ik wél.'

'Mark Wells?'

'Ja. Ze hield van hem, weet u wel? Ze zou alles voor hem gedaan hebben, ook al gaf hij geen flikker om haar. Hij heeft al een paar meiden, dus Molly had hij niet nodig. Ik bedoel, hij neukte haar wel, maar daar bleef het bij. Voor hem was ze gewoon iemand die geld inbrengt.'

Ik dacht aan het glimlachende gezicht op de pasfoto's. Veel te jong voor dat soort complicaties. 'Dus jij denkt niet dat ze gewoon kwaad op Wells is geweest en het voor gezien hield? Volgens onze berichten is ze al eerder weggelopen en een tijd buiten beeld geweest.'

'Nee, dat geloof ik niet. De laatste keer dat ze ertussenuit ging was met haar vorige vriend, maar met hem gaat ze al tijden niet meer om. Ze zou nooit op haar eentje zijn vertrokken. Niet zonder Mark. Ze was helemaal weg van hem. Had het voortdurend over hem.'

'Waren jullie twee dik met elkaar?' Ik had het Anne de vorige dag ook al gevraagd en had toen een ontkennend antwoord gekregen, maar ditmaal dacht ik dat ze me misschien de waarheid zou vertellen.

'Niet echt. Ze praatte wel vrij vaak met me. Je weet wel, over van alles en nog wat. Maar vooral over Mark. Het was Mark voor en Mark na.'

'Wat vond Miriam van Mark? Weet je dat?'

Ze haalde haar schouders op. 'Ze ging met hem naar bed, maar dat was het wel zo'n beetje. Ze was niet verliefd op hem. Niet zoals Molly.'

'En de laatste keer dat je Molly zag... Wanneer was dat? Zo'n drie weken geleden?'

Opnieuw haalde ze haar schouders op. 'Ja, zo ongeveer.'

'Was dat rond de tijd dat ze verdween?'

'Ik zag haar op een dag in het tehuis en toen ging ze die avond uit. Daarna heeft niemand haar nog gezien.'

'Wat voor indruk maakte ze toen je haar zag? Was ze opgewekt, of baalde ze ergens van?'

'Gewoon. Net als anders.'

'Zei ze niets wat erop wees dat ze weg zou gaan of zoiets?'

'Nee. Niets.'

Wat moest ik met nu dit alles? Hoewel de verdwijning van Molly Hagger helemaal mijn zaak niet was, hoorde ik nu van een meisje dat haar kende, en dat Miriam Fox kende, dat het allemaal heel verdacht was. Opnieuw moest ik aan mijn droom denken. Die stond me nog even helder voor de geest als toen ik in het donker wakker was geworden, zwetend en angstig, maar hij had zijn voorspellende kracht verloren. Zat er iets in Annes verhaal, of was het de op hol geslagen verbeelding van een tiener? Molly kon best ergens naartoe zijn gegaan zonder het Anne te vertellen, die zelf toegaf dat ze niet erg dik met elkaar waren. Het was ook goed mogelijk dat Molly niet zo door Mark Wells geobsedeerd was als Anne deed voorkomen. Molly was per slot pas dertien jaar oud, en zelfs ik wist dat 13-jarige meisjes behoorlijk wispelturig kunnen zijn als het op de liefde aankomt.

'U gelooft me niet, hè?'

'Jawel, ik geloof je best, maar als ze nergens heen is, waar is ze dan?'

'Ik weet het niet.' Ze haalde haar schouders op en keek me aan met ogen die niet die van een kind waren. 'Misschien is ze wel dood.'

'Denk je dat? Dat ze dood is?'

Ze knikte langzaam en met verontrustende zekerheid. 'Ja. Dat denk ik.'

Ik schraapte mijn keel, niet blij met het gevoel dat me beving. 'Denk je dat degene die Miriam vermoord heeft ook haar kan hebben vermoord?'

'Zou kunnen.'

'De man die jou vanavond aanviel... Hoe ging dat in zijn werk?'

'Ik stond op mijn vaste plek toen hij kwam aanrijden. Ik zou bij Charlene hebben aangehaakt, maar zij kwam vanavond niet opdagen, dus was ik alleen. Hij wenkte me gewoon, zoals veel mannen doen, dus ik loop naar hem toe, bekijk hem eens goed en denk van: nee, ik moet jou niet.'

'Wat was er dan mis met hem?'

'Hij zag er gewoon niet tof uit, weet u wel? Hij had een afschuwelijke grijns, en hij had iets... Ik kreeg gewoon de kriebels van hem.'

'Ga door.'

'Nou, hij opent het portier aan de passagierskant en klopt op de zitting en lonkt naar me met die smerige grijns en zegt me dat ik moet instappen. Maar hij lijkt me pervers; zo'n type is het. Zo'n type dat je meeneemt naar een stille plek en je er dan van langs geeft, dus ik zeg: nee dank u, en wil weglopen. Maar hij grijpt me gewoon beet en begint me naar binnen te trekken en te zeggen dat het allemaal goed komt, dat hij me geen pijn zal doen, maar hij doet hartstikke ruw en trekt me zo hard als hij kan aan mijn haar, die klootzak...' Ze zweeg even. 'En toen kwam u.'

'Hoe zag hij eruit?'

'Vrij grote kerel. Dik. Kaal. Bol gezicht.'

'Leeftijd?'

'Geen idee. Rond de vijftig of zo.' Waarschijnlijk rond de dertig dus.

'En je had hem nooit eerder gezien?'

Ze schudde haar hoofd. 'Hij had iets engs, weet u wel? Normaal heb ik dat niet bij klanten. Ik bedoel, ze zijn allemaal verdomde oud en lelijk, de meesten tenminste. Maar deze was anders. Ik wist gewoon dat hij gevaarlijk was.'

Ik probeerde me het merk auto waarin hij reed voor de geest te halen. Het was een Mercedes sedan, niet bepaald nieuw, en ik denk dat hij lichtbruin of beige was. Niet donker zoals die waarmee Miriam was opgepikt. Verder kwam ik niet.

'Het zou prettig zijn als je een verklaring zou afleggen.'

'Waarom? Ik heb net verteld hoe hij eruitzag. Denkt u dat hij de moordenaar van Miriam zou kunnen zijn?' Het leek alsof de gedachte nu pas bij haar opkwam.

'Ik weet het niet. Echt niet. Het zou kunnen.'

Ze huiverde. 'Christus.'

'Het zou beter zijn als je niet tippelde, Anne.'

'Ik heb het geld nodig.'

Ik overwoog of het zin had te proberen haar ervan te overtuigen dat ze verkeerd bezig was, maar ik weet vrij zeker dat het niet zou hebben geholpen. Verandering komt van binnenuit. Je moet inzien dat je fout bezig bent en dat je er een punt achter moet zetten, en ik was er eigenlijk van overtuigd dat Anne daar niets voor voelde.

'Kom, ik zal je terugbrengen naar Coleman House.'

Ze snoof. 'Kom nou. Ik was hier pas tien minuten toen u kwam. Ik heb nog geen cent verdiend.'

'Neem dan de avond vrij.'

'Mijn kerel gelooft niet in vrije avonden.'

'En wie is je kerel?'

'Kom op, u bent een smeris. Dat ga ik niet vertellen.'

'Nou, ik hoop dat hij aardiger is dan Mark Wells.' Aardig!

'Ja, natuurlijk is hij dat.'

'Dan begrijpt hij het toch wel?'

Ze lachte, veel te cynisch voor een 13-jarige. 'Hij zou niet blij zijn als ik niet wat geld voor hem verdien.'

Wat een ridder. 'Oké, dan gooien we het op een akkoordje. Je krijgt 40 pond van me als je naar huis gaat en voor de rest van de avond niet werkt.' Het was een zinloos gebaar. Het geld zou in de zak van haar pooier of de crackdealer verdwijnen, die waarschijnlijk een en dezelfde persoon waren. En als Anne ervoor koos zichzelf in gevaar te begeven, was dat niet echt mijn zorg te noemen. Zeker niet gezien het feit dat ze de volgende dag toch weer de straat op zou gaan, ongeacht wat er deze avond was gebeurd. Maar ik wilde niet degene zijn die haar daar nu achterliet.

'40 pond. En wat wilt u daarvoor terug?'

'Niets. Het enige wat je ervoor moet doen is naar huis gaan en daar blijven.'

'Dat is niet veel. 40 pond is helemaal niks. Ik kan tien keer zoveel verdienen.'

'Meer krijg je niet. En je hoeft er niets voor te doen.'

Ze dacht er even over na. 'Als u er 50 van maakt, doe ik het.'

'Je zit in het verkeerde vak. Je zou makelaar moeten worden.'

Ik stond erop haar naar Coleman House te begeleiden, want ik vertrouwde er niet op dat ze zou gaan als ik haar alleen liet. We namen een taxi, en de chauffeur keek me vuil aan toen hij haar zag. Uiteindelijk voelde ik me gedwongen hem mijn legitimatie te tonen om hem ervan te overtuigen dat ik niet een perverse hoerenloper was die zijn auto vergeten was.

In de taxi zeiden we niet veel, en toen we arriveerden, sprong ze zonder een woord met haar 50 pond uit de wagen en verdween naar binnen. Ik had gewoon naar huis kunnen gaan, maar nu ik er toch was, dacht ik: laat ik eens kijken of Carla Graham aanwezig is. Malik had gelijk, ze was mijn type niet, maar ik kwam niet bepaald om in de mooie vrouwen, dus ik mocht graag de weinige kansen die ik op dat gebied had benutten. Zelfs al zou het maar bij een babbeltje blijven.

Om binnen te komen moest ik aanbellen via de intercom. Een vrouwenstem reageerde. Ze kon de r niet zeggen, en ik herkende haar als een van de personeelsleden die we de vorige dag ondervraagd hadden. Ik geloof dat ze Katia heette of iets vergelijkbaar bizars met een K. Een vrij jong meisje met de blik van een revolutionaire dat overkwam als het type dat denkt dat alle politiemensen nazi's zijn die niets liever doen dan inrammen op minderheden. Ik vertelde haar wie ik was en vroeg of het mogelijk was om mevrouw Graham te spreken.

'Ik geloof dat ze bij dokter Woberts is,' deelde ze me mee. 'Ik zal even kijken of ze zich vrij kan maken.'

'Zeg maar dat ik morgenvroeg om negen uur terugkom, als dat beter uitkomt,' zei ik, ervan uitgaande dat dat waarschijnlijk veel minder goed zou uitkomen.

Zo'n dertig seconden verstreken en toen ging de deur open. 'Katia' stond daar in al haar vermoeide overgewicht. 'Ze is in haar kantoor,' zei ze met een blik in haar ogen alsof ik haar zojuist in een van haar tepels had geknepen.

Ik knikte en liep langs haar heen. Het was stil in het gebouw en ik vroeg me af wat iedereen aan het doen was. Niet veel goeds waarschijnlijk. Anne zou vast in tien minuten weer buiten zijn om de zinloosheid van mijn geschenk van 50 pond nog eens extra te onderstrepen.

Ik klopte op de deur van Carla's kantoor, maar liep naar binnen zonder op een antwoord te wachten. Carla Graham stond bij haar bureau en was in gesprek met een kleine man van middelbare leeftijd in een driedelig kostuum. Ze droeg een lichtgrijs broekpak met een witte blouse en had een eenvoudig parelsnoer om. Ze glimlachte naar me, maar ik meende er een spoor van geforceerdheid in te bespeuren waar ik aan heb leren wennen – je moet wel als diender – maar waar ik in haar geval toch teleurgesteld over was. 'Brigadier Milne. U maakt lange dagen.'

Ik glimlachte terug en liep naar het bureau. 'In ons werk is het helaas niet mogelijk om je strikt aan kantooruren te houden. Bedankt dat u me wilt ontvangen.'

'Ik stond op het punt te vertrekken. Dit is een van mijn collega's, dokter Roberts. Hij is kinderpsycholoog.'

We schudden elkaar de hand.

'Dit is niet mijn vaste standplaats,' zei hij met een prettige, bijna vrouwelijk-zangerige stem. 'Ik werk voor alle vestigingen in de gemeente.'

'Dan zult u uw handen wel vol hebben.'

'We hebben veel kinderen met problemen, maar het is werk dat veel voldoening geeft.'

'Dat zal ongetwijfeld,' zei ik, hoewel ik er niets van meende.

'Ik heb gehoord dat u onderzoek doet naar een moord,' zei hij, terwijl hij me met onverholen belangstelling aankeek. Hij had een jolig gezicht, wat me ongebruikelijk leek in zijn soort werk. De meeste psychologen leven in een ivoren toren. Voor een beroep met zo'n hoog en constant mislukkingspercentage nemen ze hun werk merkwaardig serieus.

'Dat klopt,' zei ik. 'Een meisje dat niet veel ouder is dan de categorie jongeren waarmee u te maken hebt. Ze heette Miriam Fox. Van huis weggelopen.'

Hij schudde zijn hoofd. 'Het is een tragedie, brigadier. Ik heb altijd het idee dat we, als we er maar vroeg genoeg bij zijn, kunnen helpen voorkomen dat ze dat soort wegen inslaan.'

Ik had veel zin om hem te vertellen dat hij en zijn collega's daar altijd ruim de gelegenheid toe hadden gehad, maar duidelijk gefaald hadden. Maar dat deed ik niet. Hij leek me een fijngevoelig type en ik wilde hem niet van streek maken. Om een of andere reden leek hij me zelfs een heel aardige vent. Hij deed me denken aan een excentrieke muziekdocent van school die altijd felgekleurde stropdassen droeg en heel enthousiast was over zijn vak. Ik vond muziekles maar niks – het was een van die vakken die uitblonken door nietszeggendheid en zinloosheid, maar zíjn lessen had ik altijd leuk gevonden.

'Het moet een frustrerende taak zijn,' zei ik.

'En hoe vordert het onderzoek?'

'Dit soort dingen vraagt tijd, maar we hebben er alle vertrouwen in.'

'Ik heb gehoord dat er een arrestatie is verricht.'

Ik keek hem nieuwsgierig aan. 'Dat klopt. Hoe weet u dat?'

Hij glimlachte. 'Ik ben verslaafd aan het nieuws. Ik volg het op de voet, zeker nu ik internet op mijn laptop heb. Op de lokale nieuwspagina las ik dat vandaag een man zich bij de politie heeft gemeld.'

'Dat klopt, maar u zult begrijpen dat ik daar verder niets over kan loslaten.'

'Natuurlijk, natuurlijk. Dat begrijp ik. Vergeeft u me mijn nieuwsgierigheid, brigadier. Ik wil gewoon altijd graag weten wat er in de wereld gebeurt.'

'Daar bent u niet de enige in,' zei ik hem.

Er viel een gespannen stilte, waarin Roberts vermoedelijk over een nieuwe vraag nadacht, maar ik denk dat hij in de gaten had dat hij niet veel informatie uit me los zou krijgen, want hij hield het voor gezien.

'Nou, ik zal u niet langer ophouden. Veel succes ermee.' Hij stak zijn hand uit en ik schudde hem.

Toen hij vertrokken was, richtte ik me tot Carla. Ze zag er nog beter uit dan de vorige dag en ik kon het niet laten me voor te stellen hoe ze er naakt uit zou zien.

'Ik wilde er net een punt achter zetten voor vanavond, meneer Milne. Het is een lange dag geweest.'

'En ik waardeer het dat u me te woord wilt staan, mevrouw Graham. Is er hier een pub in de buurt? Misschien is het prettiger om in een minder formele omgeving te praten.'

Christus, dat kwam er gladjes uit!

Ze trok een wenkbrauw op en keek me bevreemd aan. Misschien was ik te ver gegaan, maar wie niet waagt, die niet wint.

'Is dit een voorstel om iets met u te gaan drinken?' Er klonk voldoende speelsheid in haar stem door om te weten dat ze niet beledigd was.

Ik glimlachte. 'Technisch gezien wel, geloof ik. Maar u moet het niet zien als uw burgerplicht. We kunnen ook hier praten, als u dat liever hebt.'

Ze zuchtte. 'Er is een pub om de hoek die niet al te louche is. Als u wilt, kunnen we daar praten, maar ik kan niet te lang blijven. Ik ben doodop en morgen heb ik een lange dag.'

De pub lag op 200 meter lopen, ver genoeg om geen bewoners van Coleman House tegen te komen. Het was een grote zaak met twee verdiepingen die duidelijk populair was bij studenten. Hoewel er veel mensen waren, was er ruimte genoeg voor iedereen. Er waren zelfs nog een paar tafeltjes vrij.

Terwijl we naar de bar liepen, zei Carla twee bekenden gedag – allebei mannen, allebei jonger dan ik – en ik betrapte mezelf op een steek van jaloezie. Ik bestelde voor mezelf een wodka-jus in een oppervlakkige poging trendy over te komen, en een wodka-tonic voor haar.

'Ik dacht dat politiemensen niet mochten drinken tijdens hun dienst,' zei ze, toen we een hoektafeltje op respectvolle afstand van de andere bezoekers hadden gevonden.

'Nou ja, ik heb officieel geen dienst.'

Ditmaal trok ze beide wenkbrauwen op. 'O. Ik kreeg de indruk dat u me wilde spreken in verband met het onderzoek.'

'Dat is ook zo. Daarom ben ik hier, maar wat ik met u wil bespreken is vertrouwelijk. Ik ben hier in een onofficiële hoedanigheid.'

Ze keek geïnteresseerd. En nu had ik een probleem. Als ik eerlijk tegen mezelf was, was ik alleen maar hier om haar te zien; al het andere was min of meer bijkomstig. Ik maakte me zorgen om wat Anne me had verteld, maar ik wist niet goed hoe ik dat moest uitleggen.

'Gaat u verder.'

Ze keek me onderzoekend aan en ik deed onwillekeurig hetzelfde bij haar. Ze had prachtige bruine ogen die je leken te verslinden. Voor de zoveelste keer vroeg ik me af waarom ze in godsnaam een kindertehuis leidde.

'Ik liep vanavond een van uw cliënten tegen het lijf. Anne. Het scheelde een haar of ze was ontvoerd door een van haar potentiële klanten.'

Ze keek oprecht verontrust. 'Is alles goed met haar?'

'Ja, alles is goed, maar dat was puur geluk, mevrouw Graham. Ik weet niet wat er zou zijn gebeurd als ik niet toevallig in de buurt was geweest. Op een of andere manier denk ik niet dat het goed zou zijn afgelopen.'

'Die meiden…' Ze schudde langzaam haar hoofd. 'Je kunt geen peil op ze trekken. Het lijkt wel alsof ze een heimelijke doodswens hebben.'

'Nou, die wens kan best eens in vervulling gaan.'

'Dat weet ik maar al te goed. Wat ik er zo tragisch aan vind, is dat Anne een heel intelligente meid is. Ze zou echt iets van haar leven kunnen maken, als ze naar raad zou willen luisteren. Waar is ze nu?'

'Ik heb haar bij het tehuis afgezet. Daarom stond ik bij u voor de deur.'

'U had het me moeten vertellen.'

'Maak u geen zorgen. Ze is ongedeerd. Ze heeft zich opmerkelijk goed hersteld. We hebben een poosje nagepraat en ze maakte een bezorgde indruk, met name over de verdwijning van Molly Hagger. Ze schijnt te denken dat Molly niet gewoon weggelopen is…'

'Wat denkt ze dan dat er met haar gebeurd is?'

'Ze zei het niet met zoveel woorden, maar ik kreeg de indruk dat ze bang is dat er iets akeligs is gebeurd.' Ik gaf een korte samenvatting van de redenen die Anne mij had gegeven, zonder Mark Wells met name te noemen. Toen ik uitgesproken was, moest ik mezelf toegeven dat ze behoorlijk zwak klonken.

Carla diepte een pakje Silk Cut uit haar handtas op en stak er een in haar mond. Toen besefte ze dat ze mij er geen had aangeboden. Haastig hield ze mij het pakje voor.

Ik sloeg af. 'Ik rook een zwaarder merk,' zei ik, terwijl ik een pakje Benson & Hedges uit het borstzakje van mijn overhemd viste.

Ze knipte haar aansteker aan om me een vuurtje te geven, en ik ving een vage maar plezierige vleug van haar parfum op toen ik me naar haar toe boog.

'Ik dacht dat u zei dat er iemand was gearresteerd voor de moord op dat meisje.'

'Dat is ook zo, en we zijn hem uitvoerig aan het verhoren, maar we moeten onze opties openhouden. Het is mogelijk dat hij ook Molly Hagger heeft vermoord, maar ook dat hij helemaal niets op zijn geweten heeft.'

Ze nam een sierlijke trek van haar sigaret. 'Denkt u dan dat ze dood is?' vroeg ze.

'Ik weet het niet. Anne beweert dat Molly Hagger nooit in haar eentje zou zijn vertrokken, maar ze kan er best naast zitten.' Ik zweeg even, en besloot toen in het diepe te duiken. 'Zijn er onder de andere meisjes die de afgelopen maanden het tehuis hebben verlaten misschien een of meer die u niet had verwacht kwijt te raken?'

Carla keek me verwijtend aan. 'Meneer Milne, ik begrijp uw bezorgdheid, en ik kan me die best voorstellen. Als jonge meisjes iets overkomt, moet dat uitgezocht worden, maar met alle respect: niet iedere vrouwelijke cliënt van Coleman House is een jeugdige prostituee. Ja, sommigen komen in die wereld terecht, dat zal ik niet ontkennen, maar zij zijn in de minderheid. En het is zeker niet zo dat wij de straten van King's Cross van minderjarige meisjes voorzien. Binnen een straal van 5 kilometer zijn er tientallen tehuizen die precies dezelfde problemen hebben als wij. Denkt u echt dat het waarschijnlijk is dat juist ónze cliënten een voor een worden opgeruimd door een onbekende moordenaar?'

'Nee, nee, natuurlijk niet. Het spijt me als het zo overkwam. Ik probeer gewoon elke mogelijkheid na te gaan.' Ik nam een slok van mijn wodkajus en zag dat haar drankje de bodem van het glas gevaarlijk dicht begon te naderen. Ik wilde niet dat ze wegging – nog niet – maar ik was tot dusver niet erg succesvol in mijn pogingen haar ertoe te verleiden langer te blijven. 'Wilt u me een plezier doen? Gewoon omdat ik het ben.'

'Wat?'

'Wilt u het me laten weten als een van uw cliënten ervandoor gaat of onder verdachte omstandigheden verdwijnt? Alstublieft. Alles wat u zegt zal met de grootst mogelijke vertrouwelijkheid worden behandeld.'

Ze knikte. 'Goed, maar dat is aan de orde van de dag, zoals ik u en uw collega gisteren al heb verteld. Meestal gaat het zo. Dat ze ertussenuit knijpen. Graziger weiden opzoeken. Dat geldt voor alle tehuizen, zeker in een grote stad als deze.'

'Ja, dat weet ik. Dat is het probleem. Voor een moordenaar die niet gepakt wil worden, zijn zij het ideale doelwit. Meisjes die spoorloos kunnen verdwijnen zonder dat iemand ervan wakker ligt.'

'Maar ik lig wel degelijk wakker van wat er met mijn cliënten gebeurt. Wij allemaal. We weten maar al te goed welke gevaren hen op elke straathoek wachten. Maar als de middelen en de autoriteit je worden onthouden...'

'Sta je machteloos.'

'Precies. Maar als we een meisje missen, zal ik het u laten weten.'

'Dank u wel. Dat stel ik bijzonder op prijs.' Ik trok aan mijn sigaret en besefte dat ik iets moest doen om het gesprek gaande te houden als ik haar hier wilde houden. 'Het lijkt belachelijk dat die kinderen precies kunnen doen wat ze willen terwijl ze zo... zo slecht voor het leven zijn toegerust.'

'Dat is een debat dat binnen ons werkveld voortdurend speelt,' zei ze. 'Het stuit velen van ons tegen de borst om autoritaire maatregelen te nemen, maar soms heb ik echt het gevoel dat er geen alternatief is. Die kinderen zijn kwetsbaar, maar zelf beseffen ze dat niet.'

'Het is vreemd,' zei ik, snel inhakend om de vaart erin te houden, 'maar toen ik klein was, zei mijn moeder altijd dat we in een harde wereld leefden. Ze zei altijd: geniet van je jeugd, maar hou je ogen open, want als je ouder wordt zul je zien dat er een heleboel slechte mensen op de wereld zijn. En weet u? Ik geloofde haar nooit.'

'Maar nu wel?'

'Ja, nu wel. Ze had gelijk, veel meer dan ze zelf besefte.'

'Ik begin de indruk te krijgen dat u een gevoelig type bent, meneer Milne.'

'Ik weet niet goed of ik dat als een compliment moet opvatten.'

Ze dacht er even over na terwijl ze me over haar glas heen aankeek. 'Vat het maar op als een compliment. Zo was het bedoeld.'

'Wij zijn niet allemaal fascistische ploerten, weet u. Sommigen van ons zijn zelfs best aardig, zeker buiten werktijd.'

'Daar twijfel ik niet aan. Dat ik in dit beroep zit, betekent niet dat ik automatisch denk dat jullie allemaal fascistische ploerten zijn.'

'Maar sommige van uw collega's wel.'

'Sommige van de jongere collega's wel, ja. Aan het begin van mijn loopbaan bij maatschappelijk werk was ik waarschijnlijk ook heel wat rechtlijniger in mijn kijk op de politie. Maar dat is alweer lang geleden.'

'Zo lang kan dat niet zijn, toch?' zei ik gemaakt ridderlijk.

Ze glimlachte. 'Nou, dat vat ík beslist wel als een compliment op.'

'Zo is het ook bedoeld.'

Ze keek op haar horloge en toen weer naar mij. 'Ik moet echt gaan, meneer Milne. De tijd tikt door, en ik moet nog rijden.'

'Och, drink nog één drankje met me. Ik heb als stelregel dat ik in elke pub die ik bezoek altijd minstens twee drankjes drink. Eén drankje betekent dat je te jachtig bezig bent.'

'Een interessante theorie. Goed, nog eentje dan. Maar dit rondje is voor mij.' Ze stond op. 'Hetzelfde?'

'Graag.'

Ik sloeg haar gade terwijl ze naar de bar liep. Ze droeg zwarte laarzen met hoge hakken en zat heel goed in haar vel. Ze bewoog met een gratie die ik normaal gesproken met een mannequin associeer. Of misschien lag het aan mij. Ik was me er al volledig van bewust dat ik op haar viel. Ik vermoed dat zij het ook wist, maar pas toen ik haar zo opnam, besefte ik dat ik haar ter plekke de kleren van het lijf wilde rukken en de liefde met haar bedrijven. De laatste keer dat ik seks had gehad was bijna een half-jaar geleden, dus er was niet veel voor nodig om me op gang te krijgen. Die laatste keer was trouwens geen groot succes geweest. Dat was met een vrouwelijke collega die net zo dronken was als ik, dus het zou nooit een verbintenis zijn geworden waar een zegen op rustte. Ze was verloofd met een jurist van het parket en ik had me zo uitgesloofd dat ik had moeten doen alsof ik klaarkwam. Twee keer. Toch moet ik ook iets goed hebben gedaan, want ze wilde daarna nog een keer met me afspreken.

Maar nu was er meer aan de hand dan zin in seks, al stond dat hoog op de lijst. Ik voelde me tot Carla aangetrokken op een manier die ik niet gewend ben. De laatste keer dat ik zo'n gevoel had gehad, was toen ik pas omging met Danny's zus, en dat was lang geleden.

Ze bleef nog twintig minuten. Ik moest tijdens het grootste deel van het gesprek heel nodig naar het toilet, maar ik hield het op, want ik wilde haar geen excuus aan de hand doen om ineens te beseffen dat ze naar huis moest. We spraken over koetjes en kalfjes, voornamelijk dingen die met ons werk te maken hadden, en ik vond haar een interessante en in-telligente gesprekspartner. Bovendien was ze ook nog eens single. Ze vertelde dat ze als gescheiden vrouw zonder kinderen vooral met haar werk getrouwd was. Ik zei haar dat ik het gevoel kende.

Ik bleef uitkijken naar een geschikt moment om haar mee uit te vragen, maar dat kwam niet, of misschien is het accurater om te zeggen dat het me aan moed ontbrak. Ik bedoel, ze was een serieuze carrièrevrouw die een gezag uitstraalde dat meer paste bij een politica dan bij een maat-schappelijk werkster, en ik was als een schooljongen die voor het eerst verliefd is, met gevoelens die meer die van een 17-jarige waren dan die van iemand van 37.

Toen ze haar drankje op had, stond ze op en stak me haar hand toe. 'Ik moet echt gaan, meneer Milne. Het was heel aangenaam. Het is jammer dat de aanleiding van het samenzijn zo tragisch is.'

Ik stond op en schudde haar de hand. 'Helaas gaan de dingen soms zo. Nou, het was leuk om met u te praten, mevrouw Graham.'

'Zeg maar gewoon Carla.'

'Goed, maar dan sta ik erop dat jij Dennis zegt.' Het klonk als een verschrikkelijke rotnaam toen ik het zo zei. Zo gewoontjes. Even vroeg ik me af waarom ik hem niet veranderde in iets beters. Zelfs Zeke zou een vooruitgang zijn geweest.

Ze glimlachte. 'Nou, Dennis, ik hoop dat het onderzoek voorspoedig verloopt.'

Dat was het geschikte moment, maar ik liet mijn kans voorbijgaan. 'Vast. Ik neem wel contact op als we nog iets moeten weten. En zoals ik eerder al zei...'

'Ik laat het je weten als er een meisje vermist wordt, maar zoals ik al zei, gebeurt dat vaak en meestal is er een onschuldige verklaring, als ik dat zo mag zeggen.'

'Natuurlijk, dat begrijp ik.' Ik dronk mijn glas leeg. 'Ik zal je naar je auto brengen.'

'Niet nodig. Hij staat om de hoek. Ik zou je wel een lift willen aanbieden, maar ik moet vroeg beginnen.'

'Geen punt, ik begrijp het.' In elk geval zou mijn blaas me dankbaar zijn.

Ik ging weer zitten terwijl zij zich omdraaide om te vertrekken. Toen draaide ze zich weer terug. 'O, nog één ding: hoe heb je Anne eigenlijk zover gekregen dat ze naar het hostel terugging?'

'Ik heb haar omgekocht.'

'Waarmee?'

Ik voelde me een beetje schaapachtig toen ik moest toegeven wat ik had gedaan, maar ik deed het toch. 'Ik heb haar betaald om terug te gaan. Ik heb haar wat geld gegeven als compensatie voor de gederfde inkomsten.' Ik wist niet of dit goed zou vallen of niet. Waarschijnlijk niet. Maar verrassend genoeg keek ze me aan met iets van respect. 'Je bent echt een gevoelige ziel, Dennis.' Ze glimlachte. 'Ik weet bijna zeker dat het niets helpt. Meisjes zoals Anne laten zich niet van het ene moment op het andere bekeren, maar ik waardeer je bezorgdheid.'

'Bedankt,' zei ik, en ik volgde haar met mijn blik tot ze de deur uit was.

Het was tien over negen. Ik was moe, ver van huis en moest hoognodig pissen. De gebeurtenissen van de avond hadden me in elk geval enig inzicht gegeven in het soort wereld waarin deze meisjes verkeerden en in het soort lui dat het op hen voorzien had. Maar of het de zaak vooruithielp of niet, daar was ik niet zeker van.

13

'We gaan de pooier in staat van beschuldiging stellen,' zei Malik opgewonden toen ik de volgende morgen om kwart voor negen de meldkamer binnenliep.

Het gonsde er van de gesprekken, zoals altijd het geval is wanneer je resultaat hebt geboekt. De meeste rechercheurs die bij de zaak betrokken waren zaten er met tevreden gezichten bij, al zag ik Welland nergens, en Knox was niet in zijn kantoor. Mark Wells aanklagen en hem veroordelen waren natuurlijk twee verschillende dingen, maar het klonk alsof er beslist ruimte was voor groot optimisme. Er had in de afgelopen uren duidelijk een of andere doorbraak plaatsgevonden.

'Je hebt alle pret gemist, Dennis,' zei brigadier Capper hardop. 'Waar zat je?' Capper zat aan zijn bureau met twee van zijn ondergeschikten, van wie de een mijn laatste seksuele verovering was – als twee gespeelde orgasmen als een verovering tellen.

Ik bleef voor hen staan. 'Wat is er dan gebeurd? Heeft hij bekend?'

'Dat komt nog wel. We hebben nu het overhemd dat hij droeg toen hij haar vermoordde. Het zat onder het bloed. Haar bloed.'

Capper keek veel te zelfgenoegzaam naar mijn smaak. Het was al moeilijk genoeg om met hem te praten wanneer hij een slechte dag had, laat staan wanneer hij een goede had. Ik zei tot niemand in het bijzonder dat dit heel goed nieuws was, grijnsde alsof me zojuist was verteld dat ik zwaar geschapen was en nam plaats achter mijn bureau. Malik volgde me en ging aan de andere kant zitten.

Ik keek hem verrast aan. 'Shit, dat is allemaal snel gegaan. Wanneer hoorde jij het?'

'Ik zag het vanmorgen vroeg op teletekst en ben meteen hierheen gekomen. Dat was een paar uur geleden.'

'Wie heeft het overhemd dan gevonden?'

'We kregen een tip. Kennelijk heeft een van Wells' meiden gisteravond gebeld met de mededeling dat Wells haar had bekend dat hij Miriam Fox had vermoord en de kleren in de buurt had geloosd. Ze hebben de omgeving toen nog eens uitgekamd en het hemd gevonden. Het is vanochtend vroeg naar het laboratorium gegaan. De voorlopige tests tonen een exacte overeenkomst tussen het bloed op het hemd en het bloed van Miriam Fox.'

'Dat was snel.'

'Maar de tijd begint ook te dringen. Tegen lunchtijd hebben we hem al 24 uur in hechtenis.'

'Dus het is nog geen uitgemaakte zaak?'

'Nee, maar het ziet ernaar uit dat het wel die kant op gaat. Het is beslist het overhemd van de moordenaar, en we hebben een duidelijk verband vastgesteld tussen het overhemd en Wells.'

'Wie was de beller? Heeft ze gezegd hoe ze heette?'

Malik schudde zijn hoofd. 'Nee, maar dat kun je haar niet kwalijk nemen, toch? Ze wil het natuurlijk niet van de daken schreeuwen.'

Ik knikte langzaam en stak een sigaret op. Dat klonk redelijk.

'Wat is er, brigadier? U kijkt of u niet helemaal overtuigd bent.'

Ik geeuwde. 'Neu, ik ben gewoon moe. Ik heb vannacht niet al te best geslapen.' Ik had ook een lichte kater. Kort na Carla's vertrek had ik de pub verlaten, maar onderweg naar huis was ik nog even bij de Chinaman binnengewipt voor een slaapmutsje. Helaas was het uitgedraaid op drie lange slaapmutsen. 'Zou je een oude man een plezier willen doen?'

'Bent u die oude man?'

'Juist.'

'Wat wilt u dan?'

'Een sandwich met bacon en een lekkere hete kop thee.' Hij keek me vuil aan. 'Alsjeblieft, Asif, ik zou het niet vragen als het geen noodgeval was.'

'Het wordt tijd dat u eens gezonder gaat eten, brigadier. U eet alleen maar troep.'

'Nou, breng dan ook maar een appel mee.' Ik graaide in de zak van mijn colbert en diepte twee munten van 1 pond op. Alsjeblieft. Beschouw het als een persoonlijke gunst. Het is de laatste keer, dat zweer ik.'

Hij controleerde of niemand keek en nam toen het geld met tegenzin aan en stond op. 'Dit is eenmalig, brigadier. Onthou dat. Ik doe het alleen omdat u er zo bedonderd uitziet.'

'Je barmhartigheid zal worden beloond,' zei ik hem plechtig.

Toen hij weg was, begon ik na te denken over deze nieuwe ontwikkeling. Ik had niet goed geslapen omdat ik had liggen nadenken over mijn gesprek met Anne en de mogelijkheid dat er een seriemoordenaar rondliep die het op minderjarige prostituees had voorzien. Het was een theorie die voortkwam uit een vlucht van de verbeelding. Hoewel ze ideaal materiaal voor detectiveboeken zijn en eindeloos voer voor documentaires, zijn seriemoordenaars in werkelijkheid even zeldzaam als dinosaurus-keutels. Als er in dit hele, bijna zestig miljoen mensen tellende land meer dan twee tegelijk actief waren, zou het me sterk verbazen. Maar ik neem aan dat die dingen nu en dan gebeuren, en als hier zo'n figuur aan het werk was, dan had hij de juiste plek en het juiste soort slachtoffers uitgekozen om onopgemerkt te blijven. Maar als Molly Hagger en andere meisjes het slachtoffer van die figuur waren geworden, waar waren dan de lijken? En waarom was dat van Miriam Fox op zo'n opvallende plek achtergelaten?

Dit waren de vragen waardoor ik bij lange na niet de zeven uren slaap had gekregen die ik nodig heb om te functioneren op wat voor maximale efficiëntie moet doorgaan. Ik was er zelfs in geslaagd om Carla Graham op te nemen in de verschillende theorieën en gedachtegangen waarmee ik had gespeeld. In de betere zou ik de zaak oplossen, de moordenaar vinden (waarbij ik zelfs zover ging dat ik hem op heterdaad betrapte terwijl hij zijn laatste slachtoffer maakte), een promotie krijgen en Carla helemaal platneuken.

Geen schijn van kans, natuurlijk. Maar een mens mag toch dromen?

De sandwich met bacon smaakte in elk geval goed. Ik had zo'n trek dat ik zelfs de appel tot aan het klokhuis toe opat.

Om 9.15 uur kwam Knox de meldkamer binnen met Welland in zijn kielzog die er vermoeid uitzag. Welland ging meteen zitten. Hij zag eruit alsof hij daar ook hard aan toe was. Ondertussen richtte Knox het woord tot ons. 'We hebben Mark Wells zojuist op de hoogte gebracht van de laatste ontwikkelingen. Ook nu ontkent hij in alle toonaarden dat hij erbij betrokken is, maar dat is te verwachten, nietwaar? Hij kijkt wel een stuk minder onbezorgd dan voorheen. Zoals we allemaal weten, is hij de brutaliteit in eigen persoon, en daar is nu heel wat af gegaan. Als het goed is, krijgen we straks de overige resultaten over het overhemd, die ons zullen vertellen of het aan Wells toebehoorde of niet, al zou ik gezien zijn gedrag zeggen dat het vrij zeker is dat het van hem is.'

'Dus we kunnen de champagne vast koud zetten?' Capper in de bocht.

Knox glimlachte. 'Het is nog veel te vroeg om zelfs maar te denken aan zoiets als een overwinningstoast. We hebben het goed gedaan, heel goed, en het was teamwerk, maar tot nader order is het nog steeds *business as usual*.'

Hij beende zijn kantoor in, Welland achterlatend waar hij was neergezegen. Een van de vrouwelijke agenten vroeg aan Welland of alles goed met hem was. 'Ja hoor,' antwoordde hij. 'Ik heb gewoon mijn dag niet.'

Iemand raadde hem aan naar huis te gaan, maar hij zei dat hij wilde wachten tot de aanklacht tegen Wells rond was. 'Ik wil die klootzak zien piepen,' zei hij met meer kracht dan ik dacht dat hij in zich had.

'Hij ziet er verschrikkelijk uit,' zei Malik zachtjes, terwijl hij zich naar me toe wendde.

'Ja, weet ik. Hij zou er een paar dagen tussenuit moeten. Daar is hij wel aan toe. En de belastingbetaler is hem wel een verzetje verschuldigd. Hij heeft goed werk verricht voor de gemeenschap.'

Niet dat iemand hem er ooit voor had bedankt; net zomin als ze een van ons ooit hadden bedankt. Misschien klopt het niet helemaal om alle dienders miskende helden te noemen, maar het is ook niet eerlijk om ze te beschouwen als de schurken uit het stuk, zoals we zo vaak op de buis worden afgeschilderd. En Welland was zeker een goede, in elk geval veel beter dan de meesten. Hij had zijn ziel en zaligheid aan het politiewerk gegeven, dus daar mocht hij nu best iets voor terugkrijgen.

'Als ik hem was, zou ik met vervroegd pensioen gaan,' zei Malik.

'Als ik hem was, wás ik al tien jaar met vervroegd pensioen.'

Hij schonk me een ongelovige glimlach. 'Daar geloof ik niets van. Daarvoor geniet u te veel van het hele gedoe.'

'Gelul.'

Mijn telefoon ging over en ik voelde een plotselinge golf adrenaline, want ik hoopte dat het Carla was. Jammer, maar helaas. Niet degene die ik het liefst wilde spreken, maar juist een van degenen wier stem ik het minst graag wilde horen hing aan de andere kant van de lijn.

'Ene Jean Ashcroft voor u, meneer Milne,' zei de receptionist.

Christus, wat moest zij van me? 'Dank je wel, verbind haar maar door.'

Het bleef stil toen ze aan de lijn kwam. 'Hallo, Jean. Da's lang geleden.'

'Hallo, Dennis. Het spijt me dat ik je stoor...' Haar stem klonk gespannen, formeel.

'Geen punt. Wat kan ik voor je doen?'

'Het gaat om Danny,' zei ze. 'Ik denk dat hij in de problemen zit.'

'Hoe kom je daar zo bij?'

'Nou, hij belde me gisteravond, en je weet dat hij me anders nooit belt, dus ik wist meteen dat er iets mis was. Hij klonk alsof hij niet helemaal zichzelf was, Dennis. Het was allemaal erg vreemd. Ik denk dat hij gedronken of geblowd had, want hij ratelde maar door: dat hij een ander leven wilde, dat hij iets heel anders wilde gaan doen, dat het beslist tijd was om de stap te nemen en te vertrekken... En hij zei dat hij gespaard had, heel wat gespaard had.'

'Dat kan toch?'

'Hij heeft geen baan, Dennis. Hij kan nooit veel geld hebben.' Ze zweeg om een snuivend geluid te maken. 'Tenzij hij iets aan het handje heeft. Je weet wel, iets illegaals. Daar maak ik me zorgen over. Je weet hoe hij is. Mams hart zou breken als er weer iets met hem gebeurde, zeker na alles wat er al gebeurd is. En nu pa overleden is...'

'Hoor eens, ik begrijp dat je je zorgen maakt. Dat is niet meer dan logisch. En ik weet dat hij zijn aanvaringen met de wet heeft gehad, maar hij heeft nu al een hele tijd niet meer in de problemen gezeten.' Malik keek me nu vragend aan, maar ik maakte een afwerend gebaar om hem duidelijk te maken dat het niet over het werk ging. Geen politiewerk in elk geval. Hij stond op en liep weg. 'Ik vind niet dat je je door één dronken telefoontje bezorgd moet laten maken. Dat meen ik, Jean.'

'Je ziet hem toch nog af en toe?'

'Ja, af en toe, maar niet zo vaak als ik zou willen.'

'Weet je, wanneer ik hem spreek, wat niet zo vaak is, dat weet ik, heeft hij het altijd over jou. Ik denk dat hij naar je opkijkt. Zou je me een plezier willen doen? Toe. Je hebt gelijk dat ik me niet te veel zorgen moet maken, maar zou je bij hem langs willen gaan, gewoon om te kijken of alles wel goed is?'

Hier zat ik niet op te wachten. 'Ik vind echt dat je je onnodig zorgen maakt. Danny is niet gek. Hij heeft zijn tijd uitgezeten. Hij zal dezelfde fout niet nog eens maken.'

'Toe, Dennis. Je hebt het vast heel druk, maar ik zou het heel fijn vinden als je eens bij hem ging kijken.'

'Oké, ik zal zien wat ik doen kan, maar ik weet zeker dat er niets aan de hand is.'

'Dank je wel. Dat waardeer ik echt.' En het klonk alsof ze het meende.

Ik noteerde haar nummer in Leeds en zei dat ik een dezer dagen contact zou opnemen. We praatten nog wat door, maar het gesprek verliep stijfjes en ongemakkelijk. Er was te veel tussen ons voorgevallen, en ik was blij toen ik kon ophangen. Jean Ashcroft was ooit een meisje geweest dat er goed uitzag, leuk om mee om te gaan ook, maar nu was ze niet veel meer dan een halfvergeten deel van mijn verleden. Danny had de boel aardig lopen te verkloten door met haar te praten. Op de avond van de pubquiz had alles in orde geleken. We hadden wat gedronken en gelachen, en waren zelfs bijna tweede geworden. Toen ik hem had achtergelaten, was hij er best redelijk aan toe geweest. Niet bepaald een veulen in de wei, maar gewoon oké. Het was echter duidelijk dat het vele thuiszitten hem paranoïde maakte, en dat was gevaarlijk. Joost mocht weten wat hij zou doen als ze ooit echt dichtbij kwamen. Ik zou eens een hartig woordje met hem moeten wisselen. Hem bij zinnen moeten brengen. Zorgen dat hij kalmeerde.

Hoe had die Amerikaanse president het ook alweer gezegd? Het enige waar we bang voor moeten zijn, is angst. Nou, Danny was bang voor de angst, en hij begon een blok aan mijn been te worden.

14

Om 11.55 uur die ochtend kwamen de laboratoriumresultaten binnen die bevestigden dat de haarmonsters op het overhemd met die van Mark Wells overeenkwamen en dat veilig kon worden aangenomen dat het aan hem toebehoorde.

Om 12.10 uur werd het verhoor van Mark Wells door hoofdinspecteur Knox en inspecteur Welland hervat. De verdachte ontkende nog steeds elke betrokkenheid bij het misdrijf en werd hysterisch toen hij werd ingelicht over het nieuwe bewijs tegen hem. Op een bepaald moment vloog hij de beide aanwezige functionarissen zelfs aan. Hij moest worden geboeid voordat het verhoor kon worden voortgezet. Zijn advocaat verzocht vervolgens om een gesprek onder vier ogen met zijn cliënt om deze nieuwe ontwikkelingen door te spreken, en dat werd toegestaan.

Om 12.35 uur werd de ondervraging hervat. Wells' advocaat bleef volhouden dat zijn cliënt niets te maken had met de moord op Miriam Fox. Noch hij, noch Wells kon echter een goede verklaring bieden voor het feit dat het overhemd zo dicht bij de plek van de moord was gevonden, besmeurd met het bloed van het slachtoffer. Wells opperde dat het gestolen moest zijn.

Om 13.05 uur werd Mark Jason Wells, 27 jaar oud, formeel aangeklaagd voor de moord op de 18-jarige Miriam Ann Fox. Voor de tweede maal die dag moest hij ervan worden weerhouden zijn ondervragers aan te vliegen. In de daaropvolgende woordenwisseling werd zijn advocaat per ongeluk door Wells in het gezicht geslagen en hij moest behandeld worden voor een bloedneus. In een zeldzaam moment van geestigheid noemde brigadier Capper dit later een dubbel succes voor de hoofdstedelijke politie.

Om 14.25 uur werd ik, nog ietwat doezelig na mijn kantinelunch van lasagne en groenten, bij Knox geroepen.

Knox zat achter zijn smetteloze bureau en hij keek ernstig, wat me gezien de omstandigheden een beetje verbaasde. 'Hallo, Dennis. Dank je voor je komst. Ga zitten.' Hij wuifde naar een stoel. 'Dus je hebt het nieuws gehoord?'

'Over de aanklacht tegen Wells? Ja, baas. Inspecteur Welland vertelde het me.'

'Inspecteur Welland is ziek naar huis vertrokken.'

'Hij zag er inderdaad niet zo best uit.'

'Hij is ook niet gezond. In feite sukkelt hij al enige tijd met zijn gezondheid.' Ik zei niets, dus ging hij verder. 'Hij is een paar weken geleden onderzocht en vanmorgen heeft hij de uitslag gekregen.' Ik voelde een licht gevoel van angst opkomen. Knox zuchtte diep. 'Hij vertelde het me pas nadat we Wells hadden aangeklaagd. Ik vrees dat inspecteur Welland prostaatkanker heeft. Vanmiddag wordt het officieel bekendgemaakt.'

'Jezus.' Wat een dag. 'Ik wist dat er iets niet goed was, maar ik had niet gedacht dat het zoiets zou zijn. Hoe ernstig is het?'

'Nou, het is kanker, dus ernstig. Of het terminaal is of niet, weet ik niet. De doktoren evenmin. Veel hangt af van of de behandeling aanslaat en van zijn algehele houding.'

'Daar zal het niet aan liggen. De inspecteur is een vechter.'

Ik had ineens zin om een potje te janken, iets wat ik al heel lang niet had gedaan. Het was zo onrechtvaardig. Een man die zich dertig jaar lang had ingezet wordt beloond met een levensbedreigende ziekte, terwijl criminelen en politici die al even lang bezig waren om hun zakken te vullen zo gezond als een vis waren. Het gevoel zakte weer, en ik vroeg Knox of hij er bezwaar tegen had als ik rookte.

'Niemand zou hier moeten roken, zeker niet onder deze omstandigheden, maar vooruit.' Hij keek hoe ik opstak en zei dat ik er beter mee kon stoppen. 'Het is niet goed voor je, weet je,' zei hij streng – een waarheid als een koe zoals je ze maar zelden hoort. Dat is het probleem met gezondheidsfanaten: ze begrijpen nooit dat jij de feiten even goed kent als zij.

'Een mens heeft recht op zijn pleziertjes,' zei ik. Het is mijn vaste verweer in dit soort gevallen.

'Misschien. Maar goed, ik dwaal af. Ik heb je niet laten komen om je slechte gewoonten met je te bespreken. Ik wilde je spreken omdat inspecteur Welland minimaal drie maanden met ziekteverlof zal zijn, en als je het mij vraagt aanzienlijk langer. Het is zelfs mogelijk dat hij helemaal niet meer terugkomt. Zodoende is er een tijdelijke vacature.'

Ik had het gevoel dat ik iets behoorde te zeggen, maar omdat ik niet wist wat, hield ik mijn mond. Nu begon ik echter een beetje wakkerder te worden. De baan van de inspecteur. Die zou ik aankunnen, ook al was het maar tijdelijk.

'Vanzelfsprekend willen we de openvallende plek invullen vanuit het rechercheteam van dit bureau, want dat garandeert de noodzakelijke continuïteit en geeft inspecteur Welland de kans om terug te keren wanneer en indien hij in staat is weer aan het werk te gaan.'

'Ik begrijp het.'

'Met het oog daarop hebben we besloten om brigadier Capper te bevorderen tot waarnemend inspecteur.'

En dan te bedenken dat ik al optimistisch was geworden. Ik deed mijn uiterste best om niet te laten blijken hoe teleurgesteld ik was dat ze mij oversloegen en een idioot als Capper namen, maar dat viel niet mee.

'Ik wilde het je vertellen voordat we het bekendmaakten, zodat ik onze redenen kon toelichten.'

'En die zijn?'

Hij verkocht me het gebruikelijke managementgewauwel: Capper had meer ervaring als rechercheur in burger (welgeteld twee maanden); hij was beter gekwalificeerd (hij had meer trainingen en seminars achter de rug dan ik, waarvan de meeste ongeveer zo nuttig waren als zonnebrandolie in een sneeuwstorm); en hij had een positievere instelling ten opzichte van bepaalde aspecten van de functie (zoals hielenlikken).

Wat kun je daarop terugzeggen?

'Dat betekent niet dat je een slechte kracht zou zijn, Dennis. Want dat ben je niet. Je bent een zeer gewaardeerd lid van het team. Dat wil ik nog eens heel duidelijk maken.'

'Dat begrijp ik, chef,' zei ik, hopend dat we snel een eind aan deze psychische massage konden maken.

'Je hebt door de jaren heen uitstekend werk verricht.'

'Dank u wel.'

'Ik besef dat je teleurgesteld bent.'

'Het is niet erg, chef.'

'Dat is heel begrijpelijk, maar probeer het van de positieve kant te bekijken.'

'Dat zal ik doen, chef.'

'Welnu, om die zaak-Miriam Fox af te ronden hebben we een taak die zowel ervaring als tact vraagt.'

'Ik ben een en al oor.'

'Ik wil dat je haar ouders opzoekt en de stand van zaken met hen doorneemt. Het is goede public relations en geeft hun de gelegenheid om vragen te stellen. Van de plaatselijke politie hebben ze gehoord dat de man in staat van beschuldiging is gesteld, maar dat is alles.'

'Wat moeten ze verder nog weten?'

'Het hoofd Recherche en ik vinden allebei dat ze gebaat zijn bij een persoonlijk bezoek van een van onze meer ervaren krachten. Ik wil dat je er morgenvroeg naartoe gaat, en neem sergeant Malik mee.' Ik vermoed dat ik een gezicht moet hebben getrokken, want Knox wierp me een strenge blik toe. 'Luister, Dennis, zoals je weet staat het hoofdstedelijke politie-korps bloot aan heel veel kritiek. De vader van Miriam Fox is een in-vloedrijk man en een plaatselijk raadslid voor Labour. We moeten mensen als hij aan onze kant zien te krijgen.'

Argumenteren had geen zin. De beslissing was genomen, dus er viel niets aan te veranderen. Ik knikte ten teken dat ik het begreep. 'Is dat alles, chef?'

'Ja, dat is het. Bedankt voor je begrip, Dennis. Ik wist wel dat je ons niet teleur zou stellen.'

Ik stond op. 'Het spijt me van de inspecteur. Ik zou hem willen opzoeken, als dat kan. Wanneer begint zijn kuur?'

'Maandag. Zodra ik meer weet, zal ik je laten weten waar hij is opgenomen.'

'Ja, dat zou fijn zijn. Bedankt.' Ik nam nog een laatste trek van de sigaret en zocht naar een asbak. Die was er niet, dus gaf Knox me een voor drie-kwart lege koffiekop aan, met de tekst DE BESTE PAPA VAN DE WERELD op de zijkant. Geslaagder als ouder dan als werkgever dus. Ik mikte de peuk erin en hij zette de beker terug op zijn bureau. 'In elk geval is er goed nieuws over Wells.'

Knox knikte. 'Inderdaad. Het is altijd prettig om zo snel resultaat te boeken.'

'Hebben we de auto gelokaliseerd waarin hij reed toen hij haar oppikte?'

'De technische dienst is zijn wagen aan het uitkammen.'

'En is het een donkere sedan?'

'Een kastanjebruine BMW, dus dat komt in de buurt. In een slecht ver-lichte straat zal hij er bij avond donker hebben uitgezien. Hoezo? Zie je een probleem?'

Ik haalde mijn schouders op. 'Niet per se. Maar toen Malik en ik hem in de flat van Miriam Fox tegen het lijf liepen, schrok hij ontzettend toen hij ons zag, en het was duidelijk echt, geen toneelspel. Als hij haar had vermoord, zou hij toch bedacht zijn op de mogelijkheid van politieaan-wezigheid in haar flat? Waarom zou hij er trouwens naar teruggaan?'

'Misschien waren er belastende zaken die hij weg wilde werken.'

'Die waren er niet. We hebben de woning grondig doorzocht, weet u nog wel?'

Knox zuchtte. 'Dennis, wat wil je dán dat we doen? We hebben een ge-welddadige pooier met een fors strafblad wegens mishandeling van vrouwen, iemand van wie bekend is dat hij het slachtoffer nog recent te lijf is gegaan en wiens overhemd met haar bloed erop is gevonden op nog geen 100 meter van de plek waar ze vermoord is, iemand die tot dusver niet met een alibi op de proppen is gekomen. We kunnen hem toch moeilijk laten lopen?'

'Maar dat betekent niet per se dat hij de dader is, toch? Het overhemd is pas gevonden na een tip. En het is het enige wat hem met de moord verbindt, nietwaar?'

'Het is anders niet niks, vind je wel? Het is beslist zijn overhemd, het barst verdomme van zijn haarvezels.' Hij begon nu geïrriteerd te raken. Knox was een man die graag greep op de dingen had en hij vond het niet leuk als mensen gaten in zijn theorieën begonnen te schieten.

Ik knikte langzaam. 'Dat is zo, maar het is nog steeds het enige verband. En dan hebben we ook nog het probleempje van het motief. Ik bedoel, waarom heeft hij haar vermoord?'

'Dennis, wat is verdomme je probleem? Heb je een alternatieve theorie die je met ons zou willen delen? Want als je die niet hebt, dan zou ik graag zien dat je ermee ophoudt ons werk te ondermijnen.'

Ik overwoog hem te vertellen over de verdwijning van Molly Hagger en de mogelijkheid dat dit alles meer om het lijf had dan een simpele ruzie tussen een pooier en zijn hoer, maar ik hield me in. In zekere zin was ik te gegeneerd om iets te zeggen. Ik had niets concreets, alleen een paar schamele ideetjes en die oude klassieker: het gevoel dat er iets niet helemaal klopte.

'Nee, ik heb geen alternatief. Mijn enige zorg is dat we de juiste man pakken. Het laatste wat ik wil is een vrijspraak en beschuldigingen van samenspanning tegen een verdachte.'

'Ik ben blij dat je zo bezorgd bent. Dat toont aan dat je hart hebt voor je werk. Maar geloof me, Mark Wells is onze man. Als ik er niet verdomde zeker van was, zou ik hem niet in staat van beschuldiging stellen. Oké?'

'Oké.'

'En, Dennis, vergeet één ding niet.'

'Wat, chef?'

'Er is in het hele zuidoosten geen enkele prostituee op dezelfde manier vermoord als Miriam Fox, dus het is vrijwel zeker een eenmalig geval. Snap je wat ik bedoel?'

'Ja, chef.'

'Maak de zaak niet ingewikkeld, want heel vaak is dat gewoon niet nodig. Zou je me nu een plezier willen doen en brigadier Capper hierheen willen sturen?'

En dat was dat. Ik verliet het vertrek zonder nog een woord te zeggen, terwijl ik me afvroeg hoeveel erger het nog kon worden.

Ik vond Capper bij het fotokopieerapparaat, waar hij met Hunsdon stond te praten. Ik vertelde hem dat Knox hem wilde spreken en hij liep met een sluwe glimlach weg. Toen hij weg was, wendde ik me tot Hunsdon. 'Heb je die telefoongegevens nog gekregen?' vroeg ik hem.

'Ja, ze hebben ze vanmorgen doorgefaxt. Ik moet ze hier ergens hebben.' Hij nam een stapel papieren uit het in-bakje en bladerde ze snel door.

'Had je er iets aan?' vroeg ik hem terwijl hij zocht.

'Niet echt,' zei hij, terwijl hij me twee A4'tjes overhandigde. Ik pakte ze aan en wierp een blik op de eerste pagina, die de uitgaande gesprekken bevatte. Het waren er in totaal 97 en ze hadden allemaal betrekking op de 28 dagen tot de dag van de moord. In de linkerkolom stonden de datum en de tijd, in de rechterkolom de gebelde nummers. Het tweede vel was een lijst van de inkomende gesprekken, waarvan er 56 waren.

'Er staan geen namen bij deze nummers,' zei ik, naar hem opkijkend.

'Dat klopt. Daarom hebben we er niet veel aan.'

'Kunnen ze de personen die bij de nummers horen niet leveren?'

'Jawel, maar dat kost kennelijk meer tijd, omdat het om meer dan één telefoonmaatschappij gaat. Er moeten meerdere databases voor worden geraadpleegd, maar ze zijn ermee bezig. Ik verwacht elk moment een lijst.'

Ik legde de vellen in het kopieerapparaat, maakte een kopie en gaf hem de originelen terug. 'Kun je me zeggen met wie je hebt gesproken? Ik ga er wel voor je achteraan.'

Hij keek me onzeker aan. 'Wat heeft dat voor zin? Die namen zeggen toch niets. Ja, dat zij Wells heeft gebeld en hij haar. Maar dat is nogal logisch.'

'Kom, doe me een lol.'

'De vent met wie ik te maken had, heet John Claire. Ik heb zijn nummer op mijn bureau liggen.'

'Nou, laten we het dan gaan halen.'

Met tegenzin keerde hij terug naar zijn bureau, met mij in zijn kielzog, en duikelde het nummer op. Ik kreeg het gevoel dat hij zich niet bepaald had uitgesloofd om Miriams belgeschiedenis boven water te krijgen, maar dat was typisch Hunsdon. Hij was geen slechte kracht, maar wel een luie donder en niet de beste als het om routineklussen ging. Vooral niet wanneer hij de zin ervan niet inzag.

Ik noteerde het nummer, en hij vroeg me opnieuw wat het voor nut had om erachteraan te gaan.

Een goede vraag, vermoed ik. Ik denk dat mijn belangstelling op dat moment voortkwam uit een behoefte om Knox en Capper te pesten en die grijns van hun gezicht te vegen. Het kon best zijn dat Wells verantwoordelijk was voor de moord op Miriam, maar mij leek het niet zo'n uitgemaakte zaak als ze het allemaal schenen te vinden. Ik had er graag een paar telefoontjes voor over als ik hun daarmee kon bewijzen dat ze fout zaten.

15

Zeven nummers van de gesprekken van en naar de mobiel van Miriam Fox kwamen meer dan drie keer voor, dus besloot ik me te concentreren op de namen die daarbij hoorden, plus op alle nummers die ze gedurende de laatste drie dagen van haar leven had gebeld of waarvan ze gesprekken had ontvangen. Het was heel goed mogelijk dat het niets zou opleveren; zelfs als er wel iets uit kwam, zou het nog heel moeilijk worden om Knox zover te krijgen dat hij toestemming gaf voor verder onderzoek, zeker nu hij Wells in staat van beschuldiging had gesteld. Maar toch had ik het gevoel dat het een poging waard was.

Ik belde John Claire vanaf mijn eigen bureau, maar zijn lijn was bezet. Ik stak een sigaret op, rookte hem helemaal op en belde toen opnieuw, maar hij was nog steeds in gesprek. Hij was duidelijk een hardwerkende jongen. Ik zou hem vijf minuten geven en het dan nog eens proberen, maar het mocht niet zo zijn. Er was een krantenkiosk beroofd in een achterafstraat op nog geen kilometer van het bureau, en ik kreeg opdracht om er met Malik naartoe te gaan om verklaringen op te nemen van de eigenaar en mogelijke getuigen. We waren daar ongeveer een uur in de weer om de vrouw van de eigenaar te kalmeren, die met een mes tegen haar keel was bedreigd door een jongen van hooguit dertien, terwijl zijn vijf lachende maatjes de zaak hadden geplunderd. Haar man, die naar de distributeur was geweest, kookte van machteloze woede. Hij verweet ons en de maatschappij in het algemeen dat we jongeren afleverden die hun hand er niet voor omdraaiden om geweld te gebruiken. We gingen niet met hem in discussie. Hij had gelijk. Ik zei hem dat we zouden doen wat we konden om de daders te pakken en bedankte hen voor hun medewerking. Toen regelden we een politiewagen om de vrouw voor controle naar het ziekenhuis te brengen en keerden terug naar het bureau om rapport uit te brengen.

Om tien over vijf probeerde ik het nummer van John Claire opnieuw. Ditmaal nam hij meteen op. Ik vertelde wie ik was en waarom ik belde.

'Ja, ik heb contact gehad met een van uw collega's, ene...'

'Hunsdon.'

'Precies. Ik ben bezig geweest met informatie voor hem te verzamelen. Belgegevens.'

'Ja, weet ik. Hoe staat het ermee? Ik heb ze namelijk vrij snel nodig.'

'Ik heb ze al gestuurd,' zei hij verbaasd. 'Ik heb ze vanmorgen naar hem verzonden.'

'Nee, de nummers zelf hebben we al. We willen weten bij wie ze horen. Op wiens naam ze staan.'

'Ja, dat weet ik. Die namen heb ik hem toegezonden. Een lijst met alleen de nummers heb ik hem gisteren gefaxt. De namen moest ik elders op-vragen, en dat kostte wat tijd. Ik zei dat ik hem de informatie zou mailen. En dat heb ik gedaan. Vanmorgen.'

Het was duidelijk dat Hunsdon zijn e-mail niet had gecheckt. Ik stak een sigaret op. 'Misschien is het systeem hier vandaag even platgegaan of zoiets. Kunt u het nogmaals sturen?'

'Ja hoor, geen punt.'

'Ik geef u twee adressen, gewoon voor de zekerheid.' Ik gaf hem zowel mijn adres op het werk als thuis en wachtte tot hij ze genoteerd had. 'En zou u het alstublieft meteen kunnen doen?'

'Ja, natuurlijk,' zei hij een beetje zenuwachtig. 'Geen punt.'

Ik bedankte hem en hing op.

De e-mail was nog niet binnen toen Capper me tien minuten later belde met de vraag of ik even voor een babbeltje in Wellands kantoor wilde komen. Toen ik binnenkwam, zat hij breeduit achter Wellands bureau.

'Ik begrijp dat je het nieuws hebt gehoord,' zei hij, zonder veel moeite te doen zijn plezier te verbergen.

'Dat klopt. Gefeliciteerd.'

Hij draaide langzaam heen en weer op Wellands imitatieleren fauteuil. 'Dank je wel. Ik stel prijs op een goede samenwerking, Dennis. Ik weet dat het niet altijd even goed tussen ons heeft geboterd, dat we in het ver-leden onze ups en downs hebben gehad, maar het is belangrijk dat alle neuzen dezelfde kant op staan.'

'Helemaal mee eens,' zei ik, zorgvuldig vermijdend hem 'chef' te noemen. 'Hoe ging het vanmiddag bij de krantenkiosk? Weten we wie het gedaan heeft?'

'Zeker weten doe ik het niet, maar ik vermoed dat de knaap met het mes Jamie Delly was.'

Delly was de vierde en jongste zoon uit een gezin van kleine criminelen, die stuk voor stuk een boosaardig trekje hadden. Hij was voor het eerst opgepakt op 8-jarige leeftijd toen hij zijn school in brand probeerde te steken; tien jaar eerder had zijn moeder me aangevallen met een diepge-vroren Nieuw-Zeelandse lamsbout toen ik haar probeerde te arresteren voor winkeldiefstal.

'Die kleine schooier. Beetje boven zijn niveau, nietwaar?'

'Nou, kleine jongens worden groot. Hij begint het niveau van winkeldiefstal en het lunchgeld van schoolkinderen inpikken kennelijk te ontgroeien.'

'Heeft zijn moeder jou niet...'

'Ja, ja. Met een lamsbout...'

'Je boft nog dat je er geen verlamming aan hebt overgehouden.' Capper lachte om zijn eigen grap, met een grijns die een onregelmatig rijtje vlekkerige bruine tanden onthulde. Ik zou er ook om hebben gelachen als ik de grap niet al minstens honderd keer had gehoord. 'Kunnen we hem hiervoor oppakken?' vroeg hij, weer serieus.

'Ik denk het wel, als de vrouw van de eigenaar hem er bij een confrontatie uit haalt.'

'Regel er een, wil je?' zei hij op een toon die er bijna om smeekte om de zin af te ronden met: 'Dan ben je een beste kerel.'

Ik knikte en zei dat het voor elkaar zou komen; ik hapte expres niet, al vroeg ik me af hoelang ik het zou uithouden met die man boven me.

'Nog iets, Dennis, voor je gaat. Ik heb gehoord dat je Hunsdons deel van het Fox-onderzoek wilde overnemen, dat je hem hebt gezegd dat jij wel achter de telefoongegevens aan zou gaan. Klopt dat?'

'Ik dacht dat er misschien iets bij zou zijn wat van nut kon zijn.'

'En was Hunsdon volgens jou niet in staat om dat te vinden?' Hij keek me onderzoekend aan.

'Ik was gewoon benieuwd wat het zou opleveren. Hunsdon moest nog een paar telefoontjes plegen, dus bood ik aan het voor hem te doen.'

'We hebben iemand in staat van beschuldiging gesteld, Dennis, oké? Het is af, einde verhaal. Ik kan niet toestaan dat mijn mensen in afgehandelde zaken blijven graven. Daar hebben we de tijd niet voor. En als je het om een of andere reden niet druk genoeg hebt, kan ik je altijd wat meer zaken toewijzen. Want er ligt genoeg.'

'Oké, duidelijk.'

'Heb je die gegevens opgevraagd?'

Intuïtief besloot ik het hem niet te vertellen. 'Nee. Nog niet.'

'Mooi. Doe geen moeite. Concentreer je op de taken die je zijn toegewezen, oké? En als ik ergens mee kan helpen, laat het me dan weten. Zoals ik zei, stel ik prijs op een goede samenwerking.'

Ik vroeg hem of er verder nog iets was. Dat was er niet.

'Dan ga ik maar weer eens aan het werk,' zei ik, maar dat deed ik niet. Ik pakte mijn jas, zei tegen Malik dat ik hem de volgende morgen weer zou zien en liep naar buiten.

16

Ik maakte een tussenstop bij de Roving Wolf voor een biertje en nam vervolgens door de spits de bus naar huis. Het was halfzeven toen ik thuiskwam. Zodra ik de deur achter me dicht had getrokken, belde ik Danny op zijn thuisnummer.

Na drie keer overgaan nam hij op. 'Moet je horen,' zei ik zonder inleiding. 'Doe wat ik zeg. Ga naar de dichtstbijzijnde telefooncel, noteer het nummer ervan en bel het me door. Blijf waar je bent, dan bel ik je daar terug.' Hij begon te vragen waar het allemaal om ging, maar ik kapte hem af.

Vijf minuten later belde hij terug en gaf me het nummer. Ik schreef het op, belde het toen op Raymonds mobieltje.

'Christus, waar slaat dit allemaal op?' vroeg hij toen hij opnam. 'Vanwaar al dit geheimzinnige gedoe?'

'Ik wil vrijuit kunnen praten,' zei ik. 'Ik ben vanmorgen gebeld, Danny. Door je zus.'

'O, shit.'

'Ja, dat dacht ik ook. Nou moet je me toch eens iets vertellen. Waarom bel je haar verdomme? Ik had je gezegd dat je je kalm moest houden en alles moest laten overwaaien.'

'Weet ik, weet ik. Het is gewoon hartstikke zwaar, Dennis. Weet je, ik kan het gewoon niet uit mijn hoofd zetten. Ik droom er zelfs van. Ik was gisteravond in de pub, en daar werd zelfs gezegd dat het iets te maken had met de Adams-clan. Weet jij daar iets van?'

Voor wie ze nog niet kent: de Adams-clan is de schimmige Noord-Londense misdaadfamilie waar maar weinig mensen iets over weten, maar waarvan de naam ter sprake komt bij vrijwel elke onderwereldmisdaad waarvoor geen onmiddellijke verdachten beschikbaar zijn. Ik durfde er mijn kop onder te verwedden dat Raymond nog nooit een lid van de familie Adams had ontmoet, laat staan erin had toegestemd om voor hen te doden.

'Doe niet zo stom, Danny,' zei ik hem. 'Denk je echt dat ik me zou inlaten met dat soort lui? En geloof je echt dat lui als de Adamsen dit soort dingen uitbesteden aan kerels die ze niet eens kennen? Ze hebben zelf genoeg mensen en middelen. En van wie komt al die kletskoek?'

'Er was een vent in de pub die Steve Fairley heet. Hij zei dat. Ik zou me er niet veel van aan hebben getrokken als het iemand anders was geweest, maar hij is bekend met het circuit. Hij weet dit soort dingen. Daarom maakte ik me zorgen.'

Ik kende Steve Fairley. Tomboy had me over hem verteld. Als hij al een circuit kende, dan was het een racecircuit. 'En jij denkt dat de Adamsen hem dat gewoon allemaal verteld hebben? Je weet wel, om te zorgen dat zo veel mogelijk mensen er vanaf weten?'

'Tja, ik weet wel dat het stom klinkt...'

'Dat doet het zeker. Oerstom.'

Hij zuchtte. 'Het vliegt me naar de strot, dat is alles.'

'Maar tegen je zus gaan kletsen, Danny! Kon je niemand anders bedenken? Ik bedoel, wat kan zij nou doen om je uit de zorgen te helpen? Een goed woordje voor je doen? Nu begint ze tegen mij aan te zeiken dat ze denkt dat je in de problemen zit. Of ik je maar wil opzoeken om te kijken wat er aan de hand is en dan rapport aan haar wil uitbrengen. Hier zit ik niet op te wachten, Danny.'

'Het spijt me, echt. Het zal niet meer gebeuren.'

'Dat is je geraden.' Ik vertelde hem bijna dat dit soort geklets ons allebei de das om kon doen, maar ik hield me in. Het had geen zin hem nog nerveuzer te maken dan hij al was.

'Ik heb haar niets belangrijks verteld, dat zweer ik.'

'Je hebt tegen haar gezegd dat je wat geld opzij had gezet. Dat maakte haar meteen argwanend.'

'Ja, maar dat kan ze onmogelijk koppelen aan iets wat er gebeurd is.'

'Nee, dat klopt, maar als jij elke keer dat je een paar biertjes op hebt je hart begint uit te storten, dan zou er vroeg of laat iets uit kunnen glippen, iets wat belastend kan zijn voor jou en mij. En dat zou pas een ontzettend stomme manier zijn om gepakt te worden. Laat me je eens iets vertellen. Elke dag die voorbijgaat, wordt de kans dat ze ons pakken kleiner. Het spoor wordt steeds iets kouder. Zoals ik je aldoor al heb gezegd hoef je alleen maar kalm te blijven, dan komt alles goed. Ik weet niet of het een troost voor je is, maar de enige die iets van jouw betrokkenheid af weet ben ik, en ik zeg geen woord. Dus er is niets aan de hand, gesnopen?'

'Ja, ja, ik snap het. Ik zal mijn mond houden. Het gebeurde gewoon, weet je.'

'Hoor eens, je hebt nu wat geld. Waarom neem je niet een poosje vakantie? Lekker een paar weken weg. Dat moet toch heel wat leuker zijn dan thuis zitten bedenken wat er allemaal verkeerd zou kunnen gaan?'

'Ja, misschien heb je gelijk.'

'Wanneer heb je voor het laatst vakantie gehad?'

'Shit, dat weet ik niet. Tijden geleden.'

'Zie je nou? Verwen jezelf. Het weer is klote. Daar zul je niks aan missen. En tegen de tijd dat je terugkomt, is dit gedoe allemaal achter de rug en praat iedereen allang weer over een andere vreselijke misdaad.'

'Daar zit iets in. Misschien doe ik het wel.' Er viel een lange stilte. Toen kwam hij weer door. 'Het spijt me, Dennis. Echt waar. Ik zal niet meer zo stom doen.'

'Dat weet ik,' zei ik hem. 'Zo dom ben je nu ook weer niet.'

'Wat ga je tegen Jean zeggen?'

Ik dacht er even over na. 'Ik zeg wel dat ik met je gepraat hebt en dat je met een schone lei bent begonnen. In plaats van criminelen hand- en spandiensten te verlenen, probeer je ze nu achter de tralies te krijgen, waar ze thuishoren. Ik zeg haar dat je politie-informant bent geworden en dat je op die manier wat geld hebt verdiend, maar dat het allemaal erg geheim is en dat ze er met niemand over mag praten omdat je anders gevaar loopt. Hopelijk laat ze je dan met rust. Denk je niet?'

'Je bent een uitgekookte sodemieter, Dennis.'

'Neem die vakantie, Danny. Oké?'

'Ja. Ja, dat zal ik maar doen.'

'Ik bel je nog wel.'

Ik hing op, liep de zitkamer in en ging met een sigaret op de bank zitten. Was het me gelukt om hem voldoende te kalmeren om hem te kunnen afvoeren van mijn lijstje met kopzorgen? Dat was een goede vraag. Wat ik had gezegd was heel verstandig, al was het niet helemaal waar. Ik was niet de enige die af wist van zijn betrokkenheid bij de moorden. Ik was er niet onderuit gekomen Raymond een paar feiten over hem te geven voordat hij het goedvond dat ik hem meenam naar de klus bij het Traveller's Rest. Gewapend met die feiten zou Raymond, als hij Danny echt wilde vinden, daar waarschijnlijk wel in slagen. Maar het had geen zin dat Danny te vertellen. Hopelijk zou hij mijn raad opvolgen en een poosje het land uit gaan. Mijn leven zou er in elk geval gemakkelijker op worden. Om de waarheid te zeggen begon hij een doorn in mijn vlees te worden. Voor het eerst kwam de gedachte in me op dat het voor alle betrokkenen misschien beter was als ik hem gewoon uit zijn lijden verloste. Niet dat ik serieus dacht dat ik Danny ooit in koelen bloede zou kunnen doodschieten. Daarvoor kende ik die kleine opdonder te lang. Maar als ik een meedogenlozer mens was geweest, zou ik misschien méér hebben gedaan dan spelen met de gedachte. Maar het gaf wel aan hoeveel zorgen ik me maakte.

Ik nam een laatste trek van mijn sigaret en drukte hem uit in de overvolle asbak, en herinnerde me toen de e-mail die John Claire me zou sturen. Ik stond op, liep naar de slaapkamer en zette mijn computer aan. Terwijl hij opstartte, ging ik een biertje uit de koelkast halen. Het voelde lekker om vanavond thuis te zijn, althans een paar uur veilig afgeschermd van de problemen in de wereld.

De e-mail van Claire was om 17.31 uur aangekomen, dus hij had toch woord gehouden. Ik opende de bijlage en zag dat hij me een kopie van het oorspronkelijke document had gestuurd, maar nu met een derde kolom erbij, die de namen bevatte van de mensen die bij de nummers hoorden.

De eerste naam op de lijst herkende ik niet. Het was een man, hoogstwaarschijnlijk een van Miriams klanten. De tweede naam was ook van een man, weer een die ik niet herkende. Bij het volgende nummer stond geen naam, wat waarschijnlijk betekende dat het een prepaid mobiel was. Misschien was het van Molly Hagger. Ik dacht dat het misschien een goed idee zou zijn om het te bellen om erachter te komen. De derde naam was Coleman House, logisch dat die erbij zat.

De vierde naam las ik niet. De vijfde ook niet.

Ik was te druk bezig met staren naar de zesde naam.

En met me af te vragen waarom Carla Graham had gelogen toen ze me had gezegd dat ze Miriam niet had gekend.

17

Ik wist niet wat ik kon verwachten toen ik de auto over het knerpende grind de korte oprit naar huize Fox op reed. Het was een aantrekkelijk, ruim opgezet L-vormig huis van twee verdiepingen met een rieten dak, glas-in-loodramen en een ommuurde tuin. Het stond aan de rand van een klein dorp een paar kilometer ten westen van Oxford, niet ver van de grens met het graafschap Gloucestershire, dus een flinke rit voor Malik en mij. Het had ons ongeveer twee uur en een kwartier gekost om door het drukke verkeer heen te komen. Nu was het even na elven. 'Mooi op tijd voor een lekker bakje thee,' zei ik, terwijl ik de auto voor het huis parkeerde.

Malik keek een beetje nerveus. Ik vermoed dat hij al evenmin wist wat hij van zo'n bezoek moest verwachten. Gemakkelijk zou het zeker niet worden. Deze mensen hadden pas vier dagen geleden te horen gekregen dat hun dochter was vermoord. Ze mochten haar dan bijna drie jaar niet gezien hebben, maar ze zouden ongetwijfeld nog aangeslagen zijn. Het zou jaren duren voor hun leven weer een beetje normaal zou worden, als dat tenminste ooit zou gebeuren.

Om eerlijk te zijn was ik met mijn gedachten ergens anders. Ik was benieuwd waarom Miriam Fox gedurende de laatste twee weken van haar leven drie keer naar Carla Graham had gebeld, waarvan twee keer naar Carla's mobiel, en waarom Carla zelf twee keer Miriams nummer had gebeld, waarvan de laatste keer slechts vier dagen voor de moord. Zoveel telefoontjes, dat kon geen toeval zijn. De twee hadden elkaar gekend, en de enige denkbare reden waarom Carla over hun contact had gezwegen, was dat ze iets te verbergen had, al had ik geen idee wat dat kon zijn. Ik had meteen naar Coleman House gebeld, zogenaamd om haar te laten weten dat Mark Wells in staat van beschuldiging was gesteld, maar ook om nog een keer af te spreken, zodat ik haar ernaar kon vragen. Maar ik hoorde dat ze de hele avond weg zou zijn. Voor ons vertrek die ochtend had ik het nog een keer geprobeerd, maar toen was ze in vergadering. Ik had niet de moeite genomen een boodschap achter te laten. Het had geen zin om haar te attenderen op het feit dat ik haar probeerde te bereiken. Dat kon voorlopig wachten.

Ik trok mijn stropdas recht en liet de enorme koperen klopper op de deur vallen.

Er werd vrijwel onmiddellijk opengedaan door een vrij stevige vrouw van middelbare leeftijd in trui en lange rok. Hoewel ze er vermoeid uitzag, met grote wallen onder haar ogen, leek ze zich redelijk goed te houden. Ze had een dun laagje make-up op en ze produceerde bij wijze van begroeting zelfs een glimlach. 'Brigadier Milne?'

'Mevrouw Fox.' We schudden elkaar de hand. 'Dit is mijn collega, sergeant Malik.'

Ook zij schudden elkaar de hand, en toen stapte ze opzij om ons te laten passeren. 'Komt u binnen.'

We liepen achter haar aan door de gang naar een grote, erg donkere zitkamer. In de open haard laaide een vuur en op een van de stoelen ertegenover zat een vrij kleine man met een baard en een bril. Toen hij ons zag, stond hij langzaam op en stelde zich voor als Martin Fox. Zo goed als mevrouw Fox zich leek te houden, zo verslagen zag de heer Fox eruit. Hij stond erbij als een zak zand, alsof alle moed hem ontvallen was. Zelfs zijn manier van praten was langzaam en geforceerd. De zwaarmoedigheid sloeg als een walm van hem af. Ik werd al depressief toen ik twee passen van hem af stond.

We namen plaats op de bank en mevrouw Fox vroeg ons of we iets wilden drinken. We kozen allebei voor thee en ze ging een pot zetten.

Terwijl ze weg was, betuigde Malik Fox zijn medeleven. Het klonk zelfs alsof hij het oprecht meende.

Fox zat met zijn hoofd tegen de rug van zijn stoel, zonder ons aan te kijken. 'Heeft ze geleden?' vroeg hij langzaam, alsof hij zijn woorden zorgvuldig koos. 'Toen ze stierf, heeft ze toen pijn gehad? Wees alstublieft eerlijk tegen me.'

Malik keek mij hulpzoekend aan.

'Ze moet heel snel zijn gestorven, meneer Fox,' zei ik. 'Ze heeft niet geleden. Dat kan ik u verzekeren.'

'De kranten zeiden alleen dat ze gestoken was.'

'Dat is de enige informatie die we aan de media hebben vrijgegeven,' zei ik. 'Meer hoeven ze niet te weten.'

'Is ze vaak gestoken?' vroeg hij.

'Ze is aan één wond overleden,' zei ik. De verminking liet ik maar weg.

'Waarom?' De vraag bleef voor mijn gevoel heel lang in de lucht hangen. 'Beseffen ze het, die mensen die deze verschrikkelijke misdaden begaan? Beseffen ze het leed dat ze veroorzaken? Bij de mensen die achterblijven?'

Ik hunkerde naar een sigaret, maar wist zonder het te vragen dat dit een huis was waar niet gerookt werd. 'Ik denk,' zei ik, 'dat de meesten geen flauw idee hebben van het leed dat ze aanrichten. Anders zouden velen zich wel tweemaal bedenken om zoiets te doen.'

'En denkt u dat die man... de man die mijn Miriam heeft vermoord... denkt u dat hij wist wat hij aanrichtte?'

Ik moet ineens denken aan de gezinnen van de douaniers en de accountant. Ik wist wat ik had aangericht. Had het steeds geweten. 'Ik weet het niet, meneer Fox. Het kan ook in een opwelling gebeurd zijn.'

'Maakt niet uit. Die lui zouden moeten worden afgemaakt. Als honden.'

Misschien zat daar iets in. 'Ik ben nooit een voorstander van de doodstraf geweest. Ik vond het barbaars dat een maatschappij haar burgers ter dood bracht, wat ze ook misdaan hadden. Maar nu... nu...' Zijn gezicht, dat nog steeds alleen en profil zichtbaar was, was vertrokken van frustratie. 'Nu zou ik de trekker zelf overhalen. Zonder probleem.'

Voordat ik hem mijn vaste reactie kon geven dat die gevoelens heel begrijpelijk maar uiteindelijk contraproductief waren, kwam mevrouw Fox gelukkig terug met de thee. Fox verviel in een somber stilzwijgen. Ongetwijfeld had hij zijn gal de hele week al bij haar gespuwd. Ze ging aan de andere kant van het vertrek zitten, tegenover haar echtgenoot, zodat wij tussen hen in zaten, en schonk de thee uit een porseleinen theepot.

'De reden waarom wij hier zijn,' zei ik, zonder een flauw benul te hebben waarom dat was, 'is om u op de hoogte te stellen van de voortgang van het onderzoek, en om u te laten weten wat er gaat gebeuren nu we iemand hebben gearresteerd.'

'Wie is de man die is aangeklaagd?' vroeg mevrouw Fox.

Ik vertelde haar wie hij was en wat zijn relatie tot hun dochter was, waarbij ik erop lette niet te veel details vrij te geven. Als politieman moet je in dit stadium oppassen met wat je zegt, want als je er iets uit flapt, kan dat het recht van een verdachte op een eerlijk proces negatief beïnvloeden.

'Denkt u dat hij het gedaan heeft?' vroeg ze toen ik uitgesproken was.

'Smeerlap,' voegde Fox er fel grommend aan toe. Mevrouw Fox wierp hem een verwijtende blik toe, hoewel ze hetzelfde moest hebben gevoeld.

Het was een goede vraag. Ik was op z'n best 50 procent zeker. Afgaande op het gesprek onderweg hiernaartoe zat Malik dichter bij de 80 procent. Net als Knox kon hij zich geen ander redelijk scenario voorstellen, wat het een stuk gemakkelijker voor hem maakte conclusies te trekken.

126

Malik was degene die antwoord gaf. 'We zijn er zeker van dat hij het gedaan heeft, mevrouw Fox. Voorzover iets ooit zeker is. We hebben aanzienlijk fysiek bewijs dat hem met de plaats van het misdrijf verbindt.'

'Mooi. Ik geloof niet dat ik een vrijspraak zou kunnen verdragen. Dat zou ik er niet bij kunnen hebben.'

'Wij kunnen niet in de toekomst kijken, mevrouw Fox,' zei ik, 'of voorspellen wat een jury zal vinden. We kunnen alleen maar ons best doen. Maar ik denk dat we heel sterk staan.'

'Smeerlap,' zei Fox opnieuw, nog steeds zonder ons aan te kijken. Ik denk dat hij Wells bedoelde, maar het was moeilijk te zeggen.

'Als hij schuldig wordt bevonden, zal Mark Wells een aanzienlijk deel van de rest van zijn leven in de gevangenis doorbrengen, meneer Fox,' zei Malik hem. 'En we zullen alles doen wat in onze macht ligt om te zorgen dat dat gebeurt.'

'Dat is niet genoeg. Geen gevangenisstraf is lang genoeg voor hem. Niet na zoiets.'

Het was verbazingwekkend, bedacht ik, hoe snel progressieve mensen als dit Labour-raadslid wat criminaliteit betrof uit een ander vaatje begonnen te tappen wanneer die henzelf raakte. Op dat moment leek Fox slechts een paar stappen verwijderd van de rol van burgerwacht van het type Charles Bronson, maar dan zonder de wapens en de dreiging. Of de energie.

Mevrouw Fox richtte haar blik op haar echtgenoot en glimlachte hem dapper toe. 'Kom op, Martin. We moeten ons niet langer zo vastbijten in onze woede. Daar schieten we niets mee op.'

Fox zei niets. Ik nam een slok van mijn thee en besloot het gesprek zo snel mogelijk af te ronden. Maar voordat ik mijn verhaal kon voortzetten over het lange wachten tot de rechtszaak en dat we in de tussentijd regelmatig contact zouden houden, barstte mevrouw Fox plotseling in tranen uit.

Malik en ik zaten er eerbiedig bij. Fox bleef in precies dezelfde houding zitten als in de afgelopen tien minuten: starend naar een onduidelijk punt ergens in de nabije verte. Ik vond dat hij zich dom gedroeg. Ik wist wel dat hij een enorme klap had gehad, maar soms moet je gewoon flink zijn.

'Het spijt me,' zei ze, terwijl ze haar ogen bette met een zakdoek. 'Alleen…'

Ik zette een stoïcijnse glimlach op. 'We begrijpen het volkomen. U hebt een verschrikkelijk verlies geleden. U moet zich gewoon uiten.'

'Ik weet het. Dat zeiden de mensen van de opvang ook.'

'Trek u zich van ons niets aan,' zei Malik.

'Weet u,' zei ze, terwijl ze ons vol ongeloof aankeek, 'het is vreselijk zonde. Dat is het moeilijkste. Als je bedenkt wat ze had kunnen worden. Wat ze had kunnen bereiken als ze bij ons was gebleven... Bij mensen die van haar hielden. In plaats daarvan kwam ze zo eenzaam en afschuwelijk aan haar eind. Waarom?' Dit was de tweede keer die ochtend dat die vraag werd gesteld. 'Waarom moest ze weglopen en ons in de steek laten?'

'Hou erover op, Diane!' snauwde Fox. Hij had zich met een ruk omgedraaid in zijn stoel en keek haar woedend aan. Malik en ik keken naar hem, verbluft door de felheid van zijn uitbarsting. Toen ontspande zijn gezicht een beetje. 'Hou nou op. Het heeft geen zin om het allemaal op te rakelen.'

Maar mevrouw Fox had duidelijk dingen die haar van het hart moesten. 'Wist u dat ze in de drie jaar dat ze weg is niet één keer contact met ons heeft opgenomen? Niet één keer. Zelfs geen telefoontje om ons te laten weten dat het goed met haar was. Niets. Hebt u enig idee hoe ik me daaronder voelde?'

'We beschikken over aanwijzingen die doen vermoeden dat Miriam zwaar aan de drugs was,' zei ik. 'Soms kan dat het leven van mensen zo gaan beheersen dat ze hun prioriteiten uit het oog verliezen. Misschien was dat bij haar ook zo. Het betekent niet dat ze niet om u gaf. Misschien waren de drugs gewoon sterker dan zij.'

'Ze had kunnen bellen, meneer Milne. Al was het maar één keer. Al was het maar voor haar zus. Chloe was pas twaalf toen Miriam wegliep. Ze had contact met haar kunnen houden.'

'Hou nou op, Diane. Alsjeblieft.'

'Nee, Martin. Ik heb net zo geleden als jij. Ik mag ook mijn zegje doen.' Ze draaide haar hoofd weer naar ons toe. 'Ik mis Miriam verschrikkelijk. Al vanaf de dag dat ze hier de deur uit liep. Ik hield zo ontzettend veel van haar, maar dat neemt niet weg dat het onvergeeflijk was wat ze heeft gedaan. Ons allemaal, het hele gezin, drie jaar door een hel laten gaan. Dat was... heel egoïstisch. Ik hield van Miriam, heus. Maar ze was geen aardig meisje. Het spijt me dat ik het zeggen moet, maar het is waar. Jawel, Martin. Dat is zo. Ze was niet aardig.'

'Hou op! Hou op!' Zijn stem donderde door de kamer en het slappe, holle gezicht was nu vuurrood van emotie.

'Rustig, meneer Fox,' zei ik kordaat. 'Uw vrouw wil gewoon praten.'

'Ze hoeft niet te praten. Ze weet niet wat ze zegt. Je hebt het wél over onze dochter...' Zijn stem brak en hij liet zijn hoofd in zijn handen vallen en begon luid te snikken.

Mevrouw Fox keek hem enige tijd met een trillende onderlip aan, terwijl ze haar best deed haar emoties te beheersen. Even meende ik een zweem van minachting in haar ogen te zien, maar zeker was ik er niet van. De sfeer was geladen en ik kon zien dat Malik het zweet op zijn voorhoofd had staan. Het waren een paar moeilijke ogenblikken geweest, maar het hoorde er allemaal bij. Hierom kregen we minder betaald dan verkopers van dubbele ramen.

Ik verbrak de stilte met een korte uitleg van de gang van zaken in de komende maanden: de voorgeleiding, de voorbereidingen op de berechting, de mogelijkheid van vrijspraak, enzovoort, maar ik had niet de indruk dat ze echt luisterden. Ze zagen er verloren uit, verpletterd door het hele gebeuren. Fox had zijn hoofd weer geheven, maar hij weigerde nog steeds onze kant op te kijken. Uiteindelijk zette ik mijn lege theekopje op de tafel en vroeg hun of ze nog vragen hadden. Er viel een lange stilte. 'Ik geloof het niet, brigadier Milne,' zei mevrouw Fox ten slotte. 'Dank u voor uw komst.'

We stonden allemaal op. Ook Fox, die eruitzag alsof hij elk moment weer in zijn stoel kon vallen.

'Is er nog iets anders waar u behoefte aan hebt?' vroeg ik hun beiden.

'Nee, we krijgen volop steun van familie en vrienden, en we hebben ook rouwbegeleiding gehad.'

'Heel goed. Het is belangrijk dat u met iemand over uw gevoelens kunt praten.' Ik keek naar Fox toen ik dit zei, maar hij keek weg. 'Het helpt echt.' Dit was natuurlijk gelul. Het helpt helemaal niet. Genezing komt van binnenuit, niet van vreemden. Ze knikten allebei en we gaven elkaar een hand. Mevrouw Fox liep naar de deur, maar keerde zich toen plotseling weer om.

'Nog één ding,' zei ze. 'U hebt niets gezegd over de reden waarom die man... Waarom hij Miriam heeft vermoord.'

Malik was me voor met zijn antwoord, en waarschijnlijk was dat maar beter ook. 'Zoals brigadier Milne al zei, heeft de verdachte nog geen schuld bekend, dus dat weten we niet precies. Maar omdat er geen aanwijzingen zijn van verkrachting, denken we dat het een uit de hand gelopen ruzie tussen hen beiden moet zijn geweest. Waarschijnlijk over geld of drugs.'

Ze schudde haar hoofd. 'Het lijkt zo'n banale reden om iemand van het leven te beroven, om al haar dromen kapot te maken.'

'Er bestaan geen goede redenen voor moord,' zei Malik. 'Ze richten allemaal evenveel pijn aan.'

Ze bracht een flauwe glimlach op. 'Waarschijnlijk hebt u gelijk.' Ze bracht ons naar de voordeur en bleef ervoor stilstaan. 'Dank u voor uw komst. We waarderen het bijzonder, dat kan ik u verzekeren. Ook al ziet het er misschien niet zo uit. En mijn excuses voor mijn emotionele uitbarsting. Het is heel moeilijk...'

We zeiden allebei dat we het volkomen begrepen. Toen ging de deur open en stonden we buiten. Een paar kilometer verder vonden we een pub, waar we stopten voor een drankje en een vroege lunch. Er zat niemand. We bestelden onze drankjes bij de verveeld kijkende waard en namen een tafeltje in de hoek.

'Wat vond u ervan?' vroeg Malik, terwijl hij zijn jus d'orange dronk.

Ik wist waar hij op doelde. 'Er hing iets onuitgesprokens in de lucht en ik kreeg het gevoel dat meneer Fox zich misschien ergens schuldig over voelde.'

'Ja, dat idee had ik ook al. Denkt u dat er iets... nou ja, u weet wel, iets spéélde tussen hem en Miriam?'

'Dat komt voor. Het komt voor in een heleboel gezinnen, rijk en arm. En ik veronderstel dat het veel zou verklaren: bijvoorbeeld waarom ze ooit is weggelopen, waarom ze genoegen nam met een leven als minderjarige prostituee, waarom ze nooit contact met hen heeft opgenomen. Maar voor hetzelfde geld zitten we er helemaal naast. Ik krijg de indruk dat ze sowieso een moeilijk kind was. Anne Taylor had haar een kreng genoemd toen ze het over haar had, en als je je moeder of je zus in al die tijd niet één keer opbelt...'

'Ik ga denken dat we nu misschien een motief voor Wells hebben. Als ze zo'n moeilijk karakter had, en daar ziet het wel naar uit, dan kan ze best grote ruzie met hem hebben gehad.'

'Het is mogelijk.'

'Misschien dacht hij dat hij slim was door het er te laten uitzien als een lustmoord.'

'Dat klinkt niet onaannemelijk.'

'Maar u bent nog steeds niet overtuigd?'

Ik zuchtte. 'Niet helemaal, nee.'

'De bewijzen beginnen zich anders behoorlijk op te stapelen, brigadier.'

'Ja, dat wel, maar er zijn ook nog onbeantwoorde vragen. Dingen die me bevreemden. Bijvoorbeeld waarom Wells naar haar flat is teruggegaan.'

'Misschien is hij gewoon dom. Een heleboel criminelen zijn oerdom.'

Ik vertelde hem over de telefoongegevens. 'Het lijkt erop dat zij en Carla in de laatste weken van Miriams leven minstens vijf keer telefonisch contact hebben gehad. Ik begrijp er geen snars van waarom Carla doet voorkomen dat ze haar niet kent, terwijl het duidelijk is dat dat wel zo was. Of ze moet iets te verbergen hebben gehad.'

'En u denkt dat het iets met de moord te maken kan hebben?'
Ik haalde mijn schouders op. 'Ik weet het niet. Ik weet alleen dat ik niet van onbeantwoorde vragen hou, en ik geloof niet dat er een onschuldige uitleg voor is.'
'Ik zei al dat ze iets cynisch had. Dat zag ik meteen. Maar wat gaat u ermee doen? Knox zal het onderzoek zeker niet willen verlengen. Niet nu hij Wells heeft.'
'Ik ga haar opzoeken, Asif. Ik verzin een smoes waarom ik haar moet spreken en confronteer haar met de feiten.'
'Weet u zeker dat dat de reden is waarom u haar wilt zien?'
Ik keek hem vernietigend aan. 'Het is beslist de belangrijkste reden.'
'Nou, ik blijf graag op de hoogte. Al denk ik nog steeds dat Wells de dader is.'
Ons eten arriveerde. Een verwelkt uitziende boerenlunch voor mij en een chili con carne die meer op hondenvoer leek voor Malik. De waard gebood ons nors om smakelijk te eten, maar ik had niet het idee dat we daar bang voor hoefden zijn.
'Niets tegen anderen zeggen over mijn lijntje naar Carla Graham,' zei ik hem, terwijl ik een hap van het muffe brood nam. 'Capper heeft er lucht van gekregen dat ik de telefoongegevens voor Hunsdon heb opgevraagd en hij heeft me opgedragen ervan af te blijven. Ik wil hem niet nog meer munitie geven om me onder vuur te nemen. Niet nu hij de baas is.'
'Maak u geen zorgen, ik zeg niets.' Hij werkte een paar happen chili weg en keek me toen ernstig aan. 'Weet u, ik vond het een slechte zaak dat ze hem tot waarnemend inspecteur hebben bevorderd in plaats van u. U bent veel geschikter voor die functie.'
'Het is allemaal politiek, Asif. Als je het spel goed speelt, kun je het ver schoppen.'
'Waarom spéélt u het spel dan niet? Vergeef me als ik voor mijn beurt praat, maar het brigadiersniveau is niet aan u besteed. U zou moord-onderzoek moeten leiden, niet alleen maar een klein radertje erin zijn.'
Met lange tanden werkte ik nog een vet stuk ham weg, maar toen duwde ik het bord van me af. Het zou me nog niet hebben gesmaakt als ik een week lang niet gegeten had. 'Ik speel het wel mee,' zei ik, terwijl ik een sigaret opstak. 'Ik speel het alleen niet meer met hetzelfde enthousiasme nu de regels steeds veranderen.'
'Een mens kan niet in het verleden leven, brigadier. De wereld verandert. Zelfs het korps verandert. De truc is je aanpassen. Meeveranderen. Je de regels eigen maken. U kunt nog best vooruitkomen.'
'Ze hebben je tot brigadier bevorderd, niet? Je Cappers functie gegeven.'

131

Hij keek verrast. 'Hoe wist u dat? Knox belde me pas gisteravond. Hij zei dat hij het pas vanmiddag bekend zou maken.'

'Hij heeft geen woord gezegd. Niet tegen mij in elk geval. Ik raadde ernaar. Je zat aan iets te denken toen we vanmorgen hierheen reden. Je was stiller dan anders. Bovendien was jij de logische keus.'

'Vindt u?'

'Ja. Je hebt heel wat meer talent dan de anderen van jouw rang. Je wordt vast een goede brigadier. Wanneer gaat het in?'

'Maandag, als het allemaal geregeld is.' Ik trok aan mijn sigaret, maar zei niets. 'U bent toch niet kwaad, brigadier?'

Ik draaide mijn hoofd naar hem toe en glimlachte. 'Nee. Ik ben blij dat jij het bent en niet iemand anders. Gefeliciteerd. Je verdient het. In tegenstelling tot Capper.'

'Weet u, misschien klinkt het als een cliché, maar ik heb veel geleerd door met u te werken. Het was heel leerzaam.'

'Niet overdrijven. Je hebt het tegen mij, niet tegen de hoofdinspecteur.' Maar in stilte deed het me plezier. Ik ben net als ieder ander: ik hou van complimentjes, zelfs als ze niet helemaal oprecht zijn.

'Nou, ik meen het anders wel.'

Hij ging verder met eten en ik ging verder met roken en zond mijn kankerverwekkende walmen naar het authentieke balkenplafond.

'Bedankt,' zei ik. 'Dat waardeer ik.'

Tien minuten later zaten we weer in de auto, op weg naar huis.

18

We waren pas iets voor vijven terug in Islington. Een ongeluk op de M40 had enorme files veroorzaakt, en aangezien we geen van beiden een notie hadden van alternatieve routes, waren we ertoe veroordeeld urenlang voort te kruipen samen met duizenden andere opgefokte automobilisten.

Ik liet me door Malik vlak bij huis afzetten. Op een of andere manier kon ik het niet aan om terug te gaan naar het bureau, waar de gesprekken ongetwijfeld om promoties en terminale ziekten zouden draaien, en waar ik me plotseling meer dan ooit een buitenstaander voelde. Welland was een bondgenoot geweest, een man die in het verleden vaak voor me in de bres was gesprongen. Nu was hij weg. Als vervanger vertegenwoordigde Capper wat een mediacommentator 'het nachtmerriescenario' zou noemen.

Toen ik thuis was, keek ik of er berichten voor me waren. Er stonden er geen op mijn antwoordapparaat, maar Raymond had er een op de voicemail van zijn mobiel achtergelaten. Hij wilde me zo snel mogelijk spreken en gaf me een nummer waaronder ik hem terug kon bellen. Hij hing op met de mededeling dat het dringend was, maar dat het niet om iets verontrustends ging, wat dat ook betekenen mocht. Het was niets voor Raymond om boodschappen voor mij achter te laten als het niet belangrijk was. Ik belde het nummer dat hij had achtergelaten, maar ik kreeg zijn voicemail, dus liet ik de boodschap voor hem achter dat ik hem zonder tegenbericht de komende twee middagen op de normale plek zou opzoeken. Ik wilde hem sowieso zien. Er viel, zacht uitgedrukt, heel wat te bespreken.

Daarna probeerde ik Carla Graham bij Coleman House, maar ze was de hele dag op stap en ik wilde niet het risico nemen naar haar mobiel te bellen. Ze zou zich kunnen afvragen waar ik het nummer vandaan had. Ik vertelde de vrouw aan de andere kant van de lijn dat ze met de politie sprak, en vroeg wanneer Carla terug werd verwacht. Ik kreeg te horen dat ze weekenddienst had en de volgende morgen terug zou zijn. Ik zei dat ik haar dan zou bellen.

Buiten regende het, maar ik had zin in een wandeling en misschien in een drankje ergens, dus slenterde ik de hoek om naar de Hind's Head, een rustige zaak waar ik af en toe kom. Er zat niemand en ik herkende de eenzame barman niet. Hij was de krant aan het lezen toen ik binnen-kwam. Ik ging op een kruk aan de bar zitten en bestelde een biertje ter-wijl ik een sigaret opstak en mijn natte jas uittrok.

Er lag een licht verkreukeld exemplaar van de *Standard* naast me op de bar. Aangezien de barman er niet erg spraakzaam uitzag en er niemand anders was om mee te praten, boog ik me naar voren om het te pakken.

De klap kwam aan als een mokerslag.

De kop was gezet in grote vette hoofdletters die de helft van de pagina besloegen: SIGNALEMENT MOORDENAAR DOUANIERS. Ernaast, op de an-dere helft van de pagina, stond een gedetailleerde compositietekening van een man met een smal gezicht, vijfendertig tot veertig, met kort donker haar en iets te dicht openstaande ogen.

Als ik een tekenaar had gevraagd een snelle schets van mijn gezicht te maken, had hij het niet beter kunnen doen. De gelijkenis was griezelig.

Ik had het gevoel dat de grond onder mijn voeten wegzakte toen de vol-ledige implicaties van wat ik voor mijn neus had door me heen dender-den als water dat door een kapotte dam breekt.

Nu wist ik dat ik in gevaar verkeerde, in groter gevaar dan op enig ander moment in mijn hele leven. Niet alleen van de kant van de politie, maar ook van mensen die ik niet eens van gezicht kende.

Maar die mij wel kenden. En die nu beseften dat ze een stuk beter af waren met een dode Dennis dan met een levende.

Raymond had gelijk. Ik had haar verdomme moeten opruimen.

Deel 3

De jager gejaagd

19

De volgende dag arriveerde ik om exact 12.55 uur bij R.M. Keen's Centrum voor Waardige Uitvaartverzorging en Discreet Rouwtransport – een hele mondvol. Het lag iets van de weg en was door zijn ligging in de aantrekkelijke, lommerrijke wijk Muswell Hill beslist het soort plek waaraan je je aardse omhulsel wilde toevertrouwen voordat het in rook opging of tot stof wederkeerde. Het gebouw zelf, dat door een beukenbosje van de weg was afgeschermd, was een voormalige negentiende-eeuwse kapel met ouderwetse glas-in-loodramen en leek nog veel van zijn oorspronkelijke karakter te hebben behouden. Aan weerszijden van de eikenhouten voordeur stonden verse snijbloemen in aardewerk vazen. Ik verwachtte bijna door de vrouw van de dominee te worden begroet. Op de met grind bedekte parkeerplaats aan de voorkant stonden enkele lijkwagens, een aantal volgauto's en Raymonds koningsblauwe Bentley. Het was duidelijk dat hij er was.

De deur was gesloten. Een bordje verzocht bezoekers zich te melden middels de intercom, dus dat deed ik dan maar. Een paar seconden later wenste een Vincent Price-achtige grafstem me een goede middag en vroeg waarmee hij me van dienst kon zijn. Ik ben er helemaal voor de juiste sfeer te creëren, maar deze knakker ging mij een beetje te ver.

'Ik kom voor de heer Raymond Keen,' zei ik zo plechtig mogelijk.

'Verwacht meneer Keen u?'

'Ja, hij weet van mijn komst.'

'En uw naam is?'

'Milne. Dennis Milne.'

'Ik zal kijken of meneer Keen u kan ontvangen.'

Raymond verwachtte me natuurlijk pas over een uur en op een heel andere plek, maar ik nam het zekere voor het onzekere. De compositietekening had me zo de stuipen op het lijf gejaagd dat ik niemand meer vertrouwde. Raymond zou niet graag zien dat ik in handen van de politie viel; als het moest zou hij er volgens mij zelfs niet voor terugschrikken dat met harde hand te voorkomen. De enige voorsprong die ik op hem had, was dat hij niet wist dat ik die bewuste avond bij een wegblokkade staande was gehouden en de politie mijn ware identiteit had prijsgegeven. Ik hoopte tenminste dat hij dat niet wist. Inmiddels zou ik niet verbaasd hebben gestaan als was gebleken dat hij ook een bron binnen het opsporingsteam had.

Vincent Price kwam weer over de intercom. 'Meneer Keen kan u nu ontvangen. Komt u binnen.'

Ik opende de deur en liep de hal in, die was voorzien van eikenhouten panelen. Vincent zat achter een groot, keurig opgeruimd bureau, al zag hij er in den vleze meer uit als Vince Hill dan als Vincent Price.

Hij schonk me de voorgeschreven blik van medeleven. 'Als u de gang door loopt, vindt u het kantoor van meneer Keen aan uw rechterhand.' Hij wees naar een slecht verlichte gang die naar de achterkant van het gebouw leidde. Ik volgde zijn aanwijzingen op en nam niet de moeite aan te kloppen toen ik de laatste deur aan de rechterkant bereikte.

Raymond zat met een dikke sigaar in de hand te lezen in een aantal klappers die open voor hem lagen uitgespreid. God weet wat ze bevatten. Het kon van alles geweest zijn: BTW-bonnen, winst-en-verliesrekeningen, informatie zo geheim dat er mensen voor moesten sterven...

Hij keek op en glimlachte breed toen ik binnenkwam. 'Dennis, wat een zeldzaam genoegen. Heel onverwacht ook. Ga zitten.'

Ik nam plaats in een comfortabele leren stoel met een hoge rugleuning die waarschijnlijk evenveel had gekost als ik per maand verdiende. 'Het spijt me dat ik zo binnenval, Raymond. Het leek me handiger als we elkaar hier ontmoetten.'

Hij bleef glimlachen. 'Zo? Waarom dan wel?'

Ik keek hem aan en hield zijn blik vast. 'Laten we het erop houden dat ik momenteel een beetje nerveus ben.'

'Ja, dat zal best. Die compositietekening leek opmerkelijk goed. Griezelig goed. De vraag is: wat doen we eraan?'

'We kunnen niets doen. We moeten gewoon rustig blijven. Het is hoogst onwaarschijnlijk dat iemand die me kent zal denken dat ik het heb gedaan.'

'Dat mag ik hopen. Het zou niet erg voor je pleiten als ze dat wel dachten, hè?'

Ik stak een sigaret op en hield me voor dat Raymond vrijwel zeker niets wist van het feit dat ik niet ver van de bewuste plek door de politie was ondervraagd.

'Je wilde me spreken, Raymond. Wat kan ik voor je doen?'

'Er zijn te veel mensen die weten wat er gebeurd is. Je maat, die achter het stuur zat, is er een van...'

'Hij is oké. Hij houdt zijn mond wel.'

'Hoe kun je daar zo zeker van zijn?'

Dat was een heel goede vraag. Hopelijk omdat hij het land had verlaten. Ik had niets meer van Danny gehoord na de publicatie van mijn compositietekening, dus nam ik aan dat hij mijn advies had opgevolgd. Dat hoopte ik tenminste.

'Ik heb hem genomen omdat ik zeker wist dat hij niet snel in paniek raakt.'

'Heb je hem daarna nog gesproken?'

'Ja, toen ik hem zijn aandeel gaf. Hij was wel gepikeerd dat hij was voorgelogen over de identiteit van de doelwitten, maar ja, dat was ik zelf ook… Maar het was geen groot probleem voor hem. Hij houdt zich wel goed.'

'Dus je hebt hem niet meer gesproken sinds de compositietekening is gepubliceerd?'

'Nee, maar een paar dagen terug vertelde hij me dat hij een paar weken naar de Caraïben wilde. Om een beetje van zijn geld te genieten.'

'Een verstandige zet,' zei hij, met zijn paperassen schuivend. 'En je weet zeker dat hij vertrokken is?'

'Ik weet niet beter dan dat hij weg is, ja. Waar doel je precies op?'

'Gewoon voor de zekerheid. Ik zou het geen prettige gedachte vinden dat hij zo zenuwachtig was dat hij naar de politie zou gaan.'

'Dat zou hij nooit doen.'

Raymond keek me vorsend aan. 'Dus je staat voor hem in?'

'Hij zal geen problemen geven. Zoals ik al zei: daarom heb ik hem genomen.'

'Mooi, mooi.' Hij knikte langzaam. 'Ik wou dat ik hetzelfde kon zeggen van die andere knaap.'

'Welke andere knaap?'

'Onze man. Die knaap die destijds op de uitkijk stond. Daarover wilde ik je spreken.'

'Wat bedoel je?' Alsof ik dat niet drommels goed wist.

'Het is een beste jongen, begrijp me niet verkeerd, en het is een moeilijke beslissing, temeer daar ik zijn moeder goed ken, maar…' Hij zuchtte en keek me toen aan alsof hij op een meelevend woord wachtte. 'Hij is ook een risico. Ik denk dat we hem moeten aanpakken.'

Ik had Raymonds handlanger, degene die de komst van de drie mannen had doorgeseind, nooit persoonlijk ontmoet, maar ik herinnerde me dat hij vrij jong had geklonken, hoogstens 25. Hoewel hij de harde jongen had uitgehangen toen hij met me sprak, wist ik dat hij het die avond in zijn broek had gedaan van angst. Dat kun je altijd merken. Er klinkt altijd iets trillerigs door in de stem van iemand die er moeite mee heeft zijn angst te bedwingen. Niet dat hij veel risico had gelopen. Hij hoefde alleen maar naar de Cherokee uit te kijken en me te waarschuwen als hij eraan kwam. Het vuile werk was mijn taak geweest. Ik nam aan dat ik ook nu het vuile werk moest doen.

'Wat bedoel je nu eigenlijk?'

'Dat weet je heel goed. Je bent mijn meest betrouwbare man, Dennis. Een moeilijke klus als deze vraagt om de hand van een expert, niet die van een eenvoudige amateur.'

Ik trok aan mijn sigaret en schudde mijn hoofd. 'Jezus, Raymond. Dit loopt uit de hand. We kunnen niet aan de gang blijven met het mensen opruimen.'

'Dit is de laatste, Dennis. Daar kun je straf op gaan.'

'Dat zei je vijf dagen geleden ook. Je zei letterlijk: "Het zal niet meer gebeuren." Dat was maandag. Vandaag is het zaterdag. Wat ga je me volgende week vragen? Of ik de paus wil vermoorden?'

'Hoor eens, ik kon toch moeilijk weten dat die griet die jou heeft gezien een fotografisch geheugen zou hebben? Ik zei je al dat je haar had moeten neerschieten. Feit is dat die verdomde compositietekening iedereen zenuwachtig maakt. Heel zenuwachtig.'

'Dat is ook zoiets, Raymond. Wie is die "iedereen" met wie jij werkt? Ik hoor op het nieuws dat ik een accountant heb doodgeschoten die voorzover bekend een smetteloze staat van dienst had. Dus vertel eens op: wie zijn je zakenpartners en waarom wilden ze die vent dood hebben?'

'Hoe meer je weet, hoe gevaarlijker het voor je is, Dennis. Als je even nadenkt, zul je dat zelf ook inzien.'

Ik zuchtte. 'Als ik die knaap opruim, wie zegt me dat ik dan niet de volgende ben die aan de beurt is?'

'Dennis. Voorlopig zit je safe. Ik weet dat je niet naar de politie kunt om het op een akkoordje te gooien. Iedereen weet dat. Je zit er te diep in. Je hebt zoveel bloed aan je handen dat je bijna een zeiltje nodig hebt.'

'O, bedankt.'

'Ik wil je alleen maar geruststellen, dat is alles.' Hij schonk me een glimlach die vermoedelijk bedoeld was om me te laten zien dat hij begreep hoe ik me voelde. Hij wees met zijn sigaar in mijn richting. 'En als je niets af weet van de achtergronden, vorm je voor niemand een bedreiging. Geen bedreiging betekent dat het geen zin heeft je op te ruimen, dus blijf je leven. En dat is wat je wilt.'

'En Danny?'

'Je maat? Nou, als jij zegt dat hij oké is, dan is hij oké.'

Ik zuchtte. 'De ontwikkelingen bevallen me gewoon niet. Het loopt uit de hand, en mijn ervaring is dat de dingen dan scheef beginnen te gaan.'

'Hoor eens, Dennis, ik zit er ook niet op te wachten, maar het moet gebeuren. Die knaap heet Barry Finn. Hij loopt de laatste dagen rond alsof iemand hem in zijn ballen knijpt. Hij is nerveus, zichtbaar nerveus. Dat is iets wat we niet zo kunnen laten.'

'En hoeveel staat ertegenover?'

Hij trok zijn wenkbrauwen op. 'Dennis, dit is bedoeld om te zorgen dat we allemaal op vrije voeten blijven, niet om snel een paar centen te verdienen. Wees nou even serieus.'

'Shit, Raymond. Het gaat allemaal over geld, doe nou niet net alsof het anders is. Als je wilt dat ik hem opruim, zul je moeten dokken. Ik loop risico.'

'Je loopt een groter risico als je het niet doet, dat kan ik je wel vertellen.' Daar was het eerste spoor van dreiging in zijn stem.

Ik keek op naar het met nicotine bevlekte plafond en richtte mijn aandacht op een teer, met stof bedekt spinnenweb dat daar verloren omlaag hing. Ik zocht naar de spin, maar vermoedde dat hij allang weg was.

'Wanneer wil je hem uit de weg hebben?' vroeg ik mat, want ik wist drommels goed dat ik geen keus had.

'Zo snel mogelijk. Bij voorkeur voor het eind van het weekend. Op z'n laatst maandag.'

'Dat zal niet meevallen. Als hij zo paranoïde is als jij zegt, zal hij erop bedacht zijn dat iemand hem te grazen neemt.'

'Heeft hij jou die avond gezien?'

Ik schudde mijn hoofd. 'Nee. We hebben alleen via de walkietalkie gesproken. Ik heb geen idee hoe hij eruitziet.'

'Ook dat is een goede reden om jou te gebruiken. Hij werkt al heel lang voor me, dus hij weet hoe mijn mensen eruitzien.'

'Als ik het doe, moet het daarmee afgelopen zijn. Duidelijk?'

Raymond knikte. 'Ja, dat is me duidelijk. Oké.'

Zijn mobiel ging. Hij keek alsof hij het wilde negeren, bedacht toen dat het belangrijk kon zijn en nam op.

Ik maakte van de gelegenheid gebruik om een sigaret op te steken. Raymond luisterde voor mijn gevoel vrij lang naar degene aan de andere kant van de lijn, zei tegen de beller dat hij maar beter meteen naar het uitvaartcentrum kon komen om het gesprek voort te zetten en stak de mobiel in zijn zak. Het klonk alsof ons gesprek voorbij was.

'Je zult me grondig over die knaap moeten informeren,' vertelde ik hem.

'Foto, adres, andere relevante gegevens.'

Hij glimlachte. 'Niet nodig.'

'Wat bedoel je?'

Hij klopte op de plek van zijn colbert waar hij de mobiel had weggeborgen. 'Dat was hem. Hij is op weg hierheen.'

20

'Dat noem ik nog eens boffen,' zei Raymond handenwrijvend.

'Je gaat me toch niet vertellen dat je wilt dat het hier wordt gedaan?'

'Waarom niet? Deze plek is even goed als elke andere. Beter zelfs. Heb je een pistool?'

Dat had ik. Een zespatroons 2.2, die ik jaren geleden van Tomboy had gekocht en die ik alleen voor noodgevallen bewaarde. Ik vond dat mijn huidige situatie wel aan de definitie van 'noodgeval' voldeed. Ik was er dan ook helemaal klaar voor om het pistool te gebruiken om mijn vrijheid en misschien zelfs mijn leven te verdedigen, al vond ik het geen prettig idee om het in te zetten tegen iemand die geen rechtstreekse bedreiging voor me vormde.

'Ja, maar ik wil het liever niet gebruiken. Ik wil het achter de hand houden voor noodgevallen en me geen zorgen hoeven maken dat dit akkefietje op mij terugslaat.'

'Maak je daar geen zorgen over. Niemand zal het lijk ooit vinden.'

'Hoe kun je daar zo zeker van zijn?'

'Geloof me maar op mijn woord. Het zal nooit meer opduiken. Heb je een geluiddemper?'

'Natuurlijk niet. Ik had voor vandaag geen moorden op mijn programma staan, of je het gelooft of niet.'

Hij haalde zijn schouders op. 'Maakt niet uit. De muren zijn hier dik. Dit gebouw stamt nog uit een tijd toen ze voor de eeuwigheid bouwden. Niemand zal iets horen.'

'Jezus, Raymond. Dit soort dingen vraagt voorbereiding. Ik kan niet onvoorbereid iemand omleggen. Niet binnen tien minuten.'

Hij stond op en keek me strak aan. 'Natuurlijk wel. Positief denken, Dennis. Het probleem met jou is dat je alles zo verdomd negatief bekijkt.' Hij wierp een blik op zijn horloge. Het was een Cartier of een Rolex. Patser. 'Laten we eens kijken hoe we dit gaan aanpakken. Hij woont niet ver weg, dus hij zal zo hier zijn.'

Ik begon iets te zeggen, maar hij hees zijn grote lijf uit de stoel en liep langs me heen naar de deur. Er zat weinig anders op dan hem te volgen. Hij beende doelbewust door de gang naar de balie in de hal. Vincent zat nog steeds op zijn post.

'Ik moet dringend iets regelen, Frank, dus ik sluit de zaak voor vandaag. We verwachten geen klanten of leveranciers, wel?'

'Nee, vandaag niet, meneer Keen,' antwoordde hij met die grafstem van hem.

'Doe me een lol en ga de rest van de middag wat anders doen, wil je.'

Dat hoefde hij niet twee keer te vragen. Het was duidelijk dat Frank wel vaker werd weggestuurd. De blik waarmee hij Raymond aankeek, beviel me ook niet bepaald; die was angstig. Ik kreeg de indruk dat hij dingen over Raymond wist die hij liever niet had geweten. Hij knikte, pakte zijn jas en liep zonder een woord de deur uit.

'Nou, hoe gaan we dit varkentje wassen?' zei Raymond, terwijl hij om zich heen keek op zoek naar aanknopingspunten. Zijn hele houding liet zich in één woord beschrijven: opgewonden. Hij leek regelrecht opgetogen bij het vooruitzicht een moord te gaan plegen. 'Kom op, Dennis. Denk eens mee.'

Ik overwoog hem te bepraten, maar besefte dat dat geen zin had. Ik had weg kunnen gaan en het aan hem overlaten, maar daar zou ik niets mee zijn opgeschoten. Raymonds uitkijk zou hoe dan ook sterven, en op dat moment kwam het me voor dat ik mezelf het best hielp als ik meehielp hem uit de weg te ruimen.

'Het lijkt me het best dat ik bij de receptie ga zitten. Als hij komt, laat ik hem binnen en verwijs hem naar jouw kantoor. Hij loopt erheen, jullie gaan babbelen en dan kom ik op de deur kloppen. Jij roept: "Binnen", dus ik kom binnen. Ik zorg dat er een paar koppen koffie klaarstaan. Ik zet ze neer, jij houdt hem aan de praat, en wanneer hij zijn rug naar me toe heeft, knal ik hem neer.'

'Ik weet het niet, Dennis. Ik heb het liever niet in mijn kantoor. Kun je het niet gewoon hier doen?'

'Hoe dan?'

'Nou, als hij de deur in komt. Of als je hem de weg wijst. Misschien moet je gewoon achter hem aan lopen en hem onderweg neerknallen.'

Ik schudde mijn hoofd. 'Dat werkt niet.'

'Waarom niet?'

'Te riskant. Als hij zo nerveus is als jij zegt, zal hij op zoiets bedacht zijn. Hij zal ogen in zijn rug hebben als er iemand achter hem loopt, dus is er een grote kans dat het misloopt als ik dan iets probeer. Dat geldt ook voor het moment dat hij de voordeur in komt. Te veel kans op mislukking. Het moet gebeuren als hij in een besloten ruimte is waar hij niet weg kan.'

Hij knikte langzaam terwijl hij mijn woorden tot zich liet doordringen.

'Oké, dat klinkt redelijk. Maar we zullen iets aan je kleding moeten doen. Je bent veel te nonchalant gekleed voor iemand die in een rouwcentrum werkt, zelfs voor een zaterdag.' Hij verdween in een van de vertrekken naast de hal en verscheen na een paar tellen met een overhemd en een zwarte stropdas. 'Dat zal wel passen,' zei hij. 'Voor die spijkerbroek heb ik niets. Tegen de tijd dat Barry die ziet, is hij hopelijk nog maar een halve seconde verwijderd van een volledig geventileerd hoofd.'

Ik haalde het pistool uit de zak van mijn leren jack, trok het jack en de sweater die ik eronder droeg uit en mikte ze achter de balie, uit het zicht. Toen trok ik haastig het overhemd aan, deed de das om en stak het pistool achter in mijn broekband. Het overhemd was aan de kleine kant en ik kreeg het bovenste knoopje niet dicht, maar ik dacht niet dat Barry er erg op zou letten.

'Je moet heel eerbiedig praten. We zijn heel klantvriendelijk in deze branche. Probeer langzaam te praten en te doen alsof je nadenkt over wat je zegt.'

'Ik zal zien wat ik doen kan.'

Ik ging achter het bureau zitten en stak een sigaret op.

'Jezus, Dennis, je kunt hier niet met een peuk in je mond zitten. Dat is helemaal de verkeerde houding. Eerbiedig, zei ik.'

'Het is zaterdag en we verwachten geen klanten. Noem het maar compensatie voor de vreemde werktijden.'

Hij schudde geërgerd zijn hoofd, maar liet het erbij. 'Juist, maar nu even duidelijk. Jij stuurt hem naar mijn kantoor, we beginnen te praten...'

'Je biedt hem een kop koffie aan omdat je er zelf ook aan toe bent. Je belt mij bij de receptie en ik ga hem zetten. Waar zijn je koffiespullen?'

'Die deur achter je komt uit op een keuken. Je vindt er alles wat je nodig hebt.'

'Mooi. Ik kom hem brengen en dan komt het erop aan.'

Ik kon me niet aan de gedachte onttrekken dat het oerstom was om mee te werken aan zo'n inderhaast geplande moord. Op die manier moest het een keer helemaal fout lopen.

Raymond leek mijn gedachten te lezen. 'Straks is alles achter de rug, Dennis. Dan kunnen we weer overgaan tot puur en simpel geld verdienen.'

Ik knikte en trok aan de sigaret. 'Ik denk erover... om hetzelfde te doen als wat mijn chauffeur aan het doen is. Je weet wel, een lange vakantie. Misschien zelfs permanent.'

'De misdaadcijfers zullen de pan uit rijzen zonder jou, Dennis.'

Ik wist een vreugdeloze glimlach op te brengen. 'Op een of andere manier denk ik van niet.' Het geluid van autobanden op grind bracht me weer bij de les.

'Daar is ie,' zei Raymond, door een van de glas-in-loodramen naar buiten kijkend. 'Ik ga naar mijn kantoor.'

Ik trok mijn stropdas recht – ik voelde me bijna als iemand die aan zijn eerste kantoordag begint – en drukte mijn sigaret uit.

Een paar seconden later ging de zoemer. Ik boog me naar de intercom en vroeg zo somber als ik kon met wie ik van doen had. Ik ben geen slecht imitator en het kwam er best goed uit.

Een geagiteerde stem vroeg naar Raymond. 'We zijn momenteel gesloten, meneer,' deelde ik hem mede.

'Hij verwacht me. Mijn naam is Barry Finn.'

Ik zei hem dat hij moest wachten terwijl ik meneer Keen zou raadplegen, bleef een paar seconden werkeloos zitten en kwam toen weer aan de lijn. 'Komt u binnen.' Ik drukte op de kleine rode knop op de intercom, gokkend dat daarmee de deur open zou gaan. Tot mijn plezier merkte ik dat ik goed gegokt had. Het had de zaak kunnen verpesten als ik nog niet eens de deur kon openmaken. Barry Finn was iets ouder dan ik had verwacht, ongeveer dertig, niet langer dan 1 meter 70, met een flinke bos vettig blond haar. Hij had de magere, verlopen trekken van een kleine crimineel en zijn ogen schoten schichtig heen en weer. Net als die van Len Runnion. Dit was een man die een zware last op zijn smalle schouders droeg. Onmiddellijk begreep ik dat Raymond gelijk had dat hij hem uit de weg wilde hebben, al pleitte het niet voor zijn inzicht dat hij hem gebruikt had. Maar ja, dat had je misschien ook van mij kunnen zeggen.

Ik schonk hem een strenge onderwijzersblik en wees hem het kantoor van meneer Keen. Hij zei geen woord en liep de gang in. Het was een vreemd gevoel te weten dat hij nog maar een paar minuten te leven had, en een beetje triest om te bedenken dat ze zouden worden besteed aan getob over iets waar hij toch niets aan kon veranderen.

Nu was het tijd om te wachten. Maar Raymond liet er geen gras over groeien. Binnen twee minuten belde hij me en gaf hij op bazige toon door dat hij koffie wilde. Er kon niet eens een alsjeblieft af. Ik was blij dat ik niet fulltime bij hem in dienst was. Hij had het soort bruuske houding tegen zijn personeel dat het kapitalisme een slechte naam bezorgt.

Ik controleerde mijn pistool voor de tweede keer sinds ik was gaan zitten, ontgrendelde het en stak het weer in de broekband van mijn spijkerbroek. Toen liep ik naar de keuken en zette water op. Terwijl ik wachtte tot het kookte, liet ik mijn blik rondgaan. Ik was nooit eerder in de keuken van een uitvaartonderneming geweest en wist niet wat ik moest verwachten. Misschien een paar grappige foto's van het personeel dat poseerde bij de lijken, of koelkastmagneetjes in de vorm van doodskisten. Maar ik zag niets van dien aard. Alles zag er deprimerend normaal uit. Schoon en netjes ook. Verspreid over de muren hingen ansichtkaarten van allerlei verre bestemmingen. Eentje was zelfs afkomstig uit Dhaka in Bangladesh, wat me een vreemde plek leek om je vakantie door te brengen. De foto voorop toonde een riksjarijder op blote voeten die met een tandeloze glimlach in de camera keek. Ik nam hem van de muur en zag dat Raymond de afzender was. Hij schreef dat het er veel te heet was en dat hij ernaar uitzag om weer naar huis te gaan. Als de foto op de voorkant het beste was wat de toeristenindustrie van Bangladesh in huis had, kon ik het hem niet kwalijk nemen.

Het water kookte en ik schonk Raymonds koffie op, deed er in plaats van de twee schepjes suiker die hij had besteld zout in, gewoon om hem te laten voelen dat ik niet zijn slaafje was. Ik vond een geblutst IN MEMORIAM PRINSES DIANA-theeblad, zette de kop erop en begaf me gangwaarts.

Om de schijn op te houden klopte ik op de deur en wachtte tot ik binnengeroepen werd, wat alles bij elkaar ongeveer een seconde in beslag nam.

Raymond keek me stralend aan terwijl ik binnenstapte, en Barry keek snel om, gewoon om te controleren of alles in orde was. 'Ah, dank je, Dennis. Precies waar ik aan toe was. Weet je zeker dat je niet wilt, Barry?'

Barry schudde zijn hoofd, maar zei niets.

Ik liep naar het bureau en Raymond pakte de kop van het blad en bracht zelfs een bedankje op. Hij wendde zich weer tot Barry. 'Dus maak je geen zorgen,' hield hij hem voor. 'Niks aan de hand.' Met het Prinses Diana-theeblad nog in mijn ene hand nam ik het pistool uit mijn broekband.

Barry moet hebben gevoeld dat ik nog in de kamer was. Terwijl Raymond doorkwebbelde, draaide hij zich om precies op het moment dat ik het pistool hief. Het verkeerde eind van de loop bevond zich op niet meer dan een meter van zijn hoofd.

Zijn ogen werden groot en zijn mond viel open. Voordat hij iets kon zeggen, haalde ik de trekker over, want ik wilde het zo snel mogelijk achter de rug hebben.

Maar er gebeurde niets. De trekker gaf niet mee. Ik trok harder. Nog steeds niets. Het stomme ding blokkeerde.

'Niet schieten! Alsjeblieft, niet schieten!'

De woorden waren een angstig gehuil, en ik besefte ineens dat dit de eerste keer was dat iemand ooit de kans had gekregen om mij om genade te smeken. Het was niet welkom, want het bracht me aan het twijfelen. Twijfelen of ik in staat was in koelen bloede een man te doden die me recht in de ogen keek. Hij stak zijn armen omhoog en uit zijn mond, die open- en dichtging als de bek van een tropische vis, kwam een onverstaanbare stroom van smeekbeden. Ik voelde me alsof ik aan de grond was vastgevroren, alsof ik volledig verlamd was. Wat moest ik doen? Wat kón ik nog doen?

'Om godswil, Dennis! Schiet die klootzak af!'

In een reflex haalde ik de trekker weer over. Opnieuw gebeurde er niets. Toen besefte ik dat het pistool onbruikbaar was. Het zou de komende vijf seconden nooit deblokkeren.

'Kom op!' gilde Raymond met een rode kop van frustratie. Met één oog op het pistool draaide Barry zich half om naar zijn baas. 'Meneer Keen… Raymond… Wat is dit? Ik zal echt niets zeggen…'

'Maak er een eind aan!'

'Hij blokkeert, Raymond!'

'Christenzielen!'

Met een verrassende snelheid stak hij zijn hand uit, greep van de rand van zijn bureau een beeldje van een golfspeler in slaghouding en sloeg Barry ermee op zijn hoofd. Het ding brak meteen, en kop en romp van de golfspeler vlogen door de kamer. Barry kermde van de pijn, maar daar bleef het bij. Hij was nauwelijks uitgeschakeld.

Raymonds aanval bracht Barry in het geweer. Omdat hij besefte dat hij te maken had met mensen die tot alles bereid waren om een gerucht de kop in te drukken, sprong hij op in een poging te ontsnappen. Ik reageerde door hem met het theeblad in zijn gezicht te slaan, en hij viel weer terug in de stoel. Meteen trapte hij met beide benen van zich af, maar ik sprong opzij en probeerde hem een klap te geven met de kolf van mijn pistool. Ik raakte hem op zijn arm, die hij beschermend ophief terwijl hij me met zijn andere hand een stomp in mijn nieren verkocht. Ditmaal was het mijn beurt om te kermen van de pijn. Ik wankelde achteruit, waardoor de weg naar de deur vrijkwam. Hij schoot uit de stoel als een hazewindhond uit een starthok en rende zijn redding tegemoet. Plotseling had ik het visioen dat ik de rest van mijn leven achter de tralies zou doorbrengen, in gescheiden bewaring, bij de pedofielen en de informanten. Het was aansporing genoeg om Barry Finn niet te laten lopen. Raymond schreeuwde iets, maar ik verstond het niet. Toen Barry bij de deur was, sprong ik op zijn rug en probeerde hem terug te trekken, waarbij het pistool op de grond belandde.

Maar Barry had er veel belang bij om te ontsnappen en hij leek niet van plan het zomaar op te geven. Hoewel ik mijn uiterste best deed, en onder andere een poging deed hem de ogen uit te steken, slaagde hij erin de deur open te maken en de gang in te wankelen, met mij op zijn rug. Hij had ongeveer vier stappen gezet toen Raymond langs hem heen rende en hem de weg versperde, zijn gezicht een hijgend masker van adrenaline en woede.

'Oké, Barry, jongen, jij gaat rustig vertrekken.'

Maar Barry was niet van plan om rustig te vertrekken, niet als het aan hem lag. Wanhopig danste hij om Raymond heen met de gratie van een toneelpaard.

Raymond hield dapper stand en gaf hem een harde stoot in de maag.

Barry hapte naar adem, alle lucht werd uit hem weggeslagen. Hij viel op zijn knieën en bleef misschien een seconde in die houding; toen viel hij op zijn zij. Ik sprong van zijn rug en bedacht dat Raymond een machtige punch moest hebben. Maar toen zag ik het bebloede mes in zijn rechterhand.

'Pak hem beet en hou hem omhoog,' beval hij opgewonden.

Barry kroop op zijn buik over de vloer terwijl het bloed onder zijn lichaam uit stroomde. Raymond schopte hem gemeen in de zij, wat ik een beetje onnodig vond, maar hij had die dag de blik van een sadist. Ik heb het al zo vaak gezien. Soms laten ze zich gewoon te veel meeslepen.

'Vooruit, pak hem op, Dennis. Nu!'

Barry hoestte en probeerde iets te zeggen, maar er kwam alleen gesputter. Ik voelde me misselijk worden. Dit was heel anders dan schieten. Het was vele malen smeriger, en op een vreemde manier een stuk persoonlijker.

Ik ging achter hem staan en trok hem onder zijn armen omhoog. Zijn lichaam maakte een afschuwelijke zuigend geluid toen het loskwam van de plas bloed die zich onder hem vormde. Ik moest me inhouden om niet over te geven.

Raymonds gezicht vertrok tot een wilde, maniakale grijns en zijn ogen sperden zich theatraal open alsof ze zo veel mogelijk van het tafereel in zich wilden opnemen. Opnieuw probeerde Barry woorden te vormen, maar het was te laat. De hand met het mes schoot uit en er klonk een geluid van metaal dat door zacht vlees klieft. Barry hapte naar adem. Raymond stak nogmaals toe. En opnieuw straalde zijn gezicht van wilde moordlust en zijn rechterarm bewoog als de pompende zuiger van een motor die op volle toeren draait. Barry probeerde zich te verzetten, maar zijn bewegingen waren zwak en traag, en elke stoot van het mes ondermijnde zijn krachten iets verder. Het bloed droop in stralen naar de vloer en ik had er moeite mee om hem op de glibberige vloer overeind te houden.

'Alsjeblieft,' hoorde ik hem door opeengeklemde kaken fluisteren. Of misschien was het gewoon lucht die ontsnapte, ik weet het niet.

Hoe het ook zij, het was gedaan. Eindelijk verdween zijn weerstand helemaal en hij verslapte in mijn armen. Raymond had hem minstens twaalf keer gestoken.

Hijgend van inspanning deed Raymond een stap terug en bewonderde zijn handwerk. Zijn smetteloze witte overhemd zat onder het bloed. 'Oké, hij is vertrokken. Leg hem maar neer.'

Ik legde hem voorzichtig op de grond en deed een stap terug. Overal was bloed, al werd het ergste gelukkig gemaskeerd door de donkere hardhouten vloer.

Met het mes nog in zijn hand veegde Raymond het zweet van zijn voorhoofd. 'Het is jammer dat hij zo moest gaan. Ik heb Barry altijd gemogen. Wat was er verdomme aan de hand met je pistool?'

'Hij blokkeerde,' zei ik. 'Dat gebeurt soms.'

'Moet je verdomme zien wat een puinhoop, Dennis. Het lijkt me niet meer dan redelijk dat jij de zaak schoonmaakt, want het kwam door jouw pistool.'

'Wat doen we met hem?' vroeg ik, nog beduusd van wat er zojuist was gebeurd. Ik had nog nooit in mijn hele leven zoveel bloed gezien. Het leek of elke druppel uit Barry's lijf nu tussen mij en Raymond op de grond lag. Nu en dan rimpelde er een vinnig schokje door zijn lichaam. Langzaam maar zeker begon zich een vage, maar steeds sterkere poeplucht te verspreiden.

'Hmm, hij begint al een beetje vies te worden, dus we kunnen hem beter inpakken. Laten we hem voorlopig maar in een van de lijkkisten stoppen.'

Hij legde het mes naast het lichaam en gebaarde me hem te volgen. We liepen terug door de gang en hij opende een deur iets verderop, tegenover zijn kantoor. Op een stelling tegen een muur waren een paar rijen doodskisten opgeslagen. Ze leken allemaal op elkaar, al waren sommige groter dan andere.

Raymond wierp er een blik op, koos er een uit en trok hem omlaag. Het was een crèmekleurige kist, bijna wit, met ijzeren handvatten die er vrij goedkoop uitzag. Logisch, want aan Barry's uitvaart zou niets worden verdiend. Ik pakte het andere eind, en toen droegen we hem naar buiten en zetten hem neer op een van de weinige droge plekken op de vloer, alvorens Barry's bloederige lijk op te tillen en erin te mikken. Hoewel ik veel moeite had gedaan om het te vermijden, kreeg ik een paar spatten bloed op mijn spijkerbroek, wat natuurlijk zijn doodvonnis betekende. Raymond sloot het deksel en vervolgens ruimden we de rest van de rommel zo goed we konden op, wat een dikke twintig minuten in beslag nam. Ik deed het grootste deel van het dweilwerk, terwijl Raymond erop toezag dat ik niets oversloeg.

Toen we klaar waren, ging ik voor mezelf een glas water in de keuken halen. Ik dronk het achter elkaar leeg, vulde het glas nogmaals en dronk ook dat leeg. Ik voelde me nog steeds misselijk, dus haalde ik een paar keer langzaam en diep adem terwijl ik een van de ansichtkaarten bekeek. Deze kwam uit India, uit een plaats die Mumbai heette. Ik had er nooit van gehoord. Ik vroeg me even af wie daar op vakantie was geweest, maar nam niet de moeite om te kijken.

Toen ik me wat beter voelde, liep ik terug naar de gang.

'Alles in orde?' vroeg Raymond. Hij zat geknield naast de kist en was hem kauwend op een sigaar aan het dichttimmeren. Hij zag er een beetje uitgeblust uit, maar daar bleef het bij. Je zou nooit hebben vermoed dat hij zojuist een van zijn medewerkers had doodgestoken.

'Ik wil nooit, nooit meer zoiets hoeven doen,' zei ik hem.

'Je weet hoe het gaat, Dennis. Soms ontkom je er niet aan.'

Ik snoof. 'Er moeten betere manieren zijn om je geld te verdienen.'

'Helemaal waar. Hierna ga ik me dan ook weer helemaal concentreren op mijn kernactiviteit. Er valt grof geld te verdienen in het uitvaartwezen. En het is een stabiele markt. Zie je deze?' Hij gaf een klap met zijn hamer op de kist. 'Dit model kost per stuk 37 pond inkoopsprijs. 37 pond. Maar weet je? De goedkoopste kost de klant 400. Dat is duizend procent winst. En het mooie is dat niemand bezwaar maakt. Ik bedoel, wie gaat er nu onderhandelen over de prijs van een begrafenis voor zijn dierbare? Alleen een harteloze klootzak komt op dat idee. En gelukkig zijn er daar niet al te veel van.'

Daar viel niet veel op terug te zeggen. 'Wat ga je met het lichaam doen?'

'Ik leg het achter in een van de lijkwagens en breng het naar een paar zakenpartners van me.' Ik trok mijn wenkbrauwen op. 'Het zijn professionals, Dennis. Maak je geen zorgen. Ze weten hoe ze mensen kunnen laten verdwijnen.'

'Weet je zeker dat je ze kunt vertrouwen? We hebben het over een lijk, niet over een koffer met pornovideo's.'

'Laten we zeggen dat ik al eerder met ze heb gewerkt en goede ervaringen met ze heb.'

'Dus je weet zeker dat zij zich definitief van hem zullen ontdoen?'

Hij stond op en glimlachte me toe. 'Dennis, jij in jouw beroep moet toch weten dat als je iemand wilt laten verdwijnen en je weet wat je doet, poef' – hij knipte met zijn vingers – 'dat ze hem dan gewoon in rook kunnen laten opgaan? Nooit meer teruggezien.'

Ik dacht ineens aan Molly Hagger en huiverde.

'Pak het andere eind, wil je?' zei hij.

Ik deed wat me werd gezegd, en samen laadden we de kist in een van de lijkwagens, zodat hij zijn laatste reis naar een anonieme rustplaats kon beginnen.

21

Het was tien voor halfvier toen ik de telefoon pakte en naar Coleman House belde. Inmiddels was ik weer thuis en zat ik op de bank met een kop koffie en een sigaret.

Iemand wiens stem ik niet herkende nam op en ik vroeg mevrouw Graham te spreken. Ik kon mijn hart in mijn borst voelen kloppen. Ik wist niet precies of het kwam door de schokkende gebeurtenis eerder die dag, of doordat ik zenuwachtig was bij het vooruitzicht met een vrouw te praten die ik begeerde en tot een afspraak wilde verleiden. Ik stelde me Barry Finn voor. Ik kon nóg het afschuwelijke gerochel horen dat hij uitstootte toen Raymond hem lek stak – net een oude man met longemfyseem.

'Goedemiddag, meneer Milne. Dennis.'

'Hallo, Carla, het spijt me dat ik je stoor.' Mijn hart klopte nu luider dan ooit. Heel even had ik het liefst de hoorn erop gegooid en was ik mijn flat uit gelopen. Even hardlopen of zoiets. 'Heb je gehoord dat er iemand is aangeklaagd voor de moord op Miriam Fox?'

'De pooier? Ja, ik zag het in de krant staan.'

'Ik heb je gisteren gebeld om het je te vertellen, maar je was weg en ik wilde geen boodschap achterlaten.'

'Heel attent. Dus hier ben je klaar?'

'Dat klopt.' Ik zweeg even en vroeg me af hoe ik dit het best kon formuleren. 'Maar er zijn nog een paar dingen die ik met je wil doornemen.'

Haar toon veranderde niet. 'Wat voor dingen?'

'Niets om je zorgen over te maken, gewoon wat achtergrondinformatie die ik nodig heb. Ik doe het liever niet over de telefoon. Kunnen we misschien ergens afspreken?'

'Is het dringend?'

Ik wilde haar niet verontrusten. 'Niet heel erg, maar ik wil het graag achter de rug hebben.'

'Ik zit even te denken wanneer ik tijd heb...' Ze klonk niet overdreven bezorgd. 'Ik heb vanmiddag veel om handen.'

'Vanavond?' waagde ik.

Ze dacht erover na. 'Wat dacht je van morgenavond? Dat komt beter uit. Waarom kom je niet naar mijn flat? Het is in Kentish Town.'

Als dit geen uitnodiging was... 'Ja, natuurlijk. Dat zal wel lukken. Wat is het adres?'

Ze vertelde het me en ik schreef het op in mijn notitieboekje. 'Ik vind het wel. Hoe laat schikt het?'

'Ik eet meestal rond zeven uur. Kom daarna. Zo rond achten?'

Het klonk alsof we een afspraakje regelden, en in zekere zin was dat ook zo. 'Acht uur is prima. Ik zie je dan.'

We beëindigden het gesprek en ik hing op zonder te weten of ik nu tevreden moest zijn of niet. Ik was blij dat ik de kans kreeg haar weer te zien, ook al zouden de dingen die ik haar te zeggen had haar niet bepaald voor me innemen. Ik was benieuwd naar haar reactie. Op dat moment dacht ik niet dat ze iets met de moord te maken had gehad, maar er was beslist iets voorgevallen tussen haar en Miriam Fox, en ik wilde weten wat dat was. Ik zat daar een paar seconden over de mogelijkheden na te denken, maar ik had er moeite mee me te concentreren. Het probleem was dat ik Barry Finn niet uit mijn hoofd kon zetten. Meestal kan ik onwelkome gedachten wel van me afzetten – dat moet je wel kunnen als je werk met zich meebrengt dat je af en toe mensen naar de andere wereld helpt – maar deze moord had me veel meer gedaan dan een van de vorige. De onwaardigheid van zijn einde zat me dwars. Op ditzelfde moment werd hij waarschijnlijk in iemands garage op een stuk zeil gelegd en langzaam en zorgvuldig in mootjes gehakt, als een stuk slachtvlees.

Iemand in koelen bloede neersteken terwijl hij worstelt om te begrijpen wat er aan de hand is, vervolgens zijn familie veroordelen tot jaren van onzekerheid door alle sporen van zijn bestaan uit te wissen; hem als sneeuw voor de zon laten verdwijnen, zoals Molly Hagger en wie weet hoeveel andere verloren zielen – hoe je het ook bekeek, het was een beschamende manier om je brood te verdienen.

Ik pakte mijn koffie en wilde een slok nemen, maar bedacht toen dat ik behoefte had aan iets sterkers. Iets véél sterkers. Buiten was de dag al grijs en bewolkt geworden, en het regende inmiddels pijpenstelen. Er stond een halve fles Rémy in de kast, dus ik schonk mezelf een flinke scheut in en vulde een groot bierglas met de inhoud van een blikje Heineken uit de koelkast. Het leek me weinig zinvol om de dingen half te doen. Ik hoefde de rest van de dag trouwens nergens heen.

Ik sloeg de cognac in één keer achterover, stak een sigaret op en nam een flinke slok van de pils. Toen de sigaret bijna op was, was het glas bier ook bijna leeg. Ik schonk mezelf nog wat cognac in, dronk het op en stak weer een sigaret op. Ik voelde me geen zier beter. Ik zag nog steeds Barry

Finn voor me. Ik kon de geluiden horen die hij maakte toen hij stierf: dat afschuwelijke holle gerochel terwijl hij met zijn geperforeerde longen naar adem hapte. Zinloos. Volkomen zinloos. Ik dacht aan het plezier dat Raymond in het moorden had geschept, als een kind dat voor de allereerste keer met zijn PlayStation speelt. Ik had hem nooit eerder voor een sadist aangezien, maar van nu af aan zou ik zijn vermogen tot wreedheid niet meer onderschatten. Zou hij op diezelfde manier hebben geglimlacht als hij mij had gedood? Op een of andere manier had ik het gevoel dat het antwoord ja was. Wie weet was hij al op ditzelfde moment met zijn geheimzinnige kompanen mijn ondergang aan het beramen – mannen die er meester in waren lijken te laten verdwijnen.

En hoe dicht zat de politie me op de hielen? Had het jonge broekie bij de wegblokkade met het opsporingsteam gesproken? Waren ze mijn achtergrond aan het natrekken omdat ze me nu als een mogelijke verdachte beschouwden? Waren ze misschien al verdergegaan? Werd ik bespied terwijl ik me hier zat te bedrinken?

Ik werd plotseling overvallen door paranoïde gedachten die zich door mijn hoofd verspreidden als een bende gauwdieven over een treinstel van de ondergrondse. Er leek geen eind aan te komen, geen ontsnappen aan de verterende angst die ze opriepen. Ik had nog nooit een paniekaanval gehad, maar ik voelde dat er een aan zat te komen. Ik vulde het cognacglas opnieuw en vond nog een blikje Heineken in de koelkast. Ik dronk het ene leeg, nam toen een lange teug van het andere. Ik probeerde me voor te stellen hoe het voelde om een mes in je buik te krijgen. Ik had ergens gelezen dat het leek op een klap met een hockeystick, maar dan twee keer zo pijnlijk. Ik kreeg het gevoel dat het heel wat erger was, vooral wanneer je werd vastgehouden door iemand die je nog nooit had ontmoet, en degene die het mes hanteerde je werkgever was, iemand die je kende en vertrouwde. Christus, ik haatte mezelf; een paar seconden haatte ik mezelf hartgrondig. Ik was geen gewetenloze schurk wie het geen zier uitmaakte wat hij deed. Ik voelde me schuldig. Ik wist dat ik iets slechts had gedaan, echt waar, en dat begon zich te wreken.

Op een bepaald moment kwam de drank hard aan. Hockeystick-hard. Ik werd ineens heel moe en voelde dat ik nodig moest gaan liggen. In zekere zin was het een opluchting. Ik ging languit op de bank liggen en liet de vermoeidheid over me heen komen en mijn geest ontdoen van zijn demonen.

Ik weet niet hoelang ik heb geslapen. Misschien een paar uur – zoiets. Maar goed, kennelijk had ik het nodig.

Ik werd wakker van het gerinkel van de telefoon. Het was aardedonker in de kamer en ik kon het buiten horen plenzen. Mijn mond was zo droog als schuurpapier en ik had een barstende koppijn, want ik ben niet gewend om overdag cognac te drinken. Ik deed mijn ogen weer dicht en wachtte tot het antwoordapparaat zou reageren.

Het was Malik. Ik nam op toen hij een bericht begon in te spreken. 'U klinkt niet erg fris, brigadier,' zei hij op een naar mijn smaak veel te jolige toon.

'Ik lag te slapen. Je hebt me wakker gemaakt.'

Hij begon zich te verontschuldigen, maar ik stelde hem gerust. 'Ik moest toch opstaan.' Ik geeuwde. 'Waar bel je vandaan?'

'Van het bureau.'

'Wat doe je daar? Het is je vrije dag.'

'Gewoon wat overwerk.'

'Heel ijverig.' En verstandig, nu hij op het punt stond bevorderd te worden. Het was belangrijk om je enthousiasme te tonen zolang je dat nog kon opbrengen. 'Nou, wat kan ik voor je doen op deze regenachtige rotavond?'

'We hebben het moordwapen in de zaak-Mark Wells gevonden.'

Plotseling was ik een en al oor. 'O? Waar is het gevonden?'

'In een park niet ver van Wells' flat. Ergens in de bosjes. Een joch dat zijn voetbal zocht vond het.'

'Vingerafdrukken?'

'Nee, maar je kunt niet alles hebben, toch? Het is beslist het wapen waarmee ze gedood is. Een slagersmes met een lemmet van 25 centimeter. Het zat onder het bloed, háár bloed.'

'Hoe weten we dat het zijn mes was?'

'In de weken voor de moord heeft hij een paar mensen met net zo'n mes bedreigd. Het is zijn mes, brigadier. Het is beslist van hem.'

'Shit.' Maar weet je, nog steeds was ik niet overtuigd.

'Ze zijn er ook een heleboel andere tests op aan het loslaten. Gewoon voor het geval hij DNA-sporen heeft achtergelaten.'

'Ik ben blij dat die klootzak voor de bijl gaat. Dat zal hem leren mij te slaan.'

'En dat is niet het enige. Wells' advocaat is vandaag langs geweest.'

'Dus hij is van zijn verwondingen hersteld?'

'Nee, het is nu een andere. Hij heeft die vorige ontslagen. Hoe dan ook, hij komt binnen en zegt dat Wells nog eens over dat overhemd heeft nagedacht en dat hij inderdaad zo'n overhemd had als wij hebben gevonden, maar dat hij het lang geleden heeft weggegeven.'

'Weggegeven? Wie doet dat nou?'

'Hmm. En dan dit: volgens hem heeft hij het aan een van zijn meiden gegeven.'

'Aan wie?'

'Dat is het 'm nou juist. Hij zei dat hij het aan Molly Hagger heeft gegeven.'

We waren het erover eens dat Mark Wells voor de rechter niet ver zou komen met zo'n verhaal, temeer daar het wel heel toevallig was dat degene aan wie hij het volgens hem had gegeven in rook was opgegaan. Ik wist niet zeker of deze nieuwe informatie de zaak tegen hem sluitend maakte of niet. Het feit dat ik net wakker was en niet lang tevoren een halve fles cognac en een plens bier had geconsumeerd maakte het er niet gemakkelijker op.

'Hebt u Carla Graham nog gezien?' vroeg hij.

'Nee, nog niet.' Ik weerstond de neiging hem te vertellen dat ik een afspraak met haar had gemaakt. 'Ik denk niet dat ik nog de moeite neem. Zo te horen lijdt het nauwelijks twijfel dat het Wells is, en het heeft geen zin om dingen op te rakelen die niets met de moord te maken hebben.'

'Het zou interessant zijn om te weten waarom ze loog.'

'Ja. Misschien vraag ik het haar nog eens als ik haar ooit nog tegenkom.' We praatten verder over andere zaken, allemaal gewelddadig. Malik vertelde me dat er misschien nog een onderzoek aan kwam. Een oude dame van 81 had zich vastgeklemd aan haar handtas nadat een bende jonge straatrovers had besloten haar ervan te bevrijden. Bij de worsteling was ze op haar hoofd terechtgekomen. Ze lag nu op de intensive care en de doktoren betwijfelden of ze het zou halen. De avond tevoren waren twee mensen bij een kroeggevecht met kapotte bierflesjes gestoken, en een van hen zou zijn oog kwijtraken. Eén arrestatie: een 19-jarige die al op borgtocht was voor een ander geweldsdelict. Ik herkende de naam, maar zag er geen gezicht bij. Drie andere verdachten waren nog op vrije voeten.

Ik vroeg Malik naar de Traveller's Rest-zaak. Had hij er nog iets van gehoord van zijn kameraad? Hij zei van niet en vertelde me lachend dat de compositietekening verbluffend op mijn gezicht leek.

'Vind je?' zei ik.

'Wat? U dan niet?' Hij zei het op een manier die deed vermoeden dat hij niet kon geloven dat ik het niet zag.

Met tegenzin beaamde ik dat er enige gelijkenis was. Ik verzekerde hem echter dat ik er niets mee te maken had. 'Maar als je me maandag niet ziet verschijnen, ben ik het land uit gevlucht.'

'Nou, ik hou het er toch maar op dat ik u maandag weer zie, brigadier.'

Ik zei hem dat hij me geen brigadier meer hoefde te noemen nu hij dat zelf ook was.

'O ja, dat is zo. Nou, tot maandag dan, Dennis.'

Ik geloof dat ik 'brigadier' toch prettiger vond.

Ik zei hem gedag en hing op. Het was bijna zes uur en ik had niets te doen. Ik heb niet echt veel vrienden. Meestal stoort dat me niet. Ik verveel me niet gauw. Ik maak vrij lange dagen en kan goed alleen zijn. Maar die avond voelde het niet goed. Ik had behoefte aan iemand met wie ik kon praten over het lastige parket waarin ik zat, al zou ik bij god niet geweten hebben wat ik had moeten zeggen. Dat ik naast mijn baan als brigadier bijkluste als huurmoordenaar? Dat ik de afgelopen week meer mensen had vermoord dan menige zichzelf respecterende serie-moordenaar in zijn hele verdorven loopbaan? En dat de zaken nu gie-rend uit de klauwen liepen en mijn leven in gevaar was? Ik weet niet ze-ker of ik veel medeleven zou hebben ondervonden. Dat verdiende ik in elk geval niet.

Ik had nog wat van die romige garnalenrisotto gekocht, dus maakte ik die warm en spoelde het weg met een paar glazen mineraalwater. Toen nam ik een lange douche, poetste mijn tanden en trok schone kleren aan.

Uiteindelijk ging ik nergens heen. Het regende te hard, ook al zeiden de weerberichten dat het niet lang zou duren. Volgens diezelfde weer-richten was er een koufront uit Siberië naar ons op weg. Lekker. *Die Hard* 2 was op een van de filmkanalen van Sky, dus keek ik daar een poosje naar onder het genot van een fles rode wijn, tot ik eindelijk in slaap viel rond het moment dat de boosaardige Zuid-Amerikaanse dicta-tor zijn bewakers vermoordt.

Ik had hem al twee keer eerder gezien, dus veel zorgen maakte ik me niet. Ik wist dat hij zijn verdiende loon zou krijgen en dat Bruce Willis zou zorgen dat het recht zijn loop zou krijgen, zoals een rechtgeaarde diender betaamt. Niet door een berg bureaucratische regeltjes te volgen en te accepteren dat hij een piepklein radertje in een logge en ineffi-ciënte machine was, maar door het gerecht, de reclassering en de gevan-genissen – die eeuwige obstakels voor een rechtvaardige straf – links te laten liggen en de schurken een kogel door hun kop te schieten.

Want als je eerlijk tegen jezelf bent, is dat toch de beste manier.

22

Danny belde even na middernacht, toen ik in de keuken de asbak in de pedaalemmer leegde. Ik overwoog te wachten tot het antwoordapparaat zou reageren, maar gezien de omstandigheden was iedere beller waarschijnlijk de moeite waard om mee te praten, dus nam ik na de derde keer op.

Ik was niet blij zijn stem te horen, zeker niet gezien de overduidelijke angst die erin doorklonk. 'Dennis?'

'Danny. Wat is er? Ik dacht dat je mijn advies wel zou hebben opgevolgd en er een poosje tussenuit was geknepen.'

'Zeg, ik heb die tekening gezien...'

'Pas op je woorden, Danny,' zei ik kordaat. 'Als je wilt praten, moet je doen wat we de laatste keer hebben gedaan, oké?'

'Ik ben bang, Dennis. Echt doodsbang. En dit keer overdrijf ik niet. Ik heb een vlucht geboekt, weet je, zoals je me had aangeraden. Ik vertrek morgen om halftwaalf vanaf Gatwick naar Montego...' De woorden kwamen er in een opgewonden stroom uit. Ik onderbrak hem opnieuw voordat hij iets doms zou zeggen, maar hij was niet te houden. 'Maar ik was vanavond even naar de pub voor een biertje. Ben ik bijna weer thuis, komt er een wagen aanrijden met twee kerels erin. Ze remmen af en kijken naar me, en toen reikte een van hen omlaag om iets te pakken.'

'Oké, oké. Waar ben je nu?'

'Ik ben thuis. Zodra ik ze zag, rende ik als een gek de trap naar mijn voordeur af. Ik had net de sleutel in het slot toen een van die kerels boven aan de trap verscheen. Hij had iets in zijn hand. Ik denk dat het een pistool was of zo. Ik draaide de sleutel om, vloog naar binnen en deed de deur achter me op het nachtslot.'

'Is hij weg, die vent?'

'Ja, ja. Ik denk het wel.'

'En weet je zeker dat hij een pistool bij zich had?' Ik besefte dat iemand dit gesprek kon afluisteren, maar ik wist dat ik hem nu nooit naar een telefooncel zou krijgen.

'Daar leek het wel op, ja. Hij had een lange jas aan en hij stak zijn hand in zijn zak. Hij haalde er iets uit. Ik dacht dat het een pistool was.'

'Maar je hebt het niet echt gezien?'

'Nee, maar ik klets niet uit mijn nek, Dennis. Die vent had het op me voorzien. Ik verwed er verdomme mijn leven onder.'

'Oké, rustig maar. Hoe zag hij eruit?'

'Ik heb hem niet goed kunnen zien. Het was donker en ik probeerde weg te komen. Hij had een donkere huid…'

'Een Aziaat?'

'Nee, meer een mediterraan of een Arabisch type.'

'En je had hem nooit eerder gezien?'

'Nee, nog nooit.'

'Hoe oud?'

'Weet ik niet. Misschien dertig.'

Ik probeerde mijn gedachten op een rijtje te krijgen. 'Oké. Blijf waar je bent. Zorg dat alle ramen en deuren gesloten zijn.'

'Dat zijn ze. Dat heb ik allemaal al gedaan.'

'Mooi. Ik betwijfel of ze zullen blijven plakken, wie het ook zijn. Ze zullen echt niet in de kijker willen lopen. Het enige wat je hoeft te doen is vannacht binnen blijven en morgen die vlucht pakken. Let gewoon extra goed op als je je huis verlaat.'

'Wie denk je dat het waren, Dennis? Zouden ze iets te maken hebben…'

'Ik zei toch: let op je woorden,' snauwde ik. 'Eerlijk gezegd kan het iedereen zijn. Er lopen genoeg criminelen rond. Ik kan het weten. Het kunnen best gewoon opportunistische straatrovers geweest zijn.'

'Nee. Ze kwamen duidelijk voor mij.'

'Wie het ook zijn, ze hebben je niet te pakken gekregen, dus blijf kalm. Hou jezelf gewoon voor dat je morgenavond op een strand aan de cocktails zit, weg van al deze rotzooi, en dat iedereen het vergeten is tegen de tijd dat je terugkomt.'

'Zeg, Dennis. Kun je niet hierheen komen? Gewoon om te checken of de kust veilig is? Ik zou het erg waarderen, weet je. Ik zit hier verdomme in mijn eentje.'

Ik zuchtte. 'Danny, het is al na twaalven en ik heb genoeg gedronken om een fregat tot zinken te brengen. Ik betwijfel of het me zelfs maar zou lukken om je adres te vinden…'

'Ik betaal je taxi wel, maak je daar geen zorgen om.'

'Kom op, wat is dit toch? Er gebeurt je niets. Ze zijn nu echt wel weg, dat garandeer ik. En mocht je later nog iets horen, iemand die probeert in te breken, dan bel je toch gewoon het alarmnummer? Echt, er gebeurt niets.'

Nu was het Danny's beurt om te zuchten. 'Oké. Oké, dat zal ik doen. Ik wilde het gewoon even met je kortsluiten, meer niet. Als ik gevaar loop, dan loop jij dat straks ook. Misschien moet jij ook maar eens aan een vakantie denken.'

'Misschien doe ik dat wel. Wie weet sta ik over een paar dagen wel ineens naast je op het strand van Montego Bay. Nou, pas op jezelf, hè? En bel me zodra je terug bent.'

'Afgesproken,' zei hij. Het was het laatste wat hij ooit nog tegen me zei. Misschien was het wel het laatste wat ooit nog uit zijn mond kwam.

Ik hing op, liep naar het raam en keek uit over de stille, regenachtige straat. Daar beneden bewoog niets of niemand zich. Een deel van me voelde zich schuldig dat ik niet naar hem toe was gegaan, maar wat had ik kunnen doen? Het advies dat ik hem had gegeven was het beste wat ik in huis had. Bovendien geloofde ik echt niet dat hij in gevaar was, niet nu hij veilig thuiszat.

Ik denk echter dat ik tegelijkertijd al wist dat zijn ervaring méér was geweest dan een simpele poging tot straatroof. Ik wilde het mezelf gewoon nog niet toegeven. Want als ze achter hem aan zaten, betekende dat, al Raymonds mooie woorden ten spijt, dat ze daarna vrijwel zeker achter mij aan zouden komen.

23

Om halfelf de volgende morgen belde ik Danny en ik kreeg zijn antwoordapparaat. Ik liet geen bericht achter. Ik probeerde zijn mobiel, maar die stond niet aan. Een uur later probeerde ik beide nummers opnieuw en weer kreeg ik geen gehoor. In het nuchtere daglicht concludeerde ik dat hij inderdaad vertrokken was en nu 30.000 voet boven de Atlantische Oceaan zat, veilig op weg naar de zonnige Caraïben.

Om kwart voor twaalf ging ik de deur uit, ik ontbeet in een café op Caledonian Road en deed mijn best mijn vele problemen te vergeten.

Carla Graham woonde op de bovenste verdieping van een aantrekkelijk wit herenhuis in een doodlopende straat met veel te veel geparkeerde auto's. Ik betaalde de nors kijkende taxichauffeur 20 pond en kreeg geen geld terug, maar in plaats van te protesteren liet ik het erbij en liep de trap naar de voordeur op.

Het was vijf voor acht en de avond was koud en helder, met een ijzige wind die regelrecht zijn weg vond naar je botten. Er was een duur ogend video-intercomsysteem en ik drukte op de knop van nummer 24C. Na een paar seconden hoorde ik Carla's stem uit de luidspreker.

'Hallo, Dennis,' zei ze. Aan haar toon te horen was ze niet teleurgesteld dat ik het gevonden had.

Ik glimlachte naar de camera en zei hallo terug, waarop ze me uitnodigde om via de trap regelrecht naar de tweede verdieping te komen. De imponerende voordeur ging met een klik open en ik stapte dankbaar naar binnen. Hij viel automatisch achter me in het slot.

Ze wachtte me boven aan de trap op, met de deur achter haar open. Hoewel ze nonchalant was gekleed in een zwarte sweater en trainingsbroek, zag ze er nog steeds bijna verbluffend uit. Het zat 'm in haar lichaamshouding. Ze had een natuurlijke gratie en een schoonheid die er om zes uur 's ochtends even goed uitziet als om zes uur 's avonds. Haar haar zag er fris gewassen uit en toen we elkaar de hand schudden, bespeurde ik opnieuw een licht aroma van parfum. Wat ze in de grimmige, nuttige wereld van het maatschappelijk werk te zoeken had, was me nog steeds een raadsel.

'Kom binnen,' zei ze met een glimlach, en ze ging me voor door de gang naar de zitkamer. 'Pak een stoel.' Ze wuifde met haar hand ten teken dat ik zelf kon kiezen waar ik wilde gaan zitten.

Het was een weelderig vertrek met een hoog plafond en grote erkerramen, die het een weidse sfeer gaven, zelfs op een koude en donkere winteravond als deze. De vloer was van gepolitoerd hout en gedeeltelijk bedekt met dikke Perzische tapijten. Alle meubels waren duidelijk duur maar smaakvol, en de wanden waren geschilderd in een licht pastelgroen dat er eigenlijk niet bij had moeten passen, maar op de een of andere manier heel goed werkte. Normaal gesproken zou ik dit soort dingen niet hebben opgemerkt; ik zou er in elk geval niet lang bij stil hebben gestaan, maar dit was het soort kamer dat je aandacht opeiste.

'Heel mooi,' zei ik. 'Misschien had je binnenhuisarchitect moeten worden.'

'Dat is een van mijn hobby's,' zei ze. 'Het is veel werk en het kost een lieve cent, maar het is het waard. Maar wat wil je drinken?'

Op de salontafel stond een halfvol glas rode wijn naast een duur ogende fles. In de asbak lag een brandende sigaret.

'Nou, als het je niet ontrieft, zeg ik geen nee tegen een slokje van die wijn.'

'Ik pak even een glas voor je,' zei ze, en ze liep de kamer uit.

Ik deed mijn jas uit en nam met gemengde gevoelens plaats in een gemakkelijke stoel. Het was een vreemde situatie. Aan de ene kant voelde ik me sterk tot Carla Graham aangetrokken, aan de andere kant zag ik haar als iemand die op z'n minst informatie had achtergehouden met betrekking tot een moordzaak. In het ergste geval was ze een verdachte. Al met al vond ik het moeilijk om uit te maken wat ik het liefst wilde: haar pakken of haar oppakken. Maar dat het een van de twee moest worden, wist ik wel.

Ze kwam terug en schonk de wijn in, waarna ze me het glas aanreikte. Opnieuw ving ik de geur van haar parfum op. Ik besefte met enig afgrijzen dat ik een begin van een erectie kreeg.

Ze ging op de bank tegenover me zitten, nam haar sigaret uit de asbak en keek ernstig mijn kant op alsof ze geen idee had waarom ik hier zou kunnen zijn.

'Nou, wat kan ik voor je doen, Dennis? Je zei dat er een paar dingen opgehelderd moesten worden.'

Ik schraapte mijn keel. 'Ja, dat klopt. Mark Wells, de pooier die we in staat van beschuldiging hebben gesteld, beweerde dat hij ooit een van zijn overhemden – donkergroen, maatje medium – aan Molly Hagger heeft gegeven. Dat zou een paar maanden geleden gebeurd zijn, en het zou veel te groot voor haar zijn geweest. Heb je ooit gezien dat Molly een dergelijk overhemd bezat?'

Ze fronste haar voorhoofd en dacht er een paar seconden over na. 'Nee, ik herinner me niets in die richting. Waarom zou hij haar een overhemd hebben gegeven?'

'Ik weet het niet. Hij zei gewoon dat hij het haar gegeven had. Ik vermoed dat hij liegt.'

'Waarom is het van belang voor de zaak?'

'Waarschijnlijk is het dat niet. Gewoon iets wat ik wilde checken.' Ze keek me bevreemd aan. 'Wat echter belangrijker is,' vervolgde ik, terwijl ik een sigaret opstak, 'is waarom je mij bij onze eerste ontmoeting vertelde dat je Miriam Fox niet kende, terwijl ik weet dat je haar wel degelijk kende.'

Als mijn opmerking haar schokte, dan liet ze dat niet blijken. Ze leek alleen beledigd dat ik haar van een leugen beschuldigde, temeer daar ik in haar gemakkelijke stoel van een glas van haar goede wijn zat te genieten. En die was inderdaad goed.

'Ik weet niet waar u het over hebt, brigadier.' Geen 'je' en 'Dennis' meer. 'Ik heb Miriam Fox nooit gekend.'

Ik keek haar strak aan, maar ze sloeg haar ogen niet neer. 'Luister eens, Carla... Mevrouw Graham.' Nu moest ik ook maar formeel worden. 'Het heeft geen zin het te ontkennen. Ik heb de telefoonadministratie van Miriam Fox. Er staan vijf gesprekken geregistreerd. Drie uitgaande gesprekken van haar, twee inkomende van u.'

Carla schudde haar hoofd, haar gezicht een toonbeeld van onschuld. 'Er moet een vergissing in het spel zijn.'

'Nee hoor. Ik heb het gecheckt. En nog eens gecheckt. U hebt in de laatste paar weken van haar leven vijf keer met Miriam gebeld, en Joost mag weten hoe vaak vóór die tijd. Ik wil weten waar die gesprekken over gingen en waarom u ze verborgen wilde houden.'

'Hoor eens, ik hoef geen antwoord te geven op dit soort vragen. Ik wil mijn advocaat erbij hebben als u verdergaat.'

'O, ja? Weet u dat zeker?'

'Ja. Heel zeker. U zit me hier in mijn eigen huis bijna van moord te beschuldigen...'

'Ik beschuldig u nergens van. Ik probeer alleen een paar losse eindjes aan elkaar te knopen. Op het moment zijn we eenvoudig twee mensen die een gesprek voeren. Niets van wat u zegt kan in de rechtszaal worden herhaald.'

'Waarom zou ik er dan over praten?'

'Omdat ik anders terug zal moeten naar mijn baas om hem over de telefoonadministratie te vertellen. Op het moment ben ik de enige die ervan weet. Als uw uitleg me ervan overtuigt dat u niets met de moord te maken hebt, ben ik bereid het zo te houden. Overtuigt die me niet, dan zal ik het hem alsnog vertellen. In elk geval krijgt u zo de kans uw kant van het verhaal te vertellen zonder dat er iemand anders bij betrokken wordt.'

'Dus u bent hier niet officieel? Net als de laatste keer dat we elkaar zagen?'

'Ik ben hier in een semi-officiële hoedanigheid. Het kan beide kanten op gaan. Nou, waar gingen die gesprekken met Miriam Fox over?'

Ze zuchtte alsof ze berustte in het onvermijdelijke. 'Ergens vermoedde ik al een beetje dat u hiervoor langskwam.'

Ze drukte haar sigaret uit, stak meteen een nieuwe aan en inhaleerde diep. Ik bleef haar onbewogen aankijken, terwijl ik me afvroeg wat ik te horen zou krijgen en wat ik zou gaan doen wanneer ik het gehoord had.

'Miriam Fox chanteerde mij.'

'Waarmee?'

'Met iets wat mijn privé-leven aangaat.'

'Ga door.'

'Ze wist iets over mij wat ik liever geheim had gehouden, en ze probeerde de situatie uit te buiten. Zo was ze.'

'Dat hoor ik van meer kanten. En dat iets uit uw privé-leven… Wat is dat precies?'

Ze keek me met een vaste blik aan. 'Ik ben wat wel een gezelschapsdame wordt genoemd. Ik hou tegen betaling mannen van middelbare leeftijd gezelschap, meestal uit de betere kringen. Soms neuk ik met ze.' Ze zei het met een uitdagende uitdrukking op haar gezicht, alsof ze me tartte haar te bekritiseren.

Ik hapte niet. Ik heb in mijn leven wel schokkender onthullingen gehoord, hoewel ik moet zeggen dat het me wel overviel. 'Tja, ergens kan ik het wel plaatsen. Een interieur als dit is niet op te brengen van een ambtenarensalaris.'

'U bent niet geschokt dat iemand in mijn positie zich met zoiets inlaat?'

Ik glimlachte, nam een flinke slok wijn en bedacht dat dit moment wel iets surrealistisch had. 'Mensen in heel wat hogere posities dan de uwe laten zich met dit soort dingen in, zij het meestal eerder als afnemer dan als leverancier. Dus nee, ik ben niet geschokt. Doet u het met enige regelmaat, dat escortwerk?'

Ze knikte. 'Ja, eigenlijk wel. Meestal wel een paar avonden in de week, soms vaker.'

'Was u daarom gisteravond bezet?'

'Dat gaat u niets aan.'

'Maar hoe kwam een meisje van de straat als Miriam Fox achter uw extra-curriculaire activiteiten? Ik neem aan dat jullie je niet in dezelfde kringen bewogen.'

'Laten we het erop houden dat ze er op een of andere manier achter is gekomen.'

'Hoe wist ze wie u was?'

'Twee of drie jaar geleden, toen ze voor het eerst wegliep, werd ze gearresteerd voor tippelen en kwam ze in Coleman House terecht. Ze bleef er niet lang, hoogstens een paar weken. Ze was heel moeilijk in de omgang en ze had veel moeite met gezag. Ik vermoed dat haar moeilijke karakter voortkwam uit problemen op het thuisfront, maar ze sprak nooit over haar ouders. De weinige keren dat ze haar mond opendeed was het om te schelden. Ze had heel wat aanvaringen met het personeel, mijzelf inbegrepen, en op een dag besloot ze dat ze er genoeg van had en liep ze weg. Net als veel andere meiden.'

'Was het niet een beetje riskant om ons bij onze eerste ondervraging te doen geloven dat u haar niet kende?'

Ze ging verzitten en legde één been op de bank. Het was een ietwat provocerende pose, hoewel ze dat zelf niet leek te merken. 'Niet echt. Het huidige personeel was er toen nog niet, en de eerste keer liet ze zich onder een valse naam opnemen. Het leek me moeilijk na te trekken, en waarom zou u de moeite hebben genomen?'

Dat klonk redelijk. 'En wanneer was de volgende keer dat u haar zag?'

'Ik heb haar nooit meer gezien.'

'Maar u zei dat ze u chanteerde.'

'Dat klopt. Hoor eens, ik treed liever niet in details, meneer Milne.'

'Dat geloof ik graag. Maar het is belangrijk dat ik het weet.'

'Zodat u kunt beoordelen of ik de waarheid spreek?'

Ik knikte. 'Daar komt het wel op neer, ja.'

Ze pakte haar glas wijn en nam een forse slok, alsof ze zich moed indronk. 'Goed, ik zal eerlijk zijn. Ik weet niet goed hoe ze erachter is gekomen. Ik kan er een slag naar slaan, maar daar blijft het dan ook bij.' Ik wachtte in stilte tot ze verder zou gaan. 'Ik zal eerst vertellen hoe het in zijn werk gaat. Mijn klanten zijn meestal zakenlui, mannen met geld. De gebruikelijke gang van zaken is dat we ergens gaan eten en daarna teruggaan naar een hotel of naar hun huis voor de rest. Zo heb ik het verloop van de avond onder controle en raak ik niet verzeild in situaties waarin ik onnodig kwetsbaar ben.'

'Dat spreekt vanzelf.'

'Een paar weken geleden werd een van mijn vaste klanten – een top-advocaat en iemand met wie ik al een paar jaar omga – in King's Cross betrapt op rondjes rijden om een hoer op te pikken. Misschien hebt u er wel van gehoord.'

Ik knikte, want ik herinnerde me het geval vagelijk, al stond de naam van de man in kwestie me niet bij. Die vorm van hoerenlopen, of beter gezegd hoerenrijden, was tegenwoordig geen voorpaginanieuws meer, zelfs niet al ging het om zo'n dankbaar mikpunt als een rijke advocaat.

'Kennelijk was het de tweede keer dat het hem was overkomen. Een paar jaar geleden was hij in Paddington op hetzelfde betrapt.' Ze schudde haar hoofd alsof ze het zichzelf kwalijk nam dat ze met zo'n onbetrouwbaar iemand in zee was gegaan. 'Ik maakte me zorgen. Ik zat niet te wachten op dat soort complicaties – niet het soort dat me kon compromitteren. Naderhand ben ik naar zijn huis gegaan om hem erop aan te spreken. Ik vroeg hem hoe vaak hij het deed, en hij bezwoer me dat allebei de keren uitzonderingen waren geweest. Het was duidelijk dat hij zich schaamde. Maar het was ook duidelijk dat hij loog. Niemand heeft zoveel pech. Dus vroeg ik een paar meisjes in het tehuis of ze iets over hem wisten, en of hij een van hen ooit had benaderd. Natuurlijk vroeg ik het terloops, maar dat was gemakkelijk genoeg. Het geval had de plaatselijke krant gehaald, dus het leefde wel.'

'En?'

'Verscheidene van de oudere meiden hadden iets met hem gehad. Eentje was zelfs met hem meegegaan naar zijn appartement in Hampstead Heath, waar ik zelf regelmatig was geweest. Kennelijk vrijde hij ook graag zonder condoom. Waarschijnlijk was dat de reden waarom hij het ook met straatprostituees aanlegde; die doen daar meestal niet zo moeilijk over. Dus maakte ik meteen een eind aan ons arrangement. Ik heb geen zin om mijn tijd te verdoen met mensen die tegen me liegen en zo'n dubieuze instelling hebben waar het de seksuele gezondheid van henzelf en van anderen betreft.

Toen kreeg ik twee, misschien drie dagen nadat ik hem de wacht had aangezegd een telefoontje bij Coleman House. Het was Miriam Fox. Ze vertelde me dat ze wist dat ik omgang had gehad met die advocaat en dat ik me voor mijn tijd liet betalen.' Ze zuchtte. 'Zoals ik al zei, zou ik met de beste wil van de wereld niet kunnen zeggen hoe ze er precies achter is gekomen. Ik denk dat hij een paar keer van haar diensten gebruik heeft gemaakt, dus was ze vrijwel zeker een keer in zijn appartement geweest. Misschien had ze iets gevonden waaruit bleek dat ik daar ook was geweest.'

'Zoals?'

'Ik zei toch dat ik dat niet weet? Misschien was ze ooit net weggegaan toen ik aankwam, of misschien hield ze zijn huis in de gaten en had ze me daar gezien. U weet hoe die meiden soms zijn: ze komen ergens over de vloer en vertellen dan aan hun pooier of er iets te halen valt met het oog op een inbraak. Wie weet heeft ze het appartement voor haar pooier in de gaten gehouden en me toen gezien.' Ze haalde hulpeloos haar schouders op. 'Waar het om gaat is dat ze het wist. Dat is het enige wat ik ervan kan zeggen.'

'Wat wilde ze van u?' vroeg ik.

'Hetzelfde als de meeste afpersers: geld. Als ik haar geen 5.000 pond betaalde, zou ze de autoriteiten en de kranten inlichten.'

'Dat moet schrikken geweest zijn.'

'Nou en of. Ik kon mijn oren niet geloven. Het leek... domme pech.'

'Wat hebt u tegen haar gezegd?'

'Er waren andere mensen bij, dus veel kon ik niet zeggen. Ik kreeg een nummer van haar los en zei dat ik haar zou terugbellen. Toen ik dat deed, herhaalde ze haar eis. Ik vertelde haar dat ik niet zoveel geld beschikbaar had, waarna het gesprek in welles-nietes ontaardde. Uiteindelijk zei ze dat ze met 2.000 genoegen zou nemen. Voorlopig. Dat waren haar woorden: voorlopig. Ik herhaalde dat het even kon gaan duren. Ze gaf me een week.'

'Hebt u haar ooit geld gegeven?'

'Ik heb haar nooit echt ontmoet. Een week later belde ze me op mijn mobiel – ik had haar het nummer gegeven – en ik hield haar weer aan het lijntje. Ik zei dat ik erin geslaagd was een deel bij elkaar te krijgen, maar niet genoeg, en dat ze me nog een week de tijd moest geven. Om eerlijk te zijn wist ik niet wat ik moest doen. Ik wist dat het niet bij één betaling zou blijven. Natuurlijk zou ze terugkomen voor meer, en dat zou ze blijven doen tot ze me leeg had gezogen. Ik bedoel, ze was verslaafd aan drugs en zou echt niet ineens gaan afkicken. En het was het soort meisje dat het uiteindelijk toch aan de autoriteiten zou hebben verteld, gewoon om me dwars te zitten.'

'Wat gebeurde er toen die week voorbij was?'

'Ik belde haar op haar mobiel en sprak een boodschap in. Ik zei haar dat ik me had bedacht en niet meer van plan was haar geld te geven en dat ze wat mij betreft naar de hel kon lopen.'

'Dat was best moedig.'

Ze haalde haar schouders op. 'Het was een gecalculeerd risico. Ik had er lang over nagedacht. Ik wist dat ze me waarschijnlijk zou aangeven, maar ik hoopte dat noch de autoriteiten noch de kranten veel waarde zouden hechten aan de woorden van de eerste de beste aan cocaïne verslaafde wegloopster. En zelfs als ze erachteraan gingen, dacht ik dat ik mijn sporen waarschijnlijk goed genoeg zou kunnen uitwissen zodat ze niets zouden ontdekken. Hoe het ook zij: ze belde de volgende dag terug en probeerde me ervan te overtuigen dat ik een vergissing beging. Ze was kwaad dat ik me niet bang liet maken en ze klonk ook behoorlijk wanhopig. Misschien was ze iemand geld schuldig – haar pooier of zo. Op het laatst had ik bijna met haar te doen.' Ze produceerde een flauwe glimlach toen ze dit zei en ze nam een slokje van haar wijn, wat zelfverzekerder, leek het, nu ze dit van haar hart had. 'We praatten een paar minuten en ze werd knap hysterisch, noemde me een smerige trut en zei dat ik er spijt van zou krijgen dat ik zo tegen haar deed. Toen heb ik gewoon opgehangen.

En daarmee was het afgelopen. Het was de laatste keer dat ik haar sprak. Een paar dagen later was ze dood.' Ze stak een sigaret op en ik zag dat haar handen licht beefden. 'Dat klinkt niet goed, hè? Iemand die mij chanteert en vervolgens wordt vermoord?' Opnieuw zei ik niets; ik bleef rustig zitten en liet haar praten. 'Dat is de reden, of in elk geval een van de redenen, waarom ik niets tegen u heb gezegd. Zo, nu weet u het. Wat gaat u nu doen? Het aan uw baas vertellen?'

'Nou, ik kan moeilijk om het feit heen dat u een motief hebt om haar uit de weg te hebben... Maar dat geldt voor nog een paar mensen. Ze was duidelijk iemand die snel vijanden maakte. Hébt u haar vermoord?'

Ze keek me recht in de ogen. 'Nee. Ik heb er niets mee te maken. Ik had misschien een motief, maar niet een dat sterk genoeg was. Zelfs als iemand geloof had gehecht aan haar verhaal, zou ik niet echt veel hebben verloren. Ik begin mijn werk bij Coleman House toch al een beetje zat te worden. Het is vechten tegen de bierkaai, en ik betwijfel of ik er meer dan een derde van mijn huidige inkomen mee binnenhaal. Het is me beslist niet zoveel waard dat ik er een moord voor zou plegen.' Ze dronk haar glas leeg en verdeelde het laatste beetje wijn in de fles over haar glas en het mijne. Er was hoogstens een bodempje voor ieder van ons over. 'Gelooft u me, meneer Milne?'

Het was een goede vraag. Alles bij elkaar genomen geloofde ik haar, ja. Haar uitleg klonk... plausibel. Toevallig, maar plausibel. In elk geval plausibeler dan andere mogelijkheden die ik had kunnen bedenken. Bovendien was ik er zeker van dat zij niet de fatale wond had toegebracht. Ze was lang en slank, en Miriam Fox was door een man vermoord, een sterke man. Dat betekende dat Carla alleen schuldig kon zijn als ze er iemand anders bij had gehaald, iets wat voorzover ik kon overzien aan het doel voorbij zou hebben geschoten. En ze had gelijk: dat allemaal om een positie als hoofd van een tehuis voor zwerfjongeren te beschermen? Op een of andere manier leek het me niet waarschijnlijk.

Ik zuchtte. 'Laat ik het zo stellen: ik laat het hier voorlopig bij.'

'Maar u gelooft me niet?'

'Ik weet niet goed wat ik moet geloven. Het is een behoorlijk vreemd verhaal, dat moet u toch toegeven. Het ene moment bent u een keurige maatschappelijk werkster die een kindertehuis leidt en het volgende bent u een escortdame met een perverse klantenkring.'

'U weet wel hoe u het een louche klank kunt geven.'

Ik sloeg mijn bodempje wijn naar binnen. 'Is dat dan niet zo? Je voor geld laten pakken door mannen van middelbare leeftijd die 'm erin stoppen bij iedereen die zich ervoor laat betalen – dat is niet wat je noemt bevredigend en nuttig werk.'

'Ik ga me niet verontschuldigen voor wat ik doe. Ik verleen een dienst, ik doe er niemand kwaad mee. Soms is het trouwens best... bevredigend. En het geld is mooi meegenomen, toch?'

'Ik weet het niet. Is dat zo?'

'Heb jij nooit voor seks betaald, Dennis?'

Ik glimlachte. 'Hoezo? Heb je iets in de aanbieding?'

Ze glimlachte terug. 'Ik ben erg kieskeurig wat mijn bedpartners betreft.'

'Nou, dan zal ik wel niet in aanmerking komen. Een cynische diender die alles wil weten lijkt me niet bepaald een goede vangst.'

Ze zei niets en we bleven een poosje zwijgend zitten; vermoedelijk dachten we allebei na over onze positie in de wereld en wat we nu eigenlijk bereikt hadden. Ik bedacht dat we al met al niet zo heel veel van elkaar verschilden. We leidden alle twee een schimmig dubbelleven dat we liever goed verborgen hielden. Het verschil was dat ik bereid was om te doden om het mijne geheim te houden. Ik hoopte tenminste dat we daarin verschilden.

'Wil je nog iets drinken?' vroeg ze me uiteindelijk.

Ik keek haar aan om te zien of ze echt wilde dat ik bleef. Ze keek met een vermoeide glimlach terug, wat ik maar als een ja opvatte. 'Neem je er zelf ook een?'

Ze knikte. 'Waarom niet?'

Ik sloeg haar gade terwijl ze zich op de bank omdraaide en uit een kast achter haar een fles cognac pakte. Haar achterwerk zag er opmerkelijk goed uit.

'Is dit wat?'

'Prima,' zei ik, terwijl ze twee schone glazen op de tafel zette en elk met gulle hand vulde.

Ik bood haar een sigaret uit mijn pakje aan, maar ze gaf de voorkeur aan een Silk Cut. Ik stak de mijne aan, leunde achterover in mijn stoel en bedacht dat er iets aan haar verhaal was wat me opwond. De keurige, welbespraakte directrice die 's avonds in een hoer verandert. Ik weet dat veel mannen zo'n fantasie hebben. Wat dat betrof was ik net als ieder ander.

'En hoe raakt een nette vrouw als jij in het escortwerk verzeild?'

Ze nam een slok van de cognac en trok het gezicht dat je trekt wanneer je sterkedrank consumeert. 'Dat is een lang verhaal.'

'Ik ben gek op lange verhalen.'

'Ik ben een hele tijd getrouwd geweest met een man om wie ik echt gaf. Hij was maatschappelijk werker, net als ik. We ontmoetten elkaar op de opleiding, werden verliefd en trouwden meteen. Eigenlijk geloofden we geen van beiden in het instituut huwelijk. Het was eigenlijk meer een manier om elkaar te laten zien hoe gek we op elkaar waren. We waren heel resoluut in onze keuzes – dat zal wel bij de leeftijd horen. Erg breed hadden we het niet, maar dat maakte ons niets uit. We huurden een kleine driekamerflat in Camden en waren gelukkig. Je weet hoe dat gaat als je verliefd bent; dan ben je al met weinig tevreden.'

Ik knikte ten teken dat ik het begreep, hoewel ik me afvroeg of ik het gevoel kende. 'Toen vertelde hij me op een dag dat hij iemand anders had leren kennen. Een meisje op de afdeling. Hij leek zich niet bijzonder schuldig te voelen. Hij praatte erover alsof het iets was wat nu eenmaal kan gebeuren. Iets waar niets aan te doen is. Alles wat we gehad hadden, acht jaar huwelijk, de hele relatie… Het hield in één keer op.'

Ze keek me aan met een blik die om begrip leek te vragen, misschien wel om medeleven. Op haar gezicht stond zowel verdriet als boosheid te lezen. 'De volgende dag pakte hij zijn koffers en vroeg hij overplaatsing naar York aan, waar zij vandaan kwam. Ze scheen zwanger te zijn en dichter bij huis te willen gaan wonen. Soms denk ik dat hij daarom voor háár heeft gekozen: omdat zij kinderen wilde en ik nog een poosje wilde wachten.'

'Dat moet hard zijn aangekomen,' zei ik volstrekt overbodig.

'Ja zeker. Voor het eerst sinds lange tijd stond ik er ineens alleen voor. Wat het nog erger maakte was dat ik zonder Steve de huur van de flat niet kon opbrengen, dus moest ik daar weg, en dat deed me echt pijn. Ik had zoveel energie gestoken in de inrichting, uren en uren om alles precies goed te krijgen, en uiteindelijk was het allemaal voor niets.

Nou, daar was ik dan, blut, alleen en depressief. Zelfs mijn werk liep niet lekker. Ik maakte wel promotie, maar niet zo snel als ik had gewild, en ook het werk zelf leverde veel frustraties op. Kinderen die na alle tijd en zorg die je in ze hebt geïnvesteerd, die je goed op weg denkt te hebben geholpen, alsnog aan een overdosis heroïne en barbituraten bezwijken of je de rug toekeren. En dan nog al die bureaucratische bemoeizucht. Het was een dieptepunt in mijn leven, waarschijnlijk het absolute dieptepunt. Ik heb zelfs wel eens overwogen...' Ze maakte de zin niet af.

'Maar uiteindelijk kreeg ik mezelf weer op de rails en ging verder met mijn leven. Maar ik was een ander mens geworden, Dennis. Ik was veel van mijn idealisme kwijt, en was harder en doortastender geworden. Toen las ik op een dag een artikel over een huisvrouw die overdag een paar uur als callgirl werkte. Ze deed het niet voor het geld. Ik denk dat het haar meer ging om het avontuur, en misschien om de seks, maar in elk geval leek ze tevreden met hoe het uitpakte. Destijds zat ik nog erg krap, dus dacht ik: dat kan ik ook. Ik ben aantrekkelijk. Ik ben aangenaam gezelschap. En ik ben zeker eenzaam genoeg om van de aandacht te genieten, ook al kwam die van mensen met wie ik me normaal gesproken niet zou hebben ingelaten. Dus besloot ik de gok te wagen.'

'Je doet het dus al een tijdje?'

'Eigenlijk wel, ja. Ik sta er nooit zo bij stil. Het is nu gewoon een deel van mijn leven.'

'Ik kan het nog steeds niet geloven,' zei ik, en ik nam een slok van de cognac. 'Toen ik je voor het eerst ontmoette zou ik nooit hebben gedacht dat je... je weet wel, in zoiets als dit zou zitten. Ik veroordeel het niet, hoor. Maar het is gewoon een beetje een schok.'

Carla haalde haar schouders op.

'En vind je het prettig werk?'

Daar leek ze even over na te moeten denken. 'Soms. Niet altijd. Misschien zelfs meestal niet. Maar soms wel dus. Maar hoe zit het eigenlijk bij jou? Heb jij altijd politieman willen worden, of ben je er gewoon in verzeild geraakt?'

Ik nam een trek van mijn sigaret en inhaleerde diep. 'Ik geloof dat ik het altijd al heb willen worden. Als jongen had ik al een sterk gevoel van rechtvaardigheid. Ik had een hekel aan bullebakken en kon er niet tegen als mensen iets misdeden en er dan mee wegkwamen. Het leek me wel mooi om werk te doen waarin je dat soort dingen kon voorkomen of, als het wel gebeurde, kon zorgen dat de daders gestraft werden. Het leek me ook wel iets avontuurlijks te hebben.'

'En had het dat?'

Ik nam even de tijd voor ik antwoord gaf. 'Nou, het heeft z'n momenten, maar eerlijk gezegd zijn die dun gezaaid. Een groot deel van de tijd ben je bezig met eindeloos papierwerk en mensen tot de orde roepen die een miserabel bestaan leiden en elkaar om de meest banale redenen het leven zuur maken. En weet je, je houdt ze toch niet tegen.'

'Dat zit in de aard van de mens, Dennis. Een heleboel mensen zijn zo. Ze groeien op zonder waarden, vervreemd van de maatschappij waarin ze leven. Je kunt er niet zomaar modelburgers van maken.'

'Maar iedereen weet het verschil tussen goed en kwaad. Of je het nu van de media hebt of van school... Veel mensen zegt het gewoon weinig. Ze zijn niet bang om de fout in te gaan; dat is het probleem. Ik vermoed dat het komt doordat ze te weinig respect voor ons hebben, de mensen die geacht worden hun een halt toe te roepen. Je zou de shit eens moeten horen die we elke dag naar ons hoofd krijgen.'

Ze glimlachte. 'Waarschijnlijk precies dezelfde shit als waar wij dagelijks mee te maken hebben.'

'Ja, waarom doen we het eigenlijk, hè?'

'Omdat we idealen hebben,' zei ze, en ik veronderstel dat dat een even goede reden was als welke andere ook. Hoewel mijn probleem was dat ik al lang geleden de hoop had opgegeven dat mijn idealen ooit werkelijkheid zouden worden, en misschien gold dat in zekere zin ook voor haar.

Ik dronk mijn laatste druppels cognac op en vulde de glazen opnieuw. Toen ze vol waren, pakte ze het hare en hief het om te toasten.

'Op de idealisten,' zei ze.

'Op de idealisten,' herhaalde ik.

We klonken, en opnieuw ving ik een zweem van dat verrukkelijke parfum op. Ik voelde me nu ontspannen, in harmonie met de wereld; door de drank en het gezelschap verdwenen mijn zorgen als sneeuw voor de zon.

We bleven lang doorpraten. Eén uur... Twee uur... Misschien nog langer, ik weet het echt niet meer. Ongeveer een fles cognac lang. Niet over iets bijzonders. Gewone dingen.

Terwijl we praatten begon ik op een gegeven moment haar gladde blote voeten te strelen. Gevoed door alcohol en begeerte rolden mijn woorden als vanzelf uit mijn mond. Haar teennagels waren gelakt in een prachtige donkerrode kleur en ik boog me om ze een voor een te kussen, nam toen haar tenen in mijn mond en genoot van de intimiteit van het contact. Toen ze zachtjes kreunde, wist ik dat ik haar veroverd had. Dat het zover was. Dat ik de liefde zou bedrijven met de vrouw over wie ik de afgelopen nachten had gefantaseerd, de vrouw die me te goed voor mij had geleken, maar die me nu haar ware, kwetsbare kant had laten zien en die ik op dat moment zo wanhopig begeerde dat ik het zelfs nu nog onmogelijk onder woorden kan brengen.

24

Toen ik wakker werd, had ik dat gevoel dat je soms hebt wanneer je bij god niet zou weten waar je bent. Nou, ik lag in een prachtig kingsize bed in een verduisterde kamer. Rechts van me zag ik het vage schemerlicht van een wintermorgen om de randen van lange karmozijnrode gordijnen piepen. Ik lag in mijn eentje in het bed, maar er hing een vage geur van parfum in de lucht en van ergens buiten de deur klonken gedempte keukengeluiden. Het duurde misschien drie seconden voor ik bij mijn positieven was en me de gebeurtenissen van de vorige avond herinnerde. De seks was verrassend wild geweest; óf ze was een heel goede actrice (wat een heleboel vrouwen als zij wel moeten zijn, vermoed ik) óf ze had echt genoten. Ik hield het maar op het laatste en was ingenomen met mijn eigen prestaties, die niet gering waren geweest, al vielen ze in het niet bij de hare. Vermoedelijk had ze heel wat meer oefening gehad dan ik.

Ik ging overeind zitten en keek op mijn horloge. Het was tien voor halfacht en mijn hoofd bonsde. Maandagmorgen, het begin van een nieuwe week. Ik had niet veel zin om terug te gaan naar het bureau en overwoog opnieuw er een punt achter te zetten. Ik had er genoeg geld voor. Het was meer de vraag of ik er genoeg lef voor had.

De deur ging open en Carla verscheen in een dunne zwarte kimono-achtige ochtendjas met twee koppen koffie in de hand. Ze zag er prima uit voor dit uur van de dag.

'Dus je bent al wakker?' zei ze, terwijl ze me een van de koppen aangaf. 'Ik dacht al dat ik een emmer water over je heen zou moeten gooien.'

'Ik slaap meestal vrij diep,' zei ik, 'en ik heb gisteren genoeg lichaamsbeweging gehad om me tot de middag uit te schakelen.'

Ze glimlachte, maar zei niets terug. Ze zette haar kop op een ladekast en deed het grote licht aan. Ze glipte uit haar ochtendjas en bood me uitzicht op een naakt lijf dat volmaakt geconserveerd was. Ik bekeek haar met hongerige blikken terwijl ze zich langzaam aankleedde, te beginnen met duur uitziend ondergoed.

'Jammer dat je zo vroeg moet vergaderen,' zei ik.

'Vertel mij wat,' zei ze, zonder om te kijken. 'Ik heb een kater van hier tot aan de overkant. Dat heb ik altijd als ik thuis drink.'

Ik vatte moed. 'Zien we elkaar nog eens?'

Ze trok een panty aan. 'Hoor eens, Dennis, ik wil niets overhaasten, weet je. Gisteravond was... nou ja, een uitzondering.'

'Wil je dat het een uitzondering blijft?'

Ze liep naar het bed en kwam met haar gezicht naar me toe op de rand zitten. 'Weet je nog waarom je hierheen bent gekomen? Om me te ondervragen in verband met een moordzaak waarin ik een verdachte was. Je hebt nog steeds niet met zoveel woorden gezegd dat ik niet langer op je lijst sta. Goed, er is wat gebeurd, maar dat kwam doordat we allebei behoorlijk wat gedronken hadden. Dat is niet bepaald de ideale manier om een relatie te beginnen, wel?'

'Ik vraag je niet ten huwelijk, Carla. Het zou gewoon leuk zijn om je nog eens te zien.'

'Weet je waar je aan begint, Dennis? Ik ga om met andere mannen. Dat is niet iets waar ik van de ene dag op de andere mee ga stoppen, en ik weet niet hoe gemakkelijk het jou zou vallen om daarmee om te gaan.'

'Ik ben ruim van opvattingen.'

'Je bent een politieman.'

'Ik ben een ruimdenkende politieman, en ik heb het gisteren ontzettend naar mijn zin gehad. Jij ook, kreeg ik de indruk. Ik zou het nog wel eens over willen doen. Ik zou er verdomme zelfs voor willen betalen.' Ze keek me vuil aan. 'Ik maak maar een grapje,' zei ik.

'Ik probeer je niet af te poeieren, Dennis, maar ik leid een ingewikkeld leven. De laatste keer dat ik een vriend had, probeerde hij mijn levensstijl te veranderen, en ik ben niet iemand die graag de baas over zich laat spelen. Ik ben gesteld op mijn onafhankelijkheid. En ik weet dat het oppervlakkig klinkt, maar na alles wat ik na mijn scheiding heb doorgemaakt, is het geld ook mooi meegenomen.'

Ik boog me naar voren, klopte haar op de knie en liet mijn hand daar even liggen. Ze leek niet bepaald te smachten, het moet gezegd.

'Ik begrijp het, maar ik zou het leuk vinden om nog eens samen ergens een borrel te pakken.'

Ze stond op en gaf me kusje op mijn voorhoofd. 'Ja, dat kunnen we doen. Bel me maar een keer.'

Ik besefte dat ze zich niet meer in bed liet lokken, dus stond ik op en begon mijn verkreukelde kleren aan te trekken – kleren waarin ik nu op mijn werk zou moeten verschijnen.

Tegen de tijd dat ik alles teruggevonden en aangetrokken had, zat Carla aan de toilettafel de laatste hand te leggen aan haar make-up. Ik bleef naast haar staan en boog me voorover om haar een kus op haar hoofd te geven. Ze klopte me op de heup op een manier die me deed denken aan iemand die zijn hond een klopje geeft.

Ze moet de teleurstelling op mijn gezicht hebben gezien, want ze glimlachte flauwtjes.

'Het spijt me, Dennis. 's Ochtends vroeg ben ik niet op mijn best. Ik moet op gang komen. Normaal gesproken duurt het tot de lunch voor ik ergens warm voor loop.'

'Geen punt. Ik begrijp het. Ik bel je wel een keer.'

'Goed.'

'Een fijne dag nog.' Dat glipte er nog uit, bij gebrek aan beter.

Ik knipoogde naar haar terwijl ik de slaapkamerdeur achter me sloot. Toen liep ik naar buiten met de brandende vraag of ik iets verkeerd had gedaan. Waarschijnlijk wel, al wist ik bij god niet wat. Maar zo zijn vrouwen nu eenmaal: gecompliceerd en onvoorspelbaar.

Net als mijn leven begon te worden.

25

Het werk was die dag banaal. Het eerste punt op het programma was een overleg over de beroving van de oude vrouw. Volgens de berichten had ze het weekend overleefd, maar ze was nog steeds niet bij kennis gekomen, en Knox was pissig. De zaken liepen niet bepaald lekker op de afdeling. Het oplossingspercentage van geweldsmisdrijven zweefde nu even onder de grens van 20 procent, en dat was, zo hield hij ons voor, volstrekt onacceptabel en zou geen beste indruk maken in de statistieken.

Om hier iets aan te doen zou er de volgende morgen een reeks invallen plaatsvinden in de huizen van een aantal verdachten van beroving, in de leeftijd van twaalf tot zestien, van wie er een of meer betrokken konden zijn geweest bij de aanval op de oude vrouw. In totaal negen huizen zouden worden doorzocht, dus we zouden allemaal nodig zijn. 'Het is tijd om ze op hun eigen terrein de oorlog te verklaren,' zo besloot hij zijn betoog met krachtige stem, maar ik nam de boodschap met een korrel zout. Ik herinnerde me dat hij een paar maanden geleden hetzelfde had gezegd over crackdealers in de wijk. We waren totaal veertien panden tegelijk binnengevallen in een operatie die Knox de codenaam 'Street Shock' had gegeven. Daarbij hadden we drugs met een straatwaarde van meer dan 25 mille in beslag genomen en in totaal negen arrestaties verricht. Vijf verdachten werden later zonder aanklacht op vrije voeten gesteld; een kwam op borgtocht vrij, kneep ertussenuit en was sindsdien niet meer gezien; een bekende schuld en kreeg een boete plus een voorwaardelijke gevangenisstraf; een werd vrijgesproken door een jury, die zijn verhaal geloofde dat hij niet had geweten dat het spul in zijn huis was; en een bevond zich nu in hechtenis in afwachting van zijn berechting, nadat hij eerst op borgtocht was vrijgelaten en in de drie weken daarna tweemaal was gearresteerd voor dealen. De enige 'shock' was de schok die de belastingbetaler zou krijgen als ooit bekend werd hoe schandalig weinig effect zo'n dure en tijdrovende operatie op zowel de criminelen als de misdaadcijfers had gehad. Het was nauwelijks een wonder dat ons oplossingspercentage zo beroerd was. Meestal was het gewoon niet de moeite waard het te proberen.

Na afloop van het overleg babbelde ik even met Malik, maar geen van beiden hadden we tijd om uitgebreid van gedachten te wisselen. Hij was nu druk bezig met de berovingszaak en was erop gespitst een goede indruk te maken.

Daarna had Knox me aan het opmaken van een rapport over al mijn lopende zaken gezet, waarmee de hele ochtend en een flink deel van de middag heen ging. Hij vertelde me dat Capper een blik wilde werpen op mijn werk om te zien of het zin had me extra ondersteuning te geven – met andere woorden, om te zien of ik fouten maakte. Kennelijk waren ze er allebei bijzonder op gebrand om beweging in de zaak van de gewapende overval te zien, die geheel tot stilstand leek te zijn gekomen. Dat was ook zo; die zaak lag stil. Maar ik wist niet helemaal zeker wat ik of een van mijn collega's nog meer kon doen om er weer schot in te krijgen. Als niemand je informatie geeft en de daders hebben geen duidelijke aanknopingspunten achtergelaten, dan is je manoeuvreerruimte als rechercheur wat beperkt. Maar het bleek dat de hoofdinspecteur een gesprek had gehad met vertegenwoordigers van de Koerdische gemeenschap (beide slachtoffers – de vrouw van de winkeleigenaar en de klant – waren Koerden), die hem hadden verteld dat ze niet zouden rusten voor de daders waren gepakt. Ze hadden ook de door alle hogere echelons gevreesde mogelijkheid geopperd dat racisme een rol zou kunnen spelen in de trage voortgang. Het was duidelijk dat de hoofdinspecteur er veel aan gelegen was zijn multiculturele gezicht te tonen, en omdat veel van het werk aan de zaak door mij was verricht, zou ik voor een aanzienlijke mate van rugdekking moeten zorgen. Knox opperde ook het idee dat ik op een latere datum wellicht voor deze zogenaamde vertegenwoordigers van de gemeenschap door het stof zou moeten gaan, zodat zij ook mij onder vuur konden nemen – nog een goede reden om op te stappen, als ik er nog een nodig had.

Het viel me niet mee om me te concentreren op het schrijven van mijn rapport. Ik dacht telkens aan de seks met Carla en hunkerde naar een herhaling. Ik moest me bedwingen om haar niet te bellen. Ik wist dat ze het niet op prijs zou stellen. Niet vandaag. Ze was, zoals ze zei, een vrouw die gesteld was op haar onafhankelijkheid. Dat klonk redelijk. Ik ben ook gesteld op de mijne – meestal dan – maar ik koesterde nog steeds de hoop dat ik iets met haar kon beginnen.

Ergens rond lunchtijd belde Jean Ashcroft opnieuw. Ze vroeg me of ik bij Danny langs was geweest. Ik zei haar van niet, maar dat ik hem gebeld had en dat alles in orde leek. Ze zei dat ze had geprobeerd hem te pakken te krijgen, maar dat hij zijn telefoons niet opnam, en ik liet vallen dat hij een paar weken met vakantie was.

'Ben je er nog achter gekomen waar hij dat geld vandaan heeft?' vroeg ze. 'Het is niets voor hem om zoveel geld te hebben, weet je.'

Ik vertelde haar dat ik het niet zeker wist (van het verhaal over de politie-informant had ik afgezien, omdat dat haar ertoe zou kunnen aanzetten verder te gaan snuffelen), maar dat het me niet iets leek om me al te veel zorgen over te maken. 'Misschien heeft hij minder geld dan je denkt,' voegde ik eraan toe. 'Je kunt tegenwoordig voor een habbekrats een last-minute reis boeken, dus ik vermoed dat hij gewoon iets goedkoops heeft geregeld. Ik heb bij een paar collega's uit zijn wijk geïnformeerd, en die zeggen dat hij niet in beeld is voor zaken die bij hen lopen.'

'Maar zei hij niets over wat hem dwarszat?'

'Nee. Maar daar zou ik niet te veel achter zoeken. Hij klonk niet alsof hij ergens onder gebukt ging, en als dat zo is kan ik het meestal wel merken. Dat is mijn werk.'

'Zei je dat hij gisteren met vakantie is gegaan?'

'Hij zei dat hij dat van plan was toen ik hem belde.'

'Nou, ik heb vanmorgen geprobeerd hem op zijn mobiel te bereiken en hij neemt nog steeds niet op.'

Ik zei dat dat waarschijnlijk kwam doordat hij geen bereik had op de plek waar hij was, en ik geloof dat ik erin slaagde haar ervan te overtuigen dat ze er niet van in paniek hoefde te raken. 'Hij belt vast snel,' zei ik, maar voor de eerste keer begon ik er een naar gevoel bij te krijgen. Ik maakte in gedachten een aantekening om bij de eerste gelegenheid naar Raymond te bellen, gewoon om te bevestigen dat noch hij, noch zijn nerveuze zakenpartners hadden geprobeerd Danny op te sporen. Ten slotte breide ik een eind aan het gesprek met Jean en ging terug naar mijn rapportwerk.

Ik verliet het bureau die avond om halfzes met het gevoel dat ik onder Capper op een zijspoor zou worden gezet en dat mijn tijd op het bureau echt op zijn eind liep. Ik had zin in een borrel, al was het maar om af te komen van de droge, zure smaak in mijn mond en de zorgen die constant door mijn hoofd spookten, maar in plaats daarvan besloot ik inspecteur Welland in het ziekenhuis op te zoeken. Het was eigenlijk meer uit verplichting. Ik kom niet graag in ziekenhuizen (wie wel?), maar Welland moest nodig wat worden opgebeurd. Toen ik drie jaar geleden zelf in het ziekenhuis terecht was gekomen, nadat ik bij een uit de hand gelopen arrestatie een enthousiaste tik met een ijzeren staaf op mijn hoofd had gekregen, had hij me drie keer opgezocht in de zes dagen dat ik er gelegen had. Het minste wat ik kon doen was hem de wederdienst bewijzen.

Hij werd behandeld in het St. Thomas en het was vijf over zes toen ik daar aankwam, gewapend met een jumbodoos winegums, zijn lievelingssnoep, en een paar Amerikaanse misdaadbladen.

Ziekenhuizen ruiken even onaantrekkelijk als de meeste er – in elk geval in Engeland – uitzien. Als politieman heb ik er meer tijd in zoekgebracht dan me lief was. Los van de vele bezoekjes om slachtoffers en soms plegers van misdrijven te ondervragen, was ik er zelf bij drie afzonderlijke gelegenheden te gast geweest, allemaal in verband met mijn werk. Te weten het incident met de ijzeren staaf, die keer in mijn proeftijd toen een groep Chelsea-supporters mij als boksbal had gebruikt, en een incident aan het begin van de Poll Tax-rellen toen een enorme pot met stekeltjes me met een schuttingplank een klap op mijn achterhoofd had verkocht terwijl ik een oud dametje dat zojuist was flauwgevallen probeerde bij te brengen. Mijn belager, die ironisch genoeg achteraf een verpleegster bleek te zijn, was ter plekke gearresteerd.

Welland lag op een afdeling aan de achterkant van het ziekenhuis, en ze hadden hem op een aparte kamer gelegd. Hij zat in zijn pyjama rechtop in bed de *Evening Standard* te lezen toen ik aanklopte en naar binnen liep. Hij was veel bleker dan normaal, alsof hij een beetje zeeziek was, maar hij leek niet te zijn afgevallen. En al met al zag hij er lang niet zo beroerd uit als ik had gedacht.

Hij keek op en glimlachte moeizaam toen hij me zag. 'Hallo, Dennis.'

'Hoe is het, chef?'

'Het zal vast wel eens minder zijn geweest, maar vraag me niet wanneer.'

'Nou, naar omstandigheden ziet u er goed uit. Zijn ze al begonnen met de behandeling?'

'Nee, die is tot morgen uitgesteld. Gebrek aan deskundig personeel of zoiets.'

'De gezondheidszorg ten voeten uit. Het hoofdstedelijke politiekorps lijkt daarbij vergeleken overbemand. Hier, ik heb wat voor u meegebracht.' Ik legde de winegums en de tijdschriften naast het bed. Hij bedankte me en gebaarde me plaats te nemen.

Ik ging naast hem zitten op een stoel en zei nogmaals iets in de trant van dat hij er gezien de omstandigheden opmerkelijk gezond uitzag. Dat is nu eenmaal het soort kletspraat waar je op dat soort momenten mee schijnt te komen, ook al gelooft geen hond het. Ik weet nog dat ik ooit tegen een meisje bij wie een deel van haar gezicht was weggevreten door een zuur dat haar ex-vriendje naar haar had gegooid, heb gezegd dat het op den duur wel weer goed zou komen. Natuurlijk was dat niet waar, net zomin als het met Welland goed zou komen.

'Fideel dat je me komt opzoeken, Dennis. Bedankt.' Hij leunde met een vermoeide blik achterover in de kussens. Het viel me op dat hij kortademig was als hij praatte.

'Tja, echt een lolletje is het natuurlijk niet, chef, dat is ziekenhuisbezoek nooit. Maar ik wilde laten merken dat we u niet vergeten zijn of zo.'

'Hoe is het op het bureau? Ik mis het, weet je. Ik had het nooit gedacht, maar toch is het zo.'

'Net zoals altijd,' vertelde ik hem. 'Te veel criminelen, niet genoeg politiemensen. Genoeg om je handen vol te hebben.'

Hij schudde zijn hoofd. 'Soms sta je voor een onmogelijke taak, niet?'

'Zeker weten,' stemde ik in, terwijl ik me afvroeg waar dit gesprek naartoe ging.

'Weet je, Dennis, ik heb je altijd een prima diender gevonden. Je kent het klappen van de zweep, je weet waar het om gaat.' Hij draaide zijn hoofd naar me toe en bekeek me net iets te onderzoekend naar mijn smaak. Ik had het gevoel dat dit een van die diepe gesprekken over het leven en het politiewerk zou worden waar ik niet op zat te wachten.

'Ik heb altijd mijn best gedaan, chef.'

'Wij kennen elkaar al een hele tijd, hè?'

'Zeker. U bent nu acht jaar mijn baas.'

'Acht jaar... Christus, zo lang al? De tijd vliegt, hè? Het ene moment ben je een jong broekie met alles nog voor je, en voor je het weet... Voor je het weet, ben je een... Zit je in een ziekenhuisbed te wachten op een behandeling die je leven moet redden.' Hij keek me niet langer aan, maar staarde omhoog naar het plafond, zo te zien in gedachten verzonken. 'Het kan verkeren, hè?'

'Ja.' Dat was zeker zo. 'Acht jaar.' Ik schudde mijn hoofd. 'Shit.'

'Weet je, de laatste tijd zie je een heleboel nieuwe mensen. Al die gestudeerde lui met hun nieuwe ideeën. Er zitten een heleboel prima kerels bij, hoor, begrijp me niet verkeerd, en ook prima meiden... Maar waar het bij dit werk om draait hebben ze geen kaas gegeten. Niet zoals jij en ik. Wij zijn van de oude school, Dennis. Dat zijn we. Van de oude school.'

'Ik denk dat we een uitstervend ras zijn, chef. Nog een paar jaar en we zijn helemaal verdwenen.'

'En zal ik je eens wat zeggen? Ze zullen ons missen. Ze moeten ons niet. Ze beschouwen ons als fossielen, maar wanneer we er niet meer zijn, zullen ze ons missen.'

'Een mens wordt pas gewaardeerd als hij er niet meer is,' zei ik.

'Precies. Die nieuwe lui – die mannen en vrouwen met hun titels – die begrijpen niets van het politiewerk. Niet zoals jij en ik, Dennis. Ze beseffen niet dat je de regels soms een beetje ruim moet interpreteren.'

Ik schrok inwendig. Ik had er altijd voor gewaakt Welland in mijn meer schemerige zaken te betrekken. Voorzover ik wist, had hij geen notie van de scheve schaats die ik had gereden.

'Ik heb altijd mijn best gedaan om het spel eerlijk te spelen, chef. Soms heb ik mensen stevig moeten aanpakken, maar ik ben nooit buiten mijn boekje gegaan.'

'Soms moet je wel.' Hij praatte verder alsof ik niets had gezegd en staarde nog steeds naar het plafond. 'De mensen realiseren zich niet wat wij voor onze kiezen krijgen, met wat voor tuig we dag in dag uit te maken krijgen. Ze vinden het allemaal vanzelfsprekend. Herinner je je die keer toen de minister op bezoek kwam?'

Ja, dat herinnerde ik me. Twee jaar geleden was dat. Hij was met een glimlach op zijn gezicht naar binnen gemarcheerd en had links en rechts handen geschud. Hij had ons verteld dat hij wat zou gaan doen aan het personeelstekort en dat de regering en hij met wetten zouden komen die het de politie gemakkelijker zouden maken om tot veroordelingen te komen, en de criminelen moeilijker om aan de lange arm van de wet te ontkomen – waar natuurlijk nooit iets van was gekomen. Nu ik erover nadenk, gebruikte hij ook de uitdrukking 'de criminelen de oorlog verklaren'. Misschien had Knox het van hem.

'Wie zou dat kunnen vergeten?' zei ik.

'Hij vertelde dat hij veel begrip had voor onze positie, dat hij besefte hoe zwaar het werk was dat wij te doen hebben. Maar daar klopte niets van. Daar hebben ze geen benul van. Als dat zo was, zouden ze ons meer armslag geven en ons beter betalen. Het aantrekkelijk maken om de wet te handhaven.' Hij zuchtte. 'Soms moet je de regels een beetje ruim interpreteren, hier en daar wat opstrijken als compensatie. Wat zou het als er bewijsmateriaal uit de bewaring verdwijnt? Daar kraait toch geen haan naar? Uiteindelijk wordt het toch verbrand. Waarom zou je er niet iets nuttigs mee doen?'

Nog steeds keek hij me niet aan. Ik voelde me steeds ongemakkelijker zoals ik daar in dat rotkamertje naar dingen moest luisteren die ik niet wilde horen. Op het eerste gezicht leek hij maar wat voor zich uit te praten, maar ik wist wel beter.

'Wat bedoelt u precies, chef?'

'Je weet heel goed wat ik bedoel, Dennis. Ik weet dat je in het verleden de hand hebt gelicht met de regels…'

'Ik heb altijd mijn best gedaan om het spel eerlijk te spelen,' zei ik, de zin herhalend die ik eerder had gebruikt, maar ik hoorde zelf ook hoe slap het nu klonk. 'Ik denk dat ik…'

Ditmaal draaide hij zijn gezicht naar me toe. 'Dennis, ik weet dat je in het verleden dingen hebt gedaan die niet zijn toegestaan. Ik weet dat. Zonder enige twijfel. Dingen die zoekraakten, soms kwalijk spul zoals drugs, en jij bent de enige die het kan hebben gepakt.' Ik probeerde iets te zeggen, maar hij stak zijn hand op om me het zwijgen op te leggen. Hij wilde zijn zegje doen en was niet van zins zich tegen te laten houden. 'Je bent een goede diender. Dat ben je altijd geweest. Maar ik ben niet blind. En ook niet dom. Ik zeg niet dat je corrupt bent, verre van dat, maar ik weet dat je oneigenlijke methoden hebt gebruikt en hier en daar illegaal wat hebt bijverdiend; een paar duistere deals hebt gesloten. Niet meer dan redelijk. Je hebt al die jaren hard gewerkt. Je hebt een heleboel onaangename lieden achter de tralies gebracht, lieden die zonder jouw inspanningen waarschijnlijk nog vrij rond zouden lopen. Ik heb weet van een aantal gevallen waarin je – hoe zal ik het zeggen? – onconventionele middelen moest inzetten om mensen in te rekenen. En daar heb ik begrip voor. Echt. De wet is soms een te strak keurslijf. Dat weet ik en dat weet jij, omdat wij van de oude school zijn. Die van de nieuwe lichting, die hebben geen idee hoe het werkt…' Hij draaide zijn hoofd weg, wat vermoedelijk betekende dat hij gezegd had wat hem van het hart moest.

Een moment lang zat ik daar met mijn mond vol tanden. Wat had ik kunnen zeggen? Hij had me betrapt, en het mooie was dat ik het niet had zien aankomen. Misschien was ik brutaler geweest dan goed voor me was. Ik ademde langzaam uit en wilde dat ik een sigaret kon opsteken. 'Weet u wat ik zo prettig aan u vind, chef? U neemt geen blad voor de mond.'

'Dat heeft geen zin. Zeker niet in mijn positie.'

'Wat hebben de doktoren gezegd over de… de…?'

'De kanker? Je kunt het beestje gewoon bij de naam noemen, hoor.'

'Denken ze dat ze er vroeg bij zijn?'

'Het ziet er niet best uit, Dennis. Misschien valt het mee, maar het lijkt erop dat ik het geluk niet aan mijn kant heb. Ik weet trouwens ook niet zo zeker of het wel aan jouw kant staat.'

Ik voelde een steek van angst. 'Wat bedoelt u?'

Hij zuchtte. Het bleef even stil voor hij verder sprak.

'Ik hoop dat je voorzichtig bent, Dennis. Ik heb je altijd gemogen, weet je. Heel wat meer dan ik heb laten merken. Ik heb je doortastendheid altijd gewaardeerd. Je hebt lef, en dat kom je tegenwoordig niet veel meer tegen.'

'Wat wilt u zeggen?'

Hij draaide zijn gezicht weer naar me toe. 'Wat ik je zeg is dat je op je tellen moet passen.'

'Hoe komt u daar zo bij?' vroeg ik met vaste stem. 'Wat hebt u gehoord dat ik moet weten?'

'Ik heb bezoek gehad.' Het bleef even stil. Ik zei niets. Hij zuchtte. 'Twee mannen van Interne Zaken.'

Dus ze waren me op het spoor. In zekere zin zat het er al aan te komen sinds ze de compositietekening hadden vrijgegeven, maar toch kostte het me moeite om mijn schrik te verbergen. 'Wat zeiden ze?'

'Ze stelden een heleboel vragen.'

'Wat voor vragen?'

'Over je achtergrond, je houding... Van alles. Ze wilden weten of je meer geld had dan kan worden verwacht van een brigadier in actieve dienst, of er ooit een aanwijzing was geweest van... corruptie.' Hij benadrukte het laatste woord en nam de tijd om het uit te spreken.

'Hoe hebt u daarop gereageerd?'

'Ik heb ze gezegd dat je een prima kracht bent, dat ik geen onvertogen woord over je te zeggen heb, behalve dat je soms wat al te gebrand was op resultaat.'

'Bedankt, chef.'

'Wat je ook gedaan hebt, Dennis, wees voorzichtig. Want ze zitten achter je aan.'

Ik liet de volle omvang van zijn woorden een paar seconden zwijgend op me inwerken. Ik voelde me vreemd opgelucht dat Welland me niet aan de compositietekening had gekoppeld. Ik geloof niet dat ik het had aangekund om wat dit betrof aan de kaak te worden gesteld door iemand die ik respecteerde. Niet na al het andere.

'Geen zorgen, chef. Het is niets ernstigs. Ik zweer het.'

'Tuurlijk. Ik begrijp het.'

Opnieuw viel er een stilte, die ditmaal door mij werd verbroken met de mededeling dat het tijd was om op te stappen. 'Ik moet nadenken,' vertelde ik hem.

'Je moet jezelf weer op het goede spoor zetten,' raadde hij me aan. 'Een poosje precies volgens het boekje werken.'

'Ja, weet ik.'

'Je bent een goede brigadier, Dennis.'

'Misschien.'

'En het was aardig van je om me te komen opzoeken. Dat waardeer ik. Echt waar.'

Ik stond op en klopte hem zachtjes op de arm. 'Het was niet meer dan u verdient. Bedankt dat u een goed woordje voor me hebt gedaan.'

Hij knikte begrijpend en ik maakte aanstalten om te vertrekken.

'Eén ding was wel gek,' zei hij, toen ik bij de deur was.

Ik bleef staan en draaide me terug. 'Wat, chef?'

'Dat ze om een of andere reden geïnteresseerd waren in je schiettraining.'

Ik haalde mijn schouders op om mezelf niet te verraden. 'U weet hoe het is: ze moeten dat soort dingen vragen. Misschien willen ze me zelfs wel een paar moorden in de schoenen schuiven.'

Hij glimlachte flauw. 'Je weet het maar nooit met die lui van Interne Zaken.'

Ik wendde me af en hoopte maar dat ik me de veelbetekenende blik in zijn ogen had verbeeld.

26

Ik verloor terrein. Ik verloor steeds meer terrein, zo snel dat ik het niet kon bijbenen. Met het uur werd mijn speelruimte beperkter. De poorten naar de vrijheid begonnen zich te sluiten. Als ik niet de juiste beslissing nam, en snel ook, zou het bekeken zijn. Dan kon ik me erop voorbereiden de rest van mijn leven achter de tralies door te brengen, in separatie, voor mijn eigen bestwil. En voor hoelang? Dertig jaar? Minstens. Drievoudige moord. Misschien zelfs viervoudige. Dertig jaar zonder een moment van vrijheid te proeven.

Toen ik die avond in mijn eentje aan een hoektafeltje in de Chinaman zat, met een drankje dat geen enkel kalmerend effect op mijn zenuwen had, probeerde ik mijn mogelijkheden na te gaan. Ze beschouwden me duidelijk als verdachte, daar viel niet langer aan te twijfelen. Die agent bij de wegblokkade had mijn compositietekening gezien en had twee en twee bij elkaar opgeteld. Ongetwijfeld hadden ze inmiddels een recente foto van me om aan hun belangrijkste getuige te laten zien, het meisje van het hotel, en vermoedelijk had ze mij eruit gepikt als de moordenaar. Nu was het de vraag of dat op zichzelf genomen voldoende bewijs was om tot een veroordeling te komen. Het was duidelijk dat ze vooralsnog van mening waren dat het geen zin had om me op te pakken en in staat van beschuldiging te stellen. Daar konden verscheidene redenen voor zijn: de meest voor de hand liggende was dat ze wilden dat ik hen naar de opdrachtgever zou leiden. Een tweede reden kon zijn dat ze eerst meer bewijzen tegen me wilden verzamelen voordat ze de val lieten dichtslaan. Gegeven mijn belangrijke rol in het geheel zouden ze vanzelfsprekend begrijpen dat het geen zin had om mij een mildere straf aan te bieden in ruil voor samenwerking. Ik had geen reden om iets los te laten, hoe hard ze me ook zouden aanpakken, en dat zouden zij ook beseffen.

Bovendien was het een zaak die het politieapparaat potentieel sterk in verlegenheid kon brengen. Een politieambtenaar in actieve dienst, op een redelijk hoge positie binnen het korps, met zeventien jaar vrijwel onberispelijke staat van dienst achter zich, gearresteerd op verdenking van moord op drie mensen – dat was een scenario waar geen enkele superieur aan zou willen voordat hij er vast van overtuigd was dat ik de man was die ze zochten. Dit gegeven gaf me een kleine kans om te ontsnappen aan het lot dat me anders zou wachten. Maar het feit bleef dat ik nu vrijwel zeker scherp in de gaten werd gehouden. Nog gênanter dan me te arresteren was een scenario waarin ik niet werd gearresteerd en waarin het nieuws uitlekte dat men me had verdacht maar dat ik door het net was geglipt.

Ik dronk de scotch met water die ik had besteld en keek nonchalant de pub rond op zoek naar iemand die er niet thuishoorde. Een team van 'stillen' kan goed zijn, vooral als de beste krachten worden ingezet, maar als je weet dat je in de gaten wordt gehouden, maakt dat hun werk een verdomd stuk moeilijker. Mijn oog viel op een man van middelbare leeftijd aan het eind van de bar in een goedkoop uitziend zwart pak, met zijn das los en de bovenste knoopjes van zijn overhemd open. Hij was in geanimeerd gesprek met Joan, de barvrouw, en zo te zien vertelde hij haar een mop. Ik sloeg hem een paar seconden gade en liet mijn blik toen over de rest van de bar glijden. Een paar krukken van hem vandaan zaten een paar zakenlui die ik herkende, en weer iets verder, rond de jukebox, stond een groepje jongere kerels, net geen tieners meer. Twee stelletjes zaten aan aparte tafeltjes vlak voor de bar: het ene stel herkende ik, het tweede had ik niet eerder gezien. Het tweede koppel zat er verveeld bij en ze zeiden niet veel tegen elkaar, dus die waren waarschijnlijk getrouwd. De vrouw keek op en ving mijn blik, maar ze keek niet betrapt. Ze was niet van de politie. Ze leek eerder aangenaam getroffen dat ik naar haar had gekeken, want ze glimlachte even naar me. Haar man, of wie het ook was, leek het niet te merken, dus glimlachte ik terug, waarna ik me afwendde.

Alles bij elkaar waren er verspreid over de tafeltjes misschien twaalf, dertien mensen in de zaak, en ze leken allemaal op te gaan in hun eigen gesprekken. Ik bleef bij niemand lang stilstaan. Het laatste wat ik wilde was dat het team van stillen – als dat er was natuurlijk – merkte dat ik hen in de peiling had. Als dat gebeurde zou ik meteen worden opgepakt. Misschien zouden ze mijn alertheid dan zelfs weten te herleiden tot mijn contact met Welland, en dat wilde ik niet laten gebeuren. Mijn oude chef had me een grote dienst bewezen door me te dekken en door me te vertellen wat er speelde, vooral als je in aanmerking nam dat ze hem naar mijn ervaring met vuurwapens hadden gevraagd. Een heleboel mensen zouden op dat moment hun loyaliteit zijn vergeten en alles hebben verteld wat ze wisten. Maar Welland niet. Hij kende zijn pappenheimers. Of dacht ze te kennen. Achteraf bezien was ik er zeker van dat ik me de argwanende uitdrukking op zijn gezicht had verbeeld. Het zou ongetwijfeld een ander verhaal zijn geweest als hij op de hoogte was geweest van de volle omvang van mijn misstappen. Een van de dingen die me meezaten, was dat weinig mensen me ooit in staat zouden achten tot massamoord. Waarschijnlijk was dat niet iets om over op te scheppen, maar nuttig was het wel.

Ik stak een sigaret op en bedacht dat er niets was wat me ervan weerhield om de benen te nemen. Dit gedonder zou niet zomaar overwaaien. Nu niet meer. Het opsporingsteam zou rond blijven snuffelen tot ze de informatie hadden die ze wilden hebben. Vervolgens zouden ze me hoe dan ook aan mijn jasje trekken. En als Jean Ashcroft hier lucht van kreeg, was de kans groot dat ze de politie over Danny zou inlichten. Dan was er helemaal stront aan de knikker.

Danny. Toen ik het ziekenhuis uit was gekomen, had ik zijn mobiele telefoon geprobeerd in de hoop dat hij zou opnemen en me zou vertellen dat hij op een strand een pina colada zat te drinken, maar die was nog steeds uitgeschakeld. Dus probeerde ik het nu nog maar eens. Ik trok heftig aan mijn sigaret terwijl ik vergeefs op een reactie wachtte. Hoelanger hij niet opnam, hoe meer ik me genoodzaakt zag te concluderen dat hem iets was overkomen, en dat riep een tweede probleem op. Raymond en zijn partners hadden er geen belang bij dat ik in leven bleef. Als ze lucht kregen van wat er gaande was, zouden ze beslist achter me aan komen – wie weet was dat al zo. Hoe je het ook bekeek, mijn toekomst zag er somber uit zolang ik bleef waar ik was.

Maar alles achter me laten – mijn carrière, mijn leven hier – was een grote stap. En dan was daar ook nog Carla Graham. Misschien wilde ze niets serieus met me beginnen, maar misschien viel daar iets aan te veranderen. In deze hele toestand was zij het enige lichtpuntje.

Ik pakte mijn mobiele telefoon en overwoog haar te bellen. Ik wist dat het averechts zou kunnen werken, maar de gebeurtenissen volgden elkaar zo snel op dat ik wel iets moest doen. Als ze me nu afwees, zou dat niet echt veel uitmaken. Ik staarde misschien tien seconden naar het toestel en stopte het toen weer weg. Ik zou wachten tot morgen.

Ik drukte mijn sigaret uit en liep naar de bar om nog een drankje te halen. Joan was nog steeds in gesprek met de man van middelbare leeftijd. Ze lachten als oude vrienden, maar aan de manier waarop ze zich van het gesprek losmaakte kon je merken dat ze elkaar niet echt kenden.

'Wat kan ik voor je inschenken, Dennis?' vroeg ze, voordat ze zich weer omdraaide naar de man. 'Zie je deze kerel hier?' zei ze, doelend op mij. 'Die drinkt elke keer weer wat anders. Je weet nooit wat hij de volgende keer zal willen. Waar of niet, Dennis?'

'Je moet nooit te voorspelbaar zijn,' zei ik haar. Als om het te bewijzen bestelde ik pils.

Terwijl ze zich omdraaide om het te pakken, glimlachte ik de vent even toe. Hij glimlachte ongemakkelijk terug en keek toen een andere kant op. Ik zag dat hij cola dronk. Verdacht in een tent als deze, maar ook weer niet uitzonderlijk.

Er kwam nog een vrij jong stel binnen, en ik kon het niet laten ze zorgvuldig op te nemen. Zij ging aan een tafeltje dicht bij de bar zitten en deed haar muts en das af, zo te zien zonder mij op te merken. Haar vriend/collega liep naar de bar. Ik wendde me terloops af en betaalde mijn bier, eveneens zonder de aandacht op me te vestigen. Joan vroeg me of ik de zaak van de beroofde oude vrouw behandelde. Ze vertelde me dat het slachtoffer de moeder van een van haar vroegere stamgasten was. Ik vertelde haar dat ik de zaak niet onder me had, maar dat ik dacht dat er binnenkort wel arrestaties zouden volgen. 'Het waren jongeren, en die verraden zichzelf altijd. Ze kunnen hun mond niet houden.'

'Dat tuig,' zei ze. 'Ze moesten ze ophangen.' Waarmee ze waarschijnlijk de mening van tachtig procent van de bevolking vertolkte, al maakte dat verder niet veel uit. Normaal gesproken zou ik op zo'n moment mijn politiepet op hebben gezet en hebben geprobeerd zowel mezelf als mijn gehoor ervan te overtuigen dat de daders hun gerechte straf niet zouden ontlopen, maar ditmaal nam ik die moeite niet. Want dat zouden ze wel degelijk.

'Verwacht geen rechtvaardigheid van de rechters, Joan,' zei ik haar. 'Daar schrikken ze voor terug.' Ik wendde me tot de coladrinker. 'Waar of niet?'

'Ik praat niet over politiek,' antwoordde hij zonder me aan te kijken. 'Daar maak je alleen maar vijanden mee.'

'Nou, iemand moet er iets aan doen,' mopperde Joan. Toen liep ze weg om de man die zojuist naar de bar was gekomen te bedienen.

Ik nam niet de moeite naar mijn kruk terug te gaan, maar dronk snel en zwijgend mijn bier op. Toen ik het glas leeg had, zocht ik Joan, maar ze was naar achteren verdwenen. Ik knikte naar de coladrinker, die vaag naar me terugknikte, en liep naar buiten.

Het koufront uit Siberië was nu echt gearriveerd en er joeg een ijzige wind door de smalle straat. Ik trok mijn jas strak om me heen en begon te lopen, waarbij ik nu en dan achteromkeek. De geparkeerde auto's aan weerskanten van de straat waren leeg en er kwam niemand uit de Chinaman achter me aan.

Na pakweg 50 meter liep ik een zijstraat in en ik wachtte huiverend in de schaduw. Ik zei tegen mezelf dat het nergens op sloeg, want als ze me volgden, zou het alleen bevestigen wat ik al vermoedde en niets uitmaken voor mijn situatie.

Toch bleef ik daar staan. Vijf minuten verstreken. Toen tien. Er reed langzaam een auto voorbij met twee mannen erin, maar ik kon ze niet goed onderscheiden. Hij reed door en gaf aan het eind van de straat gas. Het begon te ijzelen en ik kwam uit mijn schuilhoek tevoorschijn en begaf me, angstvallig in de schaduw blijvend, op weg naar huis, niet wetend wie me zou opwachten als ik daar aankwam.

27

Toen ik mijn flat naderde, keek ik zorgvuldig de straat af om te zien of er iets niet pluis was, maar het leek erop dat de kou iedereen naar binnen had gejaagd. Pas toen ik me er voldoende van had overtuigd dat er echt niemand was, liep ik haastig naar mijn voordeur en stak de sleutel in het slot, nog half verwachtend dat er een moordenaar uit het duister zou opduiken, of een barse bevelen schreeuwende eenheid gewapende politie om me in te rekenen.

Maar er gebeurde niets en opgelucht hoorde ik de deur voor de laatste keer die avond achter me dichtvallen.

Het eerste wat ik deed toen ik boven was, was me ziek melden. Ik wist niet hoeveel ze op het bureau af wisten van het onderzoek dat naar mij werd ingesteld, maar ik kon me moeilijk voorstellen dat Knox nog niet op de hoogte was. Vervolgens belde ik Raymonds mobiel, maar hij nam niet op en zijn lijfwacht Luke evenmin, dus liet ik het bericht achter dat hij mij moest bellen en zei erbij dat ik de komende dagen niet thuis zou zijn. Gewoon voor het geval hij het in zijn hoofd zou halen iemand bij me langs te sturen. Toen zette ik een kop koffie en ik hield mezelf voor dat ik niet in paniek moest raken. Ik had misschien niet het recht aan mijn zijde, maar wel een voorsprong wat betreft informatie.

Ik ging om ongeveer tien uur naar bed en viel verbazend snel in slaap. Ik bleef de hele nacht uit als een nachtkaars en voelde me toen ik de volgende ochtend even na achten wakker werd voor de verandering een stuk frisser.

Nu was het tijd om mijn volgende zet te plannen. Met elke dag dat ik hier bleef werd de kans op arrestatie groter, dus ik zou de sprong snel moeten wagen. Ik moest mijn achtervolgers afschudden, het geld uit mijn kluis in Bayswater ophalen en een tijdje onderduiken. Zodra ik op de vlucht ging, zouden ze beseffen dat ik hen doorhad. Dan was het bekeken, dan was er geen weg terug. Dan zou ik de rest van mijn leven op de vlucht blijven.

Ik ging op de hoek een krant kopen, gedroeg me zo nonchalant mogelijk, zag niets verdachts en keerde toen terug om hem te lezen bij een licht ontbijt van toast en koffie. Er stond niets in over het onderzoek rond de Traveller's Rest-zaak en ook niets over de zaak-Miriam Fox. Nu er iemand was gearresteerd en aangeklaagd, zouden de kranten die moord links laten liggen tot de zaak voorkwam, en ook dan zou de zaak waarschijnlijk niet veel aandacht krijgen. In plaats daarvan was er de bekende misère in binnen- en buitenland: een landbouwcrisis; een nieuwe hongersnood in Afrika; een paar voedselschandalen; en een ruime portie moord, rellen en modetips.

Toen ik aan mijn zesde sigaret van die dag bezig was, besloot ik dat ik niets te verliezen had als ik Carla Graham opbelde. Ik belde haar kantoor op Raymonds mobiel, want ik hield rekening met het feit dat mijn eigen telefoons werden afgeluisterd. Ze nam na de vierde keer overgaan op en tot mijn opluchting hoorde ik geen vergadergeluiden op de achtergrond.

'Hallo, Carla.'

'Dennis?'

'Ja, met mij. Hoe gaat het?'

Ze zuchtte. 'Druk. Heel druk.'

'Nou, dan zal ik het kort houden.'

'Ik was al van plan je vandaag te bellen,' zei ze.

'O?'

'Hoor eens, ik wil niet dat je het te zwaar opneemt, maar je zei dat ik het je moest laten weten als er weer iemand vermist werd.' Een onheilspellend gevoel kroop langs mijn rug omhoog, wat gepaard ging met halfbegraven gedachten die plotseling weer opdoken als zombies op een kerkhof. 'En dat is nu het geval.'

'Wie?'

'Anne Taylor.'

Anne. Het meisje met wie ik nog geen week geleden koffie had gedronken. Het meisje dat ik voor een ontvoering had behoed.

'Jezus, Carla. Sinds wanneer?'

'Ze is zondagmiddag voor het laatst gezien.' Ze leek mijn ongemak te bespeuren. 'Ze is al wel vaker zomaar verdwenen, dus ik denk niet dat er echt reden is tot paniek. Bovendien is er iemand opgepakt voor de moord.'

'Dat weet ik, maar het is niet helemaal een uitgemaakte zaak. Er zijn nog veel onbeantwoorde vragen, en iedereen is onschuldig, tenzij het tegendeel wordt bewezen. Dat zou jij toch moeten weten.'

'Toch denk ik dat je er niet te veel achter moet zoeken. Anne is er het type naar.'

'Dat was Molly Hagger ook, maar onwillekeurig maak je je toch zorgen.

Wanneer was de vorige keer dat Anne vermist werd?'

'Ongeveer een maand geleden.'

'Hoelang bleef ze toen weg?'

'Een paar nachten. Ongeveer even lang als nu. Daarom hebben we ons nog niet ongerust gemaakt. De laatste keer kneep ze ertussenuit omdat ze met een oudere vrouw aan de rol was. Ze werd stoned, viel in slaap en toen ze 24 uur later wakker werd, kwam ze weer hierheen.'

'En de keer daarvoor? Wanneer was dat?'

'Dat weet ik niet meer. Een paar maanden terug. Luister, Dennis, niemand hier denkt dat haar iets is overkomen.'

'Waarom was je dan van plan me erover te bellen?'

'Omdat je me dat hebt gevraagd. Persoonlijk denk ik dat Anne doet wat ze wel vaker doet, namelijk uitgaan, drugs gebruiken en precies doen waar ze zin in heeft, ongeacht wat je tegen haar zegt, want zo is ze gewoon. Maar ik had het gevoel dat ik het je moest vertellen omdat je je ongerust maakte. En ik denk dat ik het mezelf nooit zou vergeven als Anne net zo zou eindigen als Miriam Fox, dood in een of ander steegje, de keel afgesneden, terwijl ik niet de moeite had genomen het te melden. Hoewel ik nog steeds denk dat de kans daarop vrij klein is.'

'Oké, oké, dat kan ik volgen. Toch zit het me niet lekker.' En dat was zo. Annes verdwijning had nog meer twijfels bij me gezaaid. Misschien was tegen alle verwachtingen in Mark Wells niet onze man. Niet dat het veel had uitgemaakt; ik had nu wel wat beters te doen. Ik zuchtte. 'Zeg, doe me een plezier en licht de politie in. Vertel ze wat er is gebeurd.'

'Dennis, jij bent de politie.'

'Niet meer.'

'Hoe bedoel je?'

'Ik heb ontslag genomen. Gisteren.' Niet helemaal waar, maar het had gekund.

'Is dit een spelletje, Dennis? Want in dat geval ben ik niet geïnteresseerd.'

'Nee, nee. Echt niet. Ik heb mijn ontslag ingediend. Het zat er al lang aan te komen.'

'Maar wat ga je dan doen? Ik bedoel, ben je opgeleid voor iets anders?'

Mensen doden, dacht ik.

'Niet echt, maar ik heb wat geld opzijgezet. Ik denk dat ik een tijdje naar het buitenland ga. Een beetje reizen. Zoiets heb ik altijd al willen doen.'

'Nou… Veel geluk dan maar. Ik hoop dat het je bevalt. Wanneer denk je te vertrekken?'

'Zo spoedig mogelijk. Waarschijnlijk nog voor het eind van de week.'

'Weet je, ik geloof dat ik jaloers ben.'

'Je kunt natuurlijk altijd meegaan.'

Ze lachte. 'Ik denk het niet. Misschien kom ik je ooit opzoeken.'

'Moet je doen. Wat houdt je hier?'

'Ik kan niet geloven dat een politieman me aanmoedigt om wilder te gaan leven. Ik weet het niet, Dennis. Momenteel ben ik tevreden met hoe de dingen gaan.'

'O, ja? Echt waar?'

Het bleef even stil aan de andere kant van de lijn. Toen ging ze verder: 'Het zou gewoon niet werken. Ik ken je niet goed genoeg. Volgens mij moeten we het daarbij laten.'

'Oké, maar het zou leuk zijn om je voor mijn vertrek nog een keer te zien.' Zodra ik het zei, besefte ik dat dit een risico was dat ik niet moest nemen, maar ik kon het kennelijk niet laten.

'Ja,' zei ze, 'maar ik weet niet wanneer we daar de kans voor krijgen.'

'Hé, ik herinner me dat je me die avond zei dat je van gedichten houdt. Er is vanavond een poëzieavond met hedendaagse dichters in een tent die de Gallan Club heet, niet ver vanwaar ik woon. Waarom spreken we daar niet af voor een borrel? Het is een leuke tent.'

Carla humde en aarzelde een poosje, maar uiteindelijk ging ze ermee akkoord om een uurtje of wat te komen. Ik begon haar te vertellen waar de club was, maar het bleek dat ze hem vaag kende. 'En vergeet niet de politie te bellen over Anne,' voegde ik eraan toe. 'Doe formeel aangifte. Je weet nooit wat er gebeurd is, en het is beter om het zekere voor het onzekere te nemen.' Opnieuw zei ze dat ze dacht dat we ons nergens zorgen over hoefden te maken, maar ik drong aan en uiteindelijk zegde ze het toe.

Nadat ik had opgehangen, zette ik nog een kop koffie en stak sigaret nummer zeven op. Anne Taylor was mijn zaak niet. Zelfs als ik diender was gebleven en bij het onderzoek naar de moord op Miriam Fox betrokken was gebleven, zou ze mijn zaak niet zijn geweest. Mark Wells was bijna zeker Miriams moordenaar. Maar onwillekeurig vroeg ik me af wat er met Molly Hagger was gebeurd en waar Anne uithing. Ik had verwacht dat Molly inmiddels wel zou zijn opgedoken. Haar beste vriendin was vermoord, en het was moeilijk te geloven dat ze niet op z'n minst haar gezicht zou hebben laten zien om uit te zoeken wat er gaande was, of contact met de autoriteiten zou hebben opgenomen als ze dacht dat Wells verantwoordelijk was. En nu, slechts een paar weken later, was Anne verdwenen. Er kon natuurlijk een volkomen logische verklaring voor zijn, zoals Carla dacht, maar ik vond het allemaal veel te toevallig, zeker na de poging tot ontvoering van de vorige week. Ik kon me niet aan de indruk onttrekken dat me iets ontging, iets waar noch ik, noch een van mijn voormalige collega's zich bewust van was, maar hoe ik me mijn hoofd er ook over brak, ik kon er de vinger niet op leggen. En bij al het andere wat speelde, leek het niet de moeite van het proberen waard. Maar soms is het moeilijk om los te laten, weet je. Dus pakte ik mijn vaste telefoon, nu zonder me te bekommeren om de vraag of er iemand meeluisterde, en belde naar Maliks mobiele telefoon.

Die ging tien keer over voordat hij opnam, en toen hij mijn stem hoorde, kwam ik er niet achter of hij blij was dat ik het was of niet. Ik vroeg me even af of hij wist dat zijn superieuren me op de hielen zaten. Hij vroeg me hoe ik me voelde, vermoedelijk omdat hij had gehoord dat ik me ziek had gemeld. Ik vertelde hem dat het wel ging, dat ik me gewoon niet zo lekker voelde.

'Ik heb niet al te best geslapen. Ik denk dat ik aan vakantie toe ben.'

'Waarom neem je niet een paar weken vrij? Je hebt vast wel genoeg dagen staan.'

'Ja, misschien doe ik dat wel.'

'En wat kan ik voor je doen, Dennis?'

Dennis. Ik zou er nooit aan wennen dat hij me zo noemde. 'Hoe gingen de invallen vanmorgen? Hebben we al een aanklacht geformuleerd?'

'We hebben iedereen ingerekend die op de lijst stond, maar nee: nog geen aanklachten. Je weet hoe het is met dat jonge spul. Je loopt gewoon op eieren. Je mag je stem niet eens verheffen. Ze zouden eens van streek kunnen raken.'

'Ik weet zeker dat een van hen die oude dame te grazen heeft genomen.'

'Dan ben je niet de enige. Het bewijs rondkrijgen, dat is het probleem, maar dat hoef ik jou niet te vertellen.'

'Hoe is het met haar?'

'Met die oude dame? Een dubbeltje op zijn kant. Persoonlijk denk ik dat het zo hard is aangekomen dat ze er hoe dan ook niet bovenop komt. Het kan een paar weken duren – misschien een paar maanden – maar in elk geval is het de schuld van die knapen.'

Ik gaf hem gelijk. 'Hoor eens, waar ik je voor bel is de zaak-Miriam Fox.'

'O, ja?' Hij zei het zonder veel enthousiasme. Ik vertelde hem wat Carla me had verteld over Annes verdwijning en hij luisterde rustig toe aan de andere kant van de lijn. Toen ik klaar was met mijn verhaal, vroeg hij me waarom ik toch contact met Carla had opgenomen. 'Ik dacht dat je het niet de moeite vond.'

'Zij nam contact op met mij. Dat had ik haar gevraagd voor het geval er nog iemand vermist werd. Het wordt nu wel erg toevallig allemaal. Twee jonge meisjes, allebei niet ouder dan veertien, verdwijnen nog geen maand na elkaar uit hetzelfde kindertehuis. In dezelfde tijd wordt er een meisje vermoord met wie ze allebei contact hadden en die de beste vriendin van een van beiden was. Alle drie prostituees die in hetzelfde deel van King's Cross hun werkterrein hadden. Ik weet wel dat er voortdurend mensen verdwijnen en dat we Mark Wells in hechtenis hebben en dat de bewijzen tegen hem pittig zijn, maar er klopt iets niet.'

'Zoals je zei, verdwijnen er voortdurend mensen...'

'Ja, weet ik. Weet ik. Er verdwijnen voortdurend mensen, vooral verslaafde tieners, maar met deze frequentie? En we weten dat ze gewelddadig aan haar eind is gekomen, en een van de anderen werd een paar dagen geleden voor mijn ogen bijna ontvoerd. En nu zitten we met de mogelijkheid dat een bewijsstuk tegen de verdachte van de moord – het overhemd – verband kan houden met een van de vermiste meisjes.'

'Ik zou er niet te veel achter zoeken. Wells kan gemakkelijk zeggen dat hij het hemd aan iemand heeft weggegeven als diegene er niet is om het te ontkennen.'

'Heeft iemand geprobeerd haar op te sporen?'

'Wie? Molly Hagger? Niet dat ik weet. Maar als het je zo dwarszit, moet je bij Knox zijn, niet bij mij. Waarom kijk je niet wat hij ervan zegt?'

'Omdat ik al weet wat hij zal zeggen, Asif. Dat we iemand in hechtenis hebben, dat er geen aanwijzingen zijn die uitbreiding van het onderzoek rechtvaardigen...'

'En daar heeft hij gelijk in, toch? Het is waar, het is allemaal wel erg toevallig, maar wat kunnen we eraan doen? Wat Hagger en het andere meisje betreft zijn er geen aanwijzingen dat er iets verdachts aan de hand is. En zoals je zelf ook zegt, zijn dat geen verdwijningen waar iemand vreemd van opkijkt.'

'Ik wilde het je gewoon even voorleggen. Horen hoe jij tegen de zaak aankijkt.'

'En dat waardeer ik bijzonder. Ik zou er dit van zeggen: het is vreemd, maar daar blijft het bij. Misschien moet je je oor eens te luisteren leggen, eens babbelen met een paar van die hoertjes, maar ik zou er niet te veel over inzitten. Er ligt genoeg ander werk. Bovendien hoor je helemaal niet aan werk te denken. Je hoort in bed te liggen en uit te zieken, zodat je snel weer beter bent en ons weer kunt komen helpen.'

Maar ik zou nooit meer teruggaan om hen te helpen. Ik zou Malik missen, ook al was het nu 'jij' en 'Dennis' en was hij een beetje al te scheutig met zijn goede raad. Maar hij was een goede brigadier en het gaf me een goed gevoel dat ik daar misschien aan had bijgedragen. Ik zei hem dat hij me een dienst zou bewijzen als hij eventuele ontwikkelingen onder de hoeren van King's Cross in de gaten zou houden, en dat beloofde hij. Ik bedankte hem, zei dat ik hem gauw weer hoopte te zien, beloofde regelrecht naar bed te gaan en hing op.

Maar ik ging niet naar bed. In plaats daarvan besteedde ik de rest van de dag eraan mijn plannen te overdenken en voorbereidingen te treffen; nu en dan belde ik Danny's mobiel, telkens zonder succes; soms bleef ik voor het raam naar de loodgrijze lucht kijken en mijmeren over het lot van Molly Hagger en Anne Taylor; dan weer vroeg ik me af welke geheimen Miriam Fox mee in haar graf had genomen.

En al die tijd zat iets me dwars waar ik maar niet de vinger op kon leggen. Iets wat me ontgaan was, iets wat als de flakkerende schaduw van een vlam irritant door de uithoeken van mijn brein danste. Irritant omdat het op een vreemde, vage manier belangrijk was, maar het me niet lukte het te pakken, hoeveel moeite ik ook deed.

En terwijl het duister over mijn laatste avond als politieman neerdaalde en de regen waarvoor de weermensen ons gewaarschuwd hadden eindelijk vanuit het westen kwam aanzetten, realiseerde ik me dat ik nog steeds even weinig van de werkelijke toedracht van de moord op Miriam Fox wist als op de ochtend toen ik voor het eerst op haar met bloed besmeurde lichaam had neergekeken.

28

Ik belde een taxi om me naar de Gallan Club te brengen en werd daar om ongeveer kwart voor acht afgeleverd. Het regende gestaag en er zat nog steeds kou in de lucht, zij het niet zo'n venijnige als de avond tevoren.

Ik was nog nooit in de Gallan geweest, al was het nog geen kilometer van mijn huis. Ik was er vele keren langs gekomen, met als meest gedenkwaardige de dag ervoor, toen ze een bord buiten hadden gezet met de aankondiging dat het die avond hedendaagse-dichtersavond zou zijn. Het was niet echt mijn idee van stappen, maar het was weer eens iets anders dan in de pub hangen. Het was ook quizavond in de Chinaman en het zou de eerste keer in lange tijd zijn dat ik om andere dan professionele redenen verstek liet gaan.

De Gallan was klein vanbinnen en schemerig verlicht. Het podium, dat leeg was toen ik naar binnen liep, was helemaal achterin, terwijl de rest van de vloerruimte bezet was met groepjes ronde tafeltjes. Links strekte de bar zich over de volle lengte van de zaal uit. Alle tafeltjes waren bezet en een kleine groep mensen stond bij de bar. De meeste aanwezigen behoorden tot het slag mensen dat je verwacht op een dichtersavond, met als hoofdattractie iemand die Maiden Faith Ararngard heet: jonge studentjes in lange jassen die voorzichtig van hun bier nippen, een groep milieuactivisten met een overdosis aan piercings en punkkleding, en een paar oudere intellectuele types die keken alsof ze elk uur doorbrachten met het zoeken naar de verborgen betekenis achter zinloze vragen.

Ik had al een dergelijk gezelschap verwacht en had me om niet te veel uit de toon te vallen zo nonchalant gekleed als mijn garderobe toestond. Het had niet gewerkt. In een vale spijkerbroek en een sweatshirt met een gat in de elleboog zou ik niet opgaan in dit publiek, al kon ik er redelijk zeker van zijn dat er hier geen agenten in burger zouden zijn. Net als ik zouden die meteen zijn opgevallen.

Carla was er nog niet, dus liep ik naar de bar en bestelde een groot glas bier bij een vent met een bout door zijn neus en een baard die bijna tot zijn navel kwam. Hij keek me een beetje scheef aan, alsof ik was uitgedost als een schurk uit *Doctor Who*, maar hij was vlot van bedienen, en dat is bij een barman altijd het voornaamste. Ik betaalde mijn bier en stelde me dicht bij de deur op, zodat ik Carla kon zien binnenkomen.

Ik voelde me niet helemaal op mijn gemak. Zij had voor zichzelf uitgemaakt dat het nooit echt iets tussen ons zou worden; ik was degene die er moeite mee had om dat te accepteren. Maar dat zou er toch van moeten komen. Vanaf de volgende dag zou ik op de vlucht zijn. Ik bezat een vals paspoort, dat ik een paar maanden tevoren had geritseld bij een van de contacten van Len Runnion. Het had me een zinnige voorzorgsmaatregel geleken nadat een onderzoek van Interne Zaken naar een paar oud-collega's van het bureau me de stuipen op het lijf had gejaagd. Het was nog een knap stukje werk ook. Voor de foto had ik tien dagen mijn baard laten staan en een bril opgezet, en ik zag er echt heel anders op uit. Maar ik zou het paspoort nog even niet kunnen gebruiken. Zodra ik mijn hielen lichtte, zou er op alle vliegvelden en in alle havens naar me uit worden gekeken, dus zou ik een paar weken moeten onderduiken tot het allemaal wat rustiger geworden was. Misschien zou ik naar Cornwall of naar Schotland rijden, ergens een beetje afgelegen. Niet voor het eerst die dag ervoer ik een vreemd opwindend gevoel van spanning.

Met enige geamuseerdheid zag ik dat de eerste dichter die zou optreden Norman 'Zeke' Drayer was, die dus kennelijk het alias 'Bard van Somers Town' had. Norman was gekleed in een groen jasje met kwastjes dat eruitzag alsof het van vilt was gemaakt, een witte cricketbroek en zwarte laarzen tot aan de knie. Gelukkig had hij geen hoed met een veer op zijn hoofd, anders was hij het evenbeeld van Robin Hood geweest.

Onder een beleefd applaus danste hij het podium op en hij opende onmiddellijk met een schuine ballade over een rondborstige boerenmeid genaamd Annie McSilk en de problemen die ze had om zich de verliefde boeren van het lijf te houden. Het was eigenlijk best goed, en ondanks mezelf moest ik lachen, al ging het wat erg lang door. Helaas was het tevens het hoogtepunt van zijn optreden. Zijn volgende drie gedichten speelden in de vervelende sfeer van sociale rechtvaardigheid en maakten dat ik om de twintig seconden naar de deur keek om te zien of Carla er al aan kwam. Tegen de tijd dat hij het podium af danste, met theatrale buigingen naar alle kanten, werd het applaus alweer bijna overstemd door geroezemoes. Ik was jaloers op de aanwezigen, jaloers omdat ze niets te vrezen hadden. Ik observeerde hen terwijl ze met elkaar praatten, hun problemen bespraken alsof ze vreselijk belangrijk waren, veilig ingesponnen in hun kleine coconnetjes.

Ik voelde een tikje op mijn schouder, draaide me om en zag Carla staan. Ze had zich zwaarder opgemaakt dan anders, maar de make-up leek haar schoonheid eerder te benadrukken dan er afbreuk aan te doen. Ze droeg een lange zwarte jas met daaronder een eenvoudige witte blouse en een strakke spijkerbroek. Ze begroette me met een vluchtig kusje op de wang en ik zei haar dat ze er mooi uitzag.

'O, dank u wel, meneer,' antwoordde ze met een scheef lachje.

'Wat wil je drinken?'

'Ik doe een moord voor een wodka-jus.'

Ik slaagde erin de aandacht van een serveerster te trekken, die naar ons toe kwam en de bestelling opnam.

'Dus je gaat echt, Dennis?' zei ze, toen de serveerster weer weg was.

'Weet je dat ik niet had gedacht dat je er het lef voor zou hebben?'

'Schijn bedriegt,' zei ik terug. 'Nog nieuws over Anne?'

'Nog niets, maar een van de andere meisjes zei dat ze een nieuwe kerel had en iets had laten vallen over plannen om bij hem in te trekken.'

'Echt? Nou, laten we hopen dat dat het is. Heb je het nog aangegeven bij de politie?'

Ze knikte. 'Ja. Die leek niet erg geïnteresseerd.'

'Heb je ze over Molly verteld?' Ze knikte opnieuw. 'En nog steeds waren ze niet geïnteresseerd?'

'Het zijn straatmeiden, Dennis. Die doen dat soort dingen. Ik vraag me af of je je werk als politieman niet zult missen. Je bent zo betrokken bij alles wat er om je heen gebeurt.'

'Het zal me goed doen om hier weg te zijn. Als ik eenmaal weg ben, pieker ik misschien niet meer zoveel.'

Ze glimlachte. 'We zullen zien. Waarschijnlijk ben je binnen een maand weer terug.'

'Ik denk toch echt van niet.'

'Nou, hou wel contact, hè? Stuur me kaartjes van je verschillende bestemmingen.'

'Natuurlijk.' Ik keek haar aandachtig aan. 'Weet je, ik wil er niet al te sentimenteel over doen, maar ik zal je missen. Volgens mij had het tussen ons best iets kunnen worden.'

'Denk je?' Ze beantwoordde mijn blik. 'Misschien, maar zoals ik al zei, Dennis: dit is niet het goede moment.'

Ik knikte. 'Oké. In dat geval moet ik er vanavond maar het beste van maken.'

'Ja, doe dat maar,' zei ze met een glimlach. 'Mijn tijd is kostbaar.'

Daar viel niet veel op terug te zeggen.

Aan de andere kant van de zaak, weg van de bar, kwam een tafeltje vrij. Terwijl we er gingen zitten, kwam de volgende dichter op, een saai ogend meisje met spillebenen dat Jeanie O'Brien heette. Ze had een kruk bij zich, waarop ze plaatsnam.

'Ik ken haar,' zei Carla. 'Ik heb haar eerder zien optreden. Ze is goed.'

Dat was ze ook, maar ik luisterde niet echt. Helaas luisterde Carla wel, waardoor het gesprek geforceerd en behoorlijk eenzijdig was, omdat het meeste van mij kwam. Ik dronk snel mijn bier op en vroeg me af waarom ik in 's hemelsnaam alles op het spel zette door nog een avond langer te blijven plakken.

'Wil je nog iets drinken?' vroeg ik haar uiteindelijk.

Ze keek op haar horloge. 'Nog eentje dan. Maar dan moet ik echt weg.'

Ik liep met de drankjes terug naar ons tafeltje toen ik de Bard van So-mers Town tegen het lijf liep. Drayer herkende me meteen en keek on-middellijk zenuwachtig.

'Hé, hallo, agent. Hoe is het?'

Ik bleef voor hem staan. 'Niet slecht, Norman. Een uitstekend optreden daar op de planken.'

'O, dus u hebt het gezien? Ik vrees dat ik het wel eens beter heb gedaan. Wat doet u hier eigenlijk? Niet dat het mij iets uitmaakt natuurlijk, maar het lijkt me niet zo uw soort avond.'

'Inderdaad. Niet echt. Maar de dame met wie ik ben...'

'O, ja. Ik zag u met haar bij de bar staan.'

'Zij houdt wel van poëzie.'

Hij knikte vaag. 'O, ja, leuk.'

Ik wierp een blik op onze tafel. Carla zat heel elegant een Silk Cut te ro-ken en voor zich uit te staren. Op dat moment zag ze er echt uit als een dure callgirl, ver verheven boven de wereld om haar heen. En ik vroeg me af of ze ook maar iets om me gaf, of dat ze gewoon met me naar bed was geweest omdat ik toevallig bij de hand was geweest.

'Ik hoorde dat jullie iemand hebben gearresteerd voor de moord op Mi-riam.'

'Klopt.'

'Denkt u dat hij het gedaan heeft?'

Hoe vaak was dat me al gevraagd? Alsof ik nee zou zeggen. 'Het lijkt er wel op,' antwoordde ik, maar ik dacht niet echt na bij wat ik zei. Ik stond over zijn schouder naar Carla te kijken en na te denken. Dingen te overwegen.

'Want weet u, toen ik u net zag, vond ik het raar.'

Ik keek weer naar hem. 'Raar?'

'Ja, toen ik de vrouw zag met wie u bent, dacht ik dat ze me bekend voor-kwam. En ik probeerde me te herinneren waar ik haar eerder had gezien.'

'En? Wanneer heb je haar eerder gezien?'

'Tja, dat is het rare. Ik zou het me niet hebben herinnerd als ik haar niet daar met u gezien had.'

'Waar heb je haar gezien, Norman?'

'In de gang buiten mijn flat.'

Ik probeerde de wanhoop uit mijn stem te weren. 'Wanneer? Wanneer was dat?'

'Een paar weken geleden.'

'Vóór de moord op Miriam?'

'Ja. Dat moet wel, ja.'

'Waarom heb je dat niet verteld toen we verleden week bij je langskwamen?'

Hij bespeurde mijn ongenoegen. 'Omdat u... nou ja, alleen geïnteresseerd leek in de mannelijke bezoekers die ze had ontvangen, en ik had u niet eens kunnen vertellen of ze ooit bij Miriam binnen is geweest. Ik zag haar gewoon op de gang en vond dat ze er leuk uitzag. En toen vergat ik het min of meer, tot vanavond, toen ik jullie samen zag. Er is toch geen probleem of zo?'

Ik schudde mijn hoofd, want ik was al aan iets anders aan het denken, de laatste puzzelstukjes bij elkaar aan het voegen. Het duurde even voordat ik weer iets zei. 'Nee. Geen probleem.'

'Is er iets niet in orde, man? Alles oké?'

Ik knikte langzaam en keek van hem weg. 'Ja hoor, best. Gewoon een beetje moe, meer niet.'

Dus Carla had weer gelogen. Ik had kunnen weten dat haar verhaal rammelde aan alle kanten, maar misschien was ik met te veel dingen tegelijk bezig geweest om de lacunes erin te zien. Ik keek opnieuw haar kant op, en ditmaal keek ze terug. Ik vermoed dat ze iets aan mijn gezicht moet hebben gezien wat haar vertelde dat ik het wist, want haar ogen werden groter. Drayer keerde zich om en volgde mijn blik. Hij wilde iets gaan zeggen, maar ik sloeg er geen acht op. Carla's ogen werden nog groter toen zij hem ook herkende.

Ik drong me langs Drayer heen, banjerde naar de tafel en zette de drankjes met een klap neer.

Carla stond met een bezorgd gezicht op van haar stoel. 'Hoor eens, ik kan het uitleggen. Ik wilde niet dat je wist dat ik haar betaald heb...' Ik pakte haar stevig bij de arm en trok haar naar me toe. 'Dennis, je doet me pijn.'

'En of ik je pijn doe. Je hebt me een rad voor ogen gedraaid, Carla.'

'Laat me los,' siste ze met halftoegeknepen ogen. 'Ik geef toe dat ik heb gelogen. Ik heb haar ontmoet, maar...'

'Je hebt haar niet alleen maar ontmoet, wel? Je hebt haar vermoord. En zo niet, dan weet je precies wie het wel heeft gedaan.'

'Waar heb je het in godsnaam over?' Haar gezicht was een toonbeeld van verbijstering, maar daar liet ik me niet meer door bedriegen. 'Toen we elkaar vanmorgen spraken, zei je me dat je niet wilde dat Anne Taylor net zo eindigde als Miriam Fox: dood in een of ander steegje, de keel afgesneden. Dat waren letterlijk je woorden. Weet je nog wel?'

Ze probeerde haar arm los te schudden. 'Laat me los, zei ik...'

'Maar de enigen die konden weten dat Miriam Fox de keel is doorgesneden, waren wij – de politie – en de moordenaar.'

'Nee, nee, nee.' Wild schudde ze haar hoofd. 'Ik weet niet waar je het over hebt. Je... Je beschuldigt me van moord op dat meisje. Klootzak!' Dit laatste woord gilde ze uit, en mensen draaiden zich naar ons om. Toen reikte ze met haar vrije hand omlaag, pakte haar drankje en smeet de inhoud in mijn gezicht.

De alcohol beet en ik knipperde snel met mijn ogen, waarbij mijn greep op haar arm even verslapte. Voordat ik me kon herstellen, duwde ze me in een van de stoelen, draaide zich om en stormde naar buiten.

Maar ik was niet van plan haar zo gemakkelijk te laten ontkomen; eerst wilde ik weten wat er echt was gebeurd. Terwijl ik weer opstond, wreef ik de bijtende alcohol uit mijn ogen en ging achter haar aan, maar ik had nog maar een paar passen gezet toen er een forse kerel met dreadlocks voor me opdook en me de weg versperde.

'Oké, maat, laat haar met rust.'

'Opzij. Ik ben van de politie!' snauwde ik, maar ik had de woorden nog niet uit mijn mond of ik besefte dat dit een tent was waar je maar beter niet kon uitkomen voor je banden met het onderdrukkende kapitalistische systeem.

'Nou, krijg dan maar de tering,' zei hij onbewogen, en hij gaf me een stomp tegen de zijkant van mijn hoofd.

Ik wankelde achteruit, terwijl zijn broodmagere vriendin zich aan hem vastklemde en hem waarschuwde om geen domme dingen te doen. Hij wilde tegen haar zeggen dat ze zich erbuiten moest houden, maar hij zou de zin nooit afmaken, want ik stormde toe met mijn trouwe knuppel en verkocht hem een klap voor zijn gezicht. Hij ging neer als een boom en kwam met een bevredigende dreun op de vloer terecht. Zijn vriendin zette het op een gillen. Ik bleef lopen, met mijn hoofd omlaag, regelrecht naar de deur, opnieuw geheel overrompeld door de snelle wending van de gebeurtenissen.

204

29

Het regende nog harder toen ik buiten kwam. Ik keek de straat naar beide kanten af, maar zag geen spoor van Carla. Het was daar stil die avond. Het verkeer gleed soepel voorbij en er waren niet veel mensen op de been. Zo'n 50 meter verderop zag ik een taxi die stond te wachten tot hij rechts een zijstraat kon inslaan, en ik vroeg me af of ze erin zat. Ik deed geen moeite om erachter te komen, want ik besefte dat hij allang weg zou zijn voordat ik hem bereikt zou hebben. In plaats daarvan stak ik een sigaret op, bleef staan waar ik stond en probeerde te verwerken wat ik zojuist gehoord had. Ze had me mooi voor de gek gehouden. Ik had echt gedacht dat de aantrekkingskracht wederzijds was, terwijl ze er al die tijd alleen maar op uit was geweest me om de tuin te leiden. En het had gewerkt. Veel te gemakkelijk. Er was een bushokje aan de overkant van de weg en ik rende ernaartoe terwijl ik in mijn zak naar mijn mobiel zocht. In het bushokje belde ik Malik op zijn thuisnummer. Na een paar keer overgaan nam zijn vrouw op. Ik had haar een of twee keer ontmoet, en toen ze aan de lijn kwam, vroeg ze hoe het met me was. Ik zei dat alles goed was, maar dat ik Malik dringend moest spreken. 'Het gaat over een zaak waar we aan werken.'
'Ik heb het niet zo op al die telefoontjes thuis, Dennis. Hij werkt al hard genoeg.'
'Weet ik, weet ik. Ik zou het niet vragen als het niet belangrijk was.' Met tegenzin ging ze Malik halen en een paar seconden later kwam hij aan de telefoon.
Ik draaide er niet omheen. 'Carla Graham. Je had gelijk wat haar betreft. Ze is een onbetrouwbaar, cynisch wijf, en ze is betrokken bij de moord op Miriam Fox. Hoe en waarom weet ik niet, maar ze heeft er beslist mee te maken. Ik vermoed dat er chantage in het spel is. Drayer, die dichter die we spraken toen we Miriams flat doorzochten, herinnert zich dat hij haar heeft gezien…'
'Ho, ho, Dennis. Rustig aan. Wat is dit allemaal? Wanneer heb je Drayer gesproken?'
Vanuit mijn ooghoek zag ik twee gestalten op het bushokje afkomen. Ze liepen allebei met hun hoofd omlaag, wat ik vreemd vond. Ze waren 10

meter van me af en liepen met doelbewuste tred. 'Daar. Twee minuten geleden.'

Nog 8 meter, 7 meter. Ze hadden allebei hun handen in de zakken van hun lange jassen. Malik praatte in mijn oor. Plotseling luisterde ik niet meer.

Nog 6 meter. Een van hen hief zijn hoofd, onze ogen ontmoetten elkaar en ik wist meteen dat hij hier was om me te vermoorden.

Er was niet eens tijd meer om van angst te verstijven, al gierde die door mijn lijf.

Met de telefoon nog aan mijn oor bleef ik zo normaal mogelijk kijken, wendde me langzaam af en ging er toen onverwacht als een haas vandoor, aangedreven door de adrenaline die door mijn lijf raasde. Al rennend liet ik de telefoon in mijn jaszak vallen en waagde een snelle blik over mijn schouder. Mijn manoeuvre had hen verrast, maar ze herstelden zich snel. Een van hen trok een geweer met een afgezaagde loop, de ander een revolver. Ze richtten op mij terwijl ze doelbewust doorliepen, zonder hun pas in te houden. En nog steeds waren ze maar een paar meter van me verwijderd.

Ik dacht niet na; daar had ik gewoon de tijd niet voor. In een reflex boog ik scherp af naar rechts en stak de weg over. Een auto was gedwongen om plotseling te remmen en slipte op het gladde wegdek. Ik hoorde de bestuurder kwaad iets roepen, maar ik verstond niet wat. Er klonk een explosieve knal door de avondlucht en er floot iets langs mijn hoofd, maar ik bleef rennen, bukkend en zo veel mogelijk zigzaggend om het hun moeilijker te maken me te raken. Nog meer schoten – ditmaal van de revolver. Dichtbij. Veel te dichtbij. Nog even en ik zou een kogel tussen mijn schouderbladen krijgen.

Ik kon horen dat ze recht achter me aan de straat over stormden. Ik bereikte het trottoir aan de overkant en rende gebukt verder, waarbij ik geparkeerde auto's als dekking gebruikte. Weer klonk een luid geweerschot. Een regen van glas van een achterruit daalde neer op de grond. Het was uitgesloten dat ik deze jongens zou kunnen afschudden. Zij wisten het en ik wist het. Er zat niets anders op dan door te gaan. Met mijn hoofd omlaag bleef ik zo snel als mijn benen me konden dragen over het trottoir rennen. Waarschijnlijk zou al deze moeite vergeefs zijn, maar ik was te wanhopig om me daarom te bekommeren.

Ergens uit de richting van de Gallan Club hoorde ik een vrouw een kreet van schrik slaken toen ze zag wat er aan de hand was. Een fractie van een seconde stelde ik me voor dat ze geschokt boven mijn doorzeefde lijk stond. Op dat moment was ik zo bang dat ik het bijna in mijn broek deed.

Toen ving ik onverwacht een glimp op van een man in pak die de straat over rende in een poging tussen mij en mijn achtervolgers te komen. Hij hield iets omhoog in zijn rechterhand. Een legitimatiekaart. Hij moest een lid van het team van stillen zijn dat mij volgde. 'Politie, politie! Laat uw wapens vallen!'

Hij had het trottoir achter me bereikt en stelde zich tussen mij en de schutters op. Voor me uit, aan de overkant van de straat, kon ik zijn partner zien: een kleinere, dikkere kerel die er een paar jaar ouder uitzag. Ik herkende hem meteen als de man die ik de avond tevoren aan de bar van de Chinaman had gezien: de coladrinker die liever niet over politiek praatte. Hij stond te wachten om de weg over te steken en mij in te rekenen, maar werd opgehouden door een auto die met grote snelheid naderde. 'Politie! Laat uw wapens vallen! Nu!'

Opnieuw was het de langste van de twee, maar uit de wanhoop in zijn stem bleek dat hij zich plotseling moest hebben gerealiseerd dat hij meer had aangehaald dan hij aankon. Ik bleef rennen, maar keek even over mijn schouder. Hij was 10 meter achter me en de schutters waren voor hem gestopt. Een van hen keek langs hem heen naar mij, en ik kon zien dat hem er veel aan gelegen was zijn prooi niet te laten ontsnappen.

Even bleef het stil. Automatisch vertraagde ik mijn pas terwijl het drama zich ontvouwde. Op de straat bleven auto's met nieuwsgierige bestuurders stilstaan. Daardoor kon de andere agent oversteken. Hij rende mijn kant op, maar hield tegelijk zijn collega in de gaten. Het leek wel of de hele straat dat deed.

Toen blafte het geweer opnieuw en de man die had geprobeerd mijn executie te verhinderen vloog achterwaarts door de lucht. Hij leek een onbepaald maar gedenkwaardig moment boven de grond te zweven, maar kwam toen met een klap neer alsof een onzichtbare hand hem had losgelaten. Hij bleef roerloos liggen.

Zijn collega verstarde. Nog steeds midden op de weg. Toen sloeg hij van schrik een hand voor zijn mond. Hij probeerde iets te roepen om enige greep op de chaotische situatie te krijgen, maar er kwam geen geluid uit zijn mond. En nog voordat hij in beweging kwam, kwamen mijn achtervolgers weer achter mij aan, waarbij de vent met het geweer zijn wapen al rennend herlaadde. Zijn maat met de revolver was beestachtig snel. Hij kwam met grote sprongen op me af, die me bizar genoeg aan die rechtop lopende dinosaurussen in *Jurassic Park* deden denken, en hij had een starre, maniakale grijns op zijn gezicht. Heel even had ik het gevoel dat ik in een soort vertraagde nachtmerrie terecht was gekomen waarin hij me, wat ik ook deed en hoe snel ik ook was, te pakken zou weten te krijgen. Maar ik bleef doorrennen, want ik besefte dat ik geen keus had, en durfde niet om te kijken terwijl de kogels me om de oren floten. Terwijl ik rende, vulden mijn longen en keel zich met slijm, en ik kreeg geen adem. Ik besefte dan ook dat ik slechts enkele seconden verwijderd was van het einde.

Er klonk een gil van schrik en het geluid van iemand die uitgleed. Ik keek achterom en zag dat de man met de revolver op de natte straat viel, waarbij hij het wapen in de lucht hield. Voor opluchting was geen tijd. De man met het geweer was vlak achter me en had het inmiddels herladen. Hij sprong over zijn collega heen en bleef toen staan, bracht het wapen naar zijn schouder en maakte zich op om te vuren. Nog maar 8 meter scheidden ons. Hoewel ik nog steeds rende, kon hij niet missen.

Aan mijn linkerhand doemde een afhaalchinees op. Het was mijn enige kans. Op hetzelfde moment dat hij de trekker overhaalde dook ik naar het trottoir en maakte een koprol. Het schot ging fluitend over mijn hoofd. Ik was meteen weer op de been en stormde als een losgebroken stier naar de deur van de afhaal. Hij vuurde nogmaals, maar met een duik had ik de deur al bereikt. Die vloog open en ik viel naar binnen. Ik kwam met mijn elleboog op de tegelvoer neer, maar negeerde de pijn die door mijn arm schoot.

Het liefst wilde ik een paar tellen blijven liggen waar ik lag om op adem te komen, en ik moest al mijn wilskracht te hulp roepen om mezelf te dwingen overeind te komen. Buiten hoorde ik voetstappen op het trottoir, en ik wist dat ze slechts een paar seconden van me vandaan waren. De enige klant in de zaak – een man van middelbare leeftijd met een geruit overhemd die een uitdrukking van pure ontzetting op zijn gezicht had – stond me zwijgend aan te staren. Achter de toonbank keek een jonge Chinese man, die geen dag ouder dan achttien kon zijn geweest, al even ontzet.

Ik draaide me om toen de man met het geweer bij de deur verscheen. Hij hief het wapen en de klant vloekte en viel terug op een van de stoelen, terwijl ik op de toonbank afstormde. De Chinees slaakte een ijselijke kreet en dook opzij toen ik me eroverheen liet rollen alsof het een hindernis op een stormbaan was. Met een klap kwam ik aan de andere kant neer. Toen blafte het geweer opnieuw en het glas van het menubord boven mijn hoofd explodeerde in duizend stukken, die als scherpe sneeuwvlokken om me heen vielen terwijl ik als een worm over de vloer kronkelde.

De deur met het bordje PRIVÉ – ALLEEN PERSONEEL was mijn enige uitweg. Ik stootte hem met mijn hoofd open en kroop wanhopig door de opening. Ik bevond me in een kleine gang die naar de keukens leidde. Achter me kon ik geroep horen en het geluid van iemand anders die over de toonbank kwam. Ik rende door naar de keukens, waar een handjevol Chinezen in witte kokskleding druk in de weer waren. Ze draaiden zich allemaal om toen ik binnenstoof en een van hen sprong voor me.

'Nee, nee. Verboden toegang. Geen klanten!'

Ik keek wanhopig om me heen naar een uitgang, in de wetenschap dat ik slechts enkele seconden had.

De kok, die ruim een kop kleiner was, greep me bij de revers van mijn jasje. 'Geen klanten! Weg hier!'

Hij duwde me terug en een andere, jongere kok kwam gewapend met een vervaarlijk ogend hakmes om de fornuizen heen. Achter hen, in de hoek, zag ik de achterdeur. Hij was met behulp van een stuk karton op een kier gezet. Er sloeg een golf door me heen van zowel opluchting als paniek.

Bij het geluid van snelle voetstappen in de gang achter me schreeuwde ik iets onsamenhangends en duwde de kok opzij. Hij viel in een lading potten en pannen en slaakte een kreet. De andere kok, die met het hakmes, hief dat boven zijn hoofd, en heel even dacht ik dat dit een heel domme manier zou zijn om te sterven: geveld door een vertoornde kok terwijl ik een team van professionele huurmoordenaars ontvluchtte.

Ik rukte mijn legitimatie uit mijn zak, de laatste keer dat ik die ooit nog zou gebruiken. 'Politie! Ik wil er alleen uit! Uit de weg!' Ik stormde langs hem heen en hij ging zowaar uit de weg. Er klonk een heleboel paniekerig geschreeuw om me heen, dat me vertelde dat mijn achtervolgers binnen waren.

Zonder te aarzelen trapte ik de deur open en rende ik het met vuilnis bezaaide plaatsje op. Rammelend sloeg de deur achter me dicht. Een paar meter verder zag ik een muur met een grote hoop vuilniszakken ertegenaan die uitkeek op de achterkant van een huizenblok. Ik had eropaf kunnen rennen, maar ik dacht niet dat ik eroverheen zou zijn voordat ze een kogel door mijn lijf hadden gejaagd. Het was tijd om knopen door te hakken.

Ik bedwong de neiging om dubbel te slaan en over te geven, stapte opzij en stelde me naast de deur op, niet aan de kant waar hij zou opengaan, maar erachter. Als ik dit verknalde, ging ik eraan. Geen twijfel mogelijk. Maar er was weinig tijd voor angst. Nog een seconde later hoorde ik een enorme commotie in de keukens, nog meer geschreeuw – het meeste in een vreemde taal en onbegrijpelijk – en toen vloog de deur open en kwam de man met het geweer in beeld. Hij keek automatisch naar de muur. Met een snelheid die ik niet achter mezelf had gezocht stortte ik me op hem en greep meteen het geweer beet. Ik drukte het omhoog en beukte met mijn volle gewicht tegen hem aan. De kracht en verrassing van mijn aanval drongen hem zo ver terug dat hij de deuropening blokkeerde. Tegelijk haalde hij automatisch, in een reflex, of hoe je het ook noemt, de trekker over, zonder dat hij de tijd had gehad om te beseffen dat het uiteinde van de loop zojuist recht onder zijn kin was gedrukt.

Het geluid was harder dan enig ander geluid dat ik in mijn leven heb gehoord. Het daverde in mijn oren en dreunde door mijn hele lichaam, tot in mijn tenen aan toe. Een enorme golf bloed gulpte als een vieze, warme drab over mijn gezicht toen zijn schedeldak werd weggeblazen en de inhoud hoog tegen de deur en over de ramen spatte. Hij viel naar achteren en ik rukte het geweer uit zijn hand.

Zijn partner was vlak achter hem en hij was gedwongen om uit de weg te gaan toen het lijk op de grond viel. Hij keek neer op het bloederige hoofd, toen weer naar mij. Zijn gezicht werd een masker van woede.

'Klootzak!'

Hij hief zijn revolver en ik liet me achterovervallen terwijl hij vuurde. Ik kwam neer op mijn rug op de betonnen tegels. Hij vuurde nogmaals, miste mijn hoofd op een paar centimeter na en de kogel ketste tegen het beton. Maar ik had het geweer nu zo bijgedraaid dat het naar hem wees. Nu was het mijn beurt om de trekker over te halen.

Ik wilde het geweer stabiliseren en richten, maar ik had niet genoeg tijd. Het wapen sprong op in mijn hand en een enorm, vlezig stuk van zijn linkerbeen vlak boven de knie verdween. Het been zakte onbruikbaar door en hij zakte mee. Het wapen viel uit zijn hand, al zijn energie ging op aan een gehuil van pijn. Hij zat nog steeds rechtop toen ik zijn hoofd in mijn vizier kreeg en de trekker nogmaals overhaalde.

Maar het magazijn was leeg.

De Chinezen hadden zich rond de deur verzameld en keken met een mengeling van angst, schrik en morbide opwinding op hun gezicht op de slachting neer. Ik haalde zwoegend adem, ik was uitgeput, maar het was nog niet voorbij. In de verte, boven het gesuis in mijn oren uit, hoorde ik van alle kanten het geluid van naderende sirenes, maar het klonk alsof ze nog redelijk ver weg waren.

Ik krabbelde overeind en wuifde met het wapen naar mijn toeschouwers. Ze schoten allemaal haastig uit de weg en ik kwam naderbij, greep de gewonde huurmoordenaar bij zijn haar en sleepte hem naar buiten, raapte toen zijn revolver op en stak hem in mijn zak. Ik sloot de deur en draaide me naar hem om. Zijn gehuil was nu overgegaan in een zwaar, wanhopig hijgen, afgewisseld door kleine kreten van pijn die tussen opeengeklemde kaken door naar buiten kwamen. Hij hield beide handen tegen de enorme wond in een vergeefse poging de stroom van bloed te stelpen.

Ik boog me over hem heen. 'Wie heeft je gestuurd?' siste ik tussen twee hijgen door. 'Wie heeft je gestuurd?'

Hij zag er mediterraan uit, misschien Turks, en ik schatte hem begin dertig. Hij had best de vent kunnen zijn die Danny de stuipen op het lijf had gejaagd. Waarschijnlijk was hij dat ook. Hij kon zelfs de man zijn die hem vermoord had. Want inmiddels was ik er zeker van dat hij dood was.

Hij gaf geen antwoord. Hij keek me zelfs niet aan. In de verte werd het geluid van de sirenes luider, hun aantal groter. De tijd begon te dringen. Ik sloeg hem met de kolf van het wapen op zijn handen om hem te dwingen zijn greep op de wond los te laten. Toen hij dat deed, stak ik mijn hand in het opengereten vlees en schraapte er met mijn nagels overheen. Zijn kreet zou me onder normale omstandigheden doof hebben gemaakt, maar inmiddels was ik toch al halfdoof.

'Wie heeft je gestuurd?'

'Niet begrijpen,' kermde hij hoofdschuddend. 'Niet begrijpen.'

Ditmaal sloeg ik met de kolf op de wond, en toen hij automatisch zijn handen erop legde, sloeg ik ook daarop. Hij zette het op een krijsen, dus sloeg ik hem in het gezicht om hem stil te krijgen, waarbij ik zijn lippen openhaalde. Het bloed gutste over zijn kin.

'Wie heeft je verdomme gestuurd? Vertel op! Nu! Wie?' Ik greep hem weer bij zijn haar en rukte zijn hoofd naar achteren, zodat hij me recht aankeek.

Ik denk dat hij de meedogenloosheid in mijn gezicht zag en besefte dat het geen zin had om langer tijd te rekken, ook al kwamen de sirenes nu van alle kanten dichterbij. 'Mehmet Illan,' fluisterde hij.

'Wie?'

'Mehmet Illan.'

'Wie is dat, verdomme?'

Voordat hij kon antwoorden, klonk vanuit de keukens het geluid van rennende voetstappen. Ik deed een stap terug en hief de kolf van het wapen tot boven mijn schouder. Ditmaal kwam de coladrinker hijgend het donker in rennen, recht in mijn schootsveld. Ik hoorde iemand van het Chinese keukenpersoneel met een hoge, dramatische stem 'Kijk uit!' roepen, maar daarvoor was het al veel te laat. Ik sloeg hem met de kolf vol in het gezicht en raakte hem zo hard recht op zijn neus dat die tot moes verbrijzelde en het bloed over zijn wangen spatte. Hij zeeg op zijn knieën en sloeg zijn handen voor zijn bloedende gezicht. Het was duidelijk dat hij niet langer een probleem zou vormen. Van de straat klonken stemmen die bevelen riepen. Politiemensen die deden waar ze het best in zijn: situaties onder controle krijgen.

Nog steeds op een stroom van adrenaline liet ik het wapen vallen, draaide me om en rende naar de muur, ik sprong er in één niet bepaald gracieuze beweging tegenop, alvorens me eroverheen te manoeuvreren. Ik liet me er aan de andere kant af glijden en landde op nog meer zakken vuilnis. Ik bevond me nu in iemands slecht onderhouden achtertuin. Er liep een steegje langs de zijkant van het aangrenzende huis, dus klauterde ik over de gammele schutting die de twee tuinen scheidde en liep het uit tot de volgende straat. Ik stak meteen over en rende weg in de tegenovergestelde richting van de Gallan. Al lopend veegde ik het bloed van mijn gezicht.

Achter me hoorde ik een politiewagen naderen, dus dook ik een zijstraat in en bleef rennen. De wagen reed door en zag me niet, maar ik zette mijn weg voort om snel zo ver mogelijk weg te komen van het bloedbad. Maar ik begon uitgeput te raken. Ik kreeg steken in mijn rechterzij en had moeite met ademen. Mijn benen voelden aan alsof ze me elk moment in de steek konden laten. Het enige wat me gaande hield was de angst om gepakt te worden.

En een honger naar wraak. Hoe dan ook zouden die lui die me probeerden te naaien en om het leven te brengen voor hun misdaden boeten. Ik was niet van plan me zonder slag of stoot te laten ombrengen.

Nog 100 meter, nog 150, verder kon ik niet. Half lopend, half struikelend liep ik een smoezelig ogend steegje naast een school in en vond er een plek die vanaf de weg niet te zien was. Ik ging tegen de muur zitten tot ik helemaal was uitgehijgd – wat een eeuwigheid leek te duren. Boven mijn hoofd ontlaadden de wolken hun regen op de stad. Langzaam ebde het geluid van de sirenes weg.

Een honger naar wraak. Het was het enige wat ik nog in de wereld had.

Deel 4

Het recht in eigen hand

30

Ik had de boel de boel kunnen laten. Kunnen onderduiken, een paar maanden wachten, en dan het land kunnen verlaten. Dat had ik me voorgenomen, maar uiteindelijk vond ik dat ik het er niet bij kon laten zitten. Er moesten vragen worden beantwoord en rekeningen worden vereffend. Zo simpel was het. Iedereen had me genaaid: mijn superieuren, Raymond Keen en nu zelfs Carla Graham.

Carla Graham. Het leed geen twijfel meer dat ze op een of andere manier bij de moord op Miriam Fox betrokken was geweest. Het was vrijwel zeker dat ze Miriam niet de keel had afgesneden, niet bij een wond van die omvang en diepte. Maar ze wist beslist wie het gedaan had. En waarom. Vooral het motief van haar betrokkenheid intrigeerde me, want ik kon me niet voorstellen wat dat zou kunnen zijn. Ze had gelijk wat de chantagetheorie betrof – dat leek me gewoon niet voldoende reden om iemand te vermoorden. En hoe zat het met de bewijzen tegen Mark Wells? Hadden Carla en hij de moord samen beraamd? De bewijzen tegen hem die waren gevonden boden weinig ruimte voor een andere conclusie, maar toch klopte er iets niet. En ik begreep al evenmin waarom hij na de moord naar Miriams flat was gekomen. Hij was oprecht geschokt geweest toen hij er politie aantrof. Als hij de moord had gepleegd, zou hij dat toch hebben verwacht en die plek hebben gemeden? Ik tastte nog steeds in het duister. En dat beviel me niets. Ik had natuurlijk gewoon het zinkende schip moeten verlaten, maar vermoedelijk was ik inmiddels zover heen dat het me niet langer kon schelen wat er gebeurde, zolang ik maar de kans kreeg om de mensen die mij in de maling hadden genomen te laten boeten.

Nadat ik weer op adem was gekomen en het ergste bloed van mijn gezicht had geveegd, haastte ik me die nacht via achterafstraten naar huis om andere kleren aan te trekken. Toen pakte ik een taxi op City Road en liet me naar Liverpool Street Station brengen, stapte daar op de ondergrondse, nam de Central Line helemaal door de stad terug naar Lancaster Gate en begaf me toen deels lopend, deels met de bus naar Bayswater. Het was vijf voor elf toen ik aankwam bij het hotel waar ik een kluisje had. Ik kende de eigenaar vaag van mijn eerdere bezoeken. Toen ik naar binnen liep, zat hij achter de balie in de krappe foyer een stinkend soort sigaret te roken en op een draagbare televisie naar voetbal te kijken. Hij knikte toen ik dichterbij kwam en hem zei dat ik een kamer wilde. Zonder zijn blik los te maken van de televisie boog hij zich naar achteren, pakte een sleutel van een van de genummerde haken aan de muur achter hem en legde hem op de balie.

'20 pond per nacht,' zei hij met een zwaar buitenlands accent. 'Plus twintig borg.'

Ik zei hem dat ik wilde boeken voor drie nachten en telde vier biljetten van twintig neer. Hij pakte het geld, nog steeds zonder zijn ogen van de televisie af te wenden. 'De trap op naar de tweede verdieping. Het is aan de rechterkant.' Een van de voetbalploegen maakte een doelpunt en de commentator schreeuwde opgewonden in het Arabisch of Turks of iets dergelijks, maar de eigenaar vertrok geen spier. Ik nam aan dat hij voor de andere ploeg was.

De kamer was klein en gestoffeerd in de stijl van de jaren zeventig, een afstotelijke combinatie van oranje en paars, maar hij zag er schoon uit en dat was mij goed genoeg. Bovendien had ik hier privacy. In dit hotel, waar de rest van de gasten vrijwel zeker pasgearriveerde illegale immigranten en asielzoekers waren, en waar de eigenaar waarschijnlijk niet zo gauw uit zichzelf naar de politie zou lopen, zou ik niet snel ontdekt worden.

Ik trok mijn kleren uit en ging op het bed liggen, stak een sigaret op en zuchtte diep. De jacht was nu geopend, maar de politie bevond zich nog steeds in een lastig parket. Ze konden niet gewoon mijn foto in de krant van morgen zetten. Het mocht dan voor de hand liggen dat ik betrokken was geweest bij de moorden bij het Traveller's Rest, maar ze konden er niet 100 procent zeker van zijn dat ik geen alibi had voor die avond. Voor hetzelfde geld had ik een minnares in Clavering die ik stiekem opzocht; ik kon haar op de avond in kwestie hebben opgezocht. En misschien was het puur toeval dat de moordenaar zo op mij leek. Voor de eerste en waarschijnlijk laatste keer in mijn leven was ik de wetgevers van dit geweldige land dankbaar dat ze de wet zo in het voordeel van de criminelen hadden ingericht. Ze hadden harde bewijzen tegen me nodig, en misschien hadden ze er op dat moment nog niet voldoende. Ze zouden vast en zeker alles in het werk stellen om me te vinden, maar zouden dan nog steeds met één hand gebonden zijn. Daarom en nergens anders om had ik het gevoel dat er nog steeds hoop was dat ik aan arrestatie zou ontkomen.

Ik drukte de sigaret uit en bleef een tijdlang op mijn rug naar het plafond staren en me afvragen waar ik over een jaar zou zijn. Of zelfs over een week. Op de gang sloeg een deur en ik hoorde een heleboel geschreeuw in een vreemde taal. Een man en een vrouw die ruziemaakten. Het duurde ongeveer twee minuten en toen hoorde ik iemand de trap af rennen. Ik pakte de mobiel en vroeg me af of het zin had om Danny nog eens te proberen.

Ik besloot van niet. Op een of andere manier wist ik dat hij niet zou opnemen.

Ik zuchtte. Ergens was Raymond Keen zich nu aan het ontspannen, van de vruchten van zijn succes aan het genieten. Het zou niet lang duren voordat hij erachter kwam dat de aanslag op mijn leven was mislukt, iets wat hem niet bepaald lekker zou zitten.

En het zou ook niet lang duren of hij zou merken dat hij een grote vergissing had begaan door mij het zwijgen te willen opleggen.

31

De volgende morgen verliet ik het hotel even na achten in de kleren die ik de vorige avond had aangetrokken, en wandelde richting Hyde Park. Het was een frisse ochtend met een waterig zonnetje dat met moeite door het dunne wolkendek heen prikte. Ik maakte een tussenstop in een café op Bayswater Road voor ontbijt en koffie en maakte van de gelegenheid gebruik om de kranten in te kijken.

Zoals ik wel had verwacht, was het vuurgevecht in de Gallan voorpaginanieuws. Op het moment van ter perse gaan waren de details echter nog vrij beperkt geweest. Ze hadden de naam van de dode rechercheur, David Carrick, leeftijd 29 jaar, maar de man die ik had gedood bleef naamloos. Ik vroeg me af of ze er ooit achter zouden komen wie hij was. Het verslag bevestigde dat een derde man schotwonden had opgelopen. Hij lag nu onder politiebewaking in het ziekenhuis, waar de artsen zijn toestand als ernstig maar niet kritiek omschreven. Voor het grootste deel draaide het verhaal om het drama van de schietpartij, met de onvermijdelijke getuigenverslagen, maar het was duidelijk dat de schrijvers geen idee hadden van de achtergrond ervan. Ze citeerden een van de waarnemend korpschefs, die zei dat het vuurwapengeweld in Londen weliswaar toenam, maar dat ze het onder controle hadden, al dacht ik niet dat veel lezers hem zouden geloven. Het hoofdartikel ging ervan uit dat drugs het motief achter de schietpartij waren en betoogde dat de regering radicaal zou moeten ingrijpen om de vraag onder de jeugd de kop in te drukken. Op zich een redelijk standpunt, al stond het nog te bezien of drugs werkelijk het motief in deze zaak waren geweest. Het was nog steeds een raadsel waar Raymond en zijn partner, Mehmet Illan, zich mee ingelaten hadden. Het enige waar je zeker van kon zijn was dat het zowel illegaal als zeer winstgevend was. Het kon net zo goed drugs als iets anders zijn.

Toen ik uitgegeten en uitgelezen was, liep ik over Bayswater Road in de richting van Marble Arch en ik bleef staan toen ik even opzij van de weg een telefooncel tegenkwam. Ik wist niet zeker hoe Malik op mijn telefoontje zou reageren – niet best waarschijnlijk – maar hij bevond zich in een betere positie dan ik om iets aan de zaak-Miriam Fox te doen.

Hij nam zijn mobiel vrijwel meteen op. 'Met brigadier Malik.'

'Asif, ik ben het. Kun je vrijuit praten?'

Even bleef het stil.

'Over mijn telefoontje van gisteravond…'

'Wat is er verdomme aan de hand, Dennis? Het verhaal gaat dat je bij allerlei rotzooi betrokken bent, dat je iets te maken had met die schietpartij van gisteravond. Er is een politieman omgekomen…'

'Ik zal er niet omheen draaien, Asif. Ik heb wat problemen gehad. Ik heb me ingelaten met een paar foute lui…'

'O, shit, Dennis. Uitgerekend jij. Waarom moet jij het verdomme zijn?' Hij klonk oprecht gekwetst.

'Het is niet wat je denkt.'

'O, nee? Ze zeiden vanmorgen dat je verdacht wordt van de moorden bij het Traveller's Rest. Was je daarom zo geïnteresseerd in de voortgang van het onderzoek?'

'Jezus, Asif. Ik ben het. De man met wie je vier jaar lang hebt samengewerkt. Geloof je nou echt dat ik een drievoudig moordenaar ben?' Ik was me ervan bewust dat er waarschijnlijk meer mensen met dit gesprek meeluisterden en dat ze het zouden proberen te traceren.

'Wat deed je daar dan die avond? Ze zeiden dat je bij een wegblokkade dicht bij het hotel bent aangehouden.'

'Ja, ik ben daar aangehouden, maar ik kwam van Clavering. Ik heb daar een vriendin, iemand die ik af en toe opzoek.'

'Je hebt het anders nooit over haar gehad.'

'Ze is getrouwd. Je zou het niet hebben goedgekeurd. Maar daar bel ik niet om. Geloof wat je wilt geloven, daar kan ik niets aan doen. Ik bel omdat ik wil dat je Carla Grahams doopceel licht. Zij is beslist betrokken bij de moord op Miriam Fox, en misschien ook bij die andere verdwijningen waar ik je over vertelde.'

'Hoe weet je dat?' Hij probeerde me aan de praat te houden, zeker weten.

'Ik weet het gewoon. Ze wist dingen die alleen een insider kon weten. Dat staat als een paal boven water. Ik vraag alleen of je haar wilt doorlichten, haar achtergrond natrekken. Misschien kun je zelfs die Wells nog wat meer onder druk zetten.'

'Dat kan niet. Hij is in staat van beschuldiging gesteld.'

Ik slaakte een diepe zucht. 'Trek gewoon haar achtergrond na. Meer vraag ik niet.'

'Oké, ik zal zien wat ik doen kan.' Er viel een korte stilte. 'Waarom zaten die kerels gisteravond achter je aan?'

'Ik ben stom geweest. Ik raakte betrokken bij iets waar ik buiten had moeten blijven, en nu willen ze me laten boeten.'

'Ik had nooit gedacht dat u corrupt zou zijn, brigadier... Dennis. Waarom dacht je in godsnaam dat je ermee weg zou kunnen komen?'

Ik negeerde de vraag. 'Het spijt me. Het spijt me echt.' Ik wilde iets anders zeggen, maar ik wist niet wat. Daar had ik trouwens geen tijd voor. Hij begon de vraag te herhalen, maar ik hing op, teleurgesteld dat zelfs hij nu tegen me was. Maar ook niet heel erg verbaasd.

Ik stak op een holletje de weg over om Hyde Park in te gaan. Ik voelde me een paria. Ik dacht niet dat ze voldoende tijd hadden gehad om me te traceren, maar het had geen zin om te blijven plakken en het tegendeel bewezen te zien, dus begaf ik me met een omweg terug naar Bayswater. Het volgende punt op mijn programma was de aankoop van wat kleren en een tandenborstel.

32

Terwijl de dag zich voortsleepte, kon ik me ik niet aan de indruk onttrekken dat Carla Graham zou wegkomen met haar rol in de moord op
Miriam Fox. Malik had niet bijster geïnteresseerd geklonken in wat ik te
zeggen had. Zelfs als hij me geloofde, kon ik het wel vergeten dat Knox
of Capper of iemand anders er iets mee zou doen. Op basis waarvan zou
dat immers moeten gebeuren? Op het woord van een dubieuze politieman die nu op de vlucht was.

Het zat me dwars dat het recht zijn loop niet zou krijgen. Natuurlijk, je
kunt zeggen dat het recht maar zelden zijn loop krijgt in deze wereld en dat
de meeste misdaden onbestraft blijven, maar dat was het punt niet. Ik wist
dat Carla Graham fout was geweest en ik wilde dat ze er verantwoording
voor zou afleggen. Daarnaast wilde ik weten of zij enig licht kon werpen op
wat er met Molly Hagger en Anne Taylor was gebeurd. Ik was er inmiddels
vrij zeker van dat Molly dood was, en het was belangrijk dat ik erachter
kwam waarom en hoe ze aan haar eind was gekomen. En door wiens hand.
Het zou, dacht ik, een manier zijn om voor mijn vele zonden te boeten.
Zelfs als niemand ooit zou beseffen dat ik de zaak had opgelost en de daders had gestraft, zou ik tenminste het genoegen smaken dat ik me in mijn
eigen ogen had gerehabiliteerd. Dat was beter dan niets, heel wat beter.

Het zou niet gemakkelijk worden om Carla vrijwillig aan de praat te
krijgen, besefte ik. Haar kennende zou ze allang iets hebben verzonnen
om te verklaren waarom ze op de hoogte was van de manier waarop
Miriam Fox aan haar eind was gekomen – ze was duidelijk zeer creatief
op dat punt. Bovendien zou ze zich ten volle bewust zijn van het feit dat
één verspreking tegen een man die zojuist uit het politiekorps was gestapt juridisch niet veel zoden aan de dijk zette. Maar haar aan de praat
krijgen zou ik. Carla Graham was een harde tante, die had laten zien dat
ze tegen een pittige ondervraging bestand was, maar ditmaal zou ze daar
niets mee opschieten. Ik zou haar in een zeer onofficiële hoedanigheid
opzoeken. En zonder dat ik iets te verliezen had.

Tegen vier uur die middag had ik mijn strategie uitgestippeld. Om tien
over vier vond ik een telefooncel in Kensington, belde de *North London*

Echo en vroeg naar Roy Shelley. Ik werd in de wacht gezet met *Heard it Through the Grapevine* van Marvin Gaye, en het duurde bijna een minuut voordat hij eindelijk aan de lijn kwam.

'Dennis Milne. Krijg nou wat, jou heb ik een tijd niet gesproken. Wat wil je? Je abonnement vernieuwen?'

'Nee, misschien heb ik iets voor je. Iets wat een heleboel kranten verkoopt.'

'O, ja?'

'Maar ik heb eerst iets van jou nodig.'

'Je neemt me toch niet in de maling, Dennis? Niet om het een of ander, maar ik heb geen zin om mijn tijd te verdoen. Er staan hier momenteel nogal wat banen op de tocht en ik wil niet voor in de rij komen te staan.'

'Je komt achter in de rij als je dit verhaal publiceert, Roy. Het wordt een klapper, dat zweer ik je. Het soort verhaal waar de landelijke bladen van smullen.'

Ik kon zijn oren bijna horen groeien aan de andere kant van de lijn. Ik kende Roy Shelley al heel lang. Hij was wat je noemt een verslaggever van de oude stempel. Een pief die sneller informatie kon vergaren dan enige diender die ik kende.

'Kun je me een hint geven?' vroeg hij. 'Gewoon om een idee te krijgen van wat ik kan verwachten.'

'Nog niet, maar ik beloof je dat het vele malen beter is dan je je kunt voorstellen. Het zou wel eens het beste verhaal van je loopbaan kunnen worden. Maar zoals ik al zei: ik heb eerst iets van jou nodig.'

'Wat dan?' Hij klonk argwanend.

'Zegt de naam Mehmet Illan je iets?'

Hij dacht even na. 'Nee. Moet dat?'

'Ik weet het niet. Maar kun je me een plezier doen en zijn doopceel lichten? Het is een Turk, denk ik.'

'Met zo'n naam lijkt dat me ook, ja.'

'Ik heb zo'n vermoeden dat hij ergens in Noord-Londen woont, en hij is beslist betrokken bij een heleboel dubieuze zaakjes.'

'Wat voor dubieuze zaakjes?'

'Ik ben er niet 100 procent zeker van, maar als je genoeg rondvraagt, zul je vast wel mensen vinden die hem kennen. Maar probeer het wel discreet te doen.'

'En speelt die vent een rol in het verhaal dat jij hebt?'

'Ja, hij speelt er een rol in. Maar niet alleen hij. Er speelt nog veel meer. Hoe snel kun je me informatie over hem bezorgen?'

'Het kan een dag of twee aanlopen.'

'Dat is te lang, Roy. Ik heb het snel nodig. Hoe eerder ik het heb, hoe eerder jij je verhaal krijgt.'

'Dennis, ik weet niet eens wie die vent is.'

'Ja, maar daar kun jij achter komen. Daarom bel ik jou. Ik ben momenteel niet bereikbaar, maar ik bel je morgenvroeg om tien uur terug. Het zou prettig zijn als je de informatie dan hebt.'

'Het is het toch allemaal wel waard, Dennis?'

'Beslist. Ik zweer het je. En nu nog iets anders.'

'Ja?'

'Wat je ook doet, vertel niemand dat ik je gebeld heb. En probeer me ook niet te pakken te krijgen. Ik kan even niet uitleggen waarom, maar het zal allemaal binnenkort onthuld worden.'

'Godallemachtig, je klinkt verdorie als een boek van Robert Ludlum. Geef me ten minste een idee waarover het gaat.'

'Roy, als dat kon zou ik het doen. Maar het kan niet. Dat kan pas over een dag of twee. Je moet even geduld hebben. Dat is het beslist waard.'

Hij wilde me nog een vraag stellen, maar ik groette en hing op.

Daarna belde ik nog iemand, maar die was niet aanwezig. Maakte niet uit. Het kon wachten.

Ik stapte de telefooncel uit en hield een langsrijdende taxi aan. Ik liet me halverwege Upper Street afzetten, betaalde en ging mijn auto ophalen, die in een zijstraat op een paar honderd meter van mijn flat geparkeerd stond. Ik besefte dat ze naar me zouden uitkijken voor het geval ik dom genoeg was om naar huis terug te gaan, maar ze zouden maar een paar mannetjes bij mijn flat hebben geposteerd, en mijn auto stond ver genoeg weg om onopgemerkt te blijven. Tot mijn opluchting stond hij nog op de plek waar ik hem een week eerder had achtergelaten – voor Londen is dat heel wat. Hij startte ook meteen. Misschien begon ik het geluk aan mijn kant te krijgen.

Mijn eerste halte was Camden Town. Na lang speuren vond ik een vrije parkeerplek in een woonstraat, daarna liep ik eerst naar Camden High Street om me te oriënteren en ging toen op Coleman House aan. Ik passeerde de pub waar ik pas een week geleden voor het eerst iets met Carla had gedronken en ging na een korte aarzeling naar binnen. Om deze tijd van de middag was het er nog stil; ik zag alleen een paar studenten, oude mannetjes en onbemiddelbare werklozen. Dat zou allemaal in een halfuur veranderen, wanneer de kantoren sloten.

Ik bestelde een biertje aan de bar en vroeg de barman waar de telefoon was. Hij zei me dat die in de gang naar de toiletten hing. De telefoon was vrij, dus draaide ik het nummer van de receptie van Coleman House.

'Kan ik Carla Graham spreken?' vroeg ik zo officieel als ik kon opbrengen.

'Ze is momenteel niet aanwezig,' zei de stem aan de andere kant van de lijn, een vrouw wier stem ik niet herkende. 'Met wie spreek ik?'

'Met Frank Black. Black's Kantoorartikelen. Ze had ons gebeld. Van enkele artikelen wilde ze de prijs weten.'

'Zal ik u doorverbinden met haar assistente, Sara?'

'Nou, ik moet eigenlijk mevrouw Graham zelf spreken. Weet u wanneer ze weer terug is?'

'Ik ben bang dat ze pas morgen weer aanwezig zal zijn. Ze is vanmiddag naar een seminar.'

Ik zei dat ik terug zou bellen en hing op. Daarna probeerde ik nogmaals het nummer van Len Runnion, maar daar werd niet opgenomen.

Ik ging terug naar de bar, nam een kruk die uitkeek op de muur bij de deur en dronk mijn bier. Langs de hele wand hing een spiegel op hoofdhoogte, en mijn spiegelbeeld staarde droefgeestig naar me terug. Ik zag er verlopen uit, vooral omdat ik me die dag niet geschoren had. Expres niet. Ik liet mijn baard nu staan om op de foto in mijn paspoort te lijken. Ik zou ook wat dikker moeten worden. Op de foto was ik minstens 3 kilo zwaarder, en om aan de veilige kant te blijven wilde ik nog 3 kilo aankomen. Ik was voor de lunch naar een McDonald's gegaan, wat een goed begin was geweest, maar ik zou die avond al even vet moeten eten wilde het zoden aan de dijk zetten. Van nu af aan stond ik tot nader order op een dieet van grote hoeveelheden vet en ongezond eten. En waarschijnlijk zou ik een van de eerste mensen ter wereld zijn die daar wel bij zou varen.

Ik had het gevoel dat ik vreselijk veel moed nodig had voor wat ik op het punt stond te doen, dus bestelde ik nog een glas bier en ik dronk het op bij een paar sigaretten en een zak chips met kaas- en uiensmaak, waar ik geen zin in had maar die ik vast nodig had. Tegen de tijd dat ik die op had, was het voorspelde kantoorpersoneel verschenen en stond de bar vol met luidruchtige mannen in krijtstreepkostuums en jonge secretaresses die uit de band wilden springen. De klok boven de toog vertelde me dat het tien voor halfzes was. Buiten was het allang donker en de straten krioelden van de forensen en vroege kerstklanten. Overmorgen zou het al 1 december zijn. Het jaar was snel gegaan, zoals altijd. Ditmaal zou ik echter blij zijn als het voorbij was. Achteraf zou het misschien een gedenkwaardig jaar zijn, maar beslist om de verkeerde redenen.

Tegen de tijd dat ik terugliep naar mijn auto, was het gaan regenen. Ik sprong in de auto en worstelde me door het tergend trage spitsverkeer. Ik hoopte maar dat ik eerder bij Carla's flat was dan zij. Mijn plan was om buiten te wachten tot ze arriveerde en haar dan bij de deur te onderscheppen. Ik zou proberen om met louter charme binnen te komen – ik wilde geen scène maken – maar als ze niet mee wilde werken, zou ik de revolver trekken die ik me de vorige avond had toegeëigend. Ik dacht niet dat ze daarvan terug zou hebben. Daarna zou het een kwestie van improviseren worden.

Maar het verkeer was veel hopelozer dan ik had verwacht en ik kon het adres niet meteen vinden, dus het was al ruim na zessen toen ik Carla's doodlopende straat in reed. Ik wurmde de auto op een parkeerplek op ongeveer 20 meter van het pand waar ze woonde en zette de motor af. Door de uitgestrekte kale takken van een beukenboom kon ik haar flat onderscheiden. Er brandden verschillende lampen. Dus ze was thuis.

Ik vloekte in stilte. Ik had eerder moeten vertrekken in plaats van boven mijn biertje te hangen. Nu zou het een stuk lastiger worden om binnen te komen. Ik stak een sigaret op en ging mijn mogelijkheden na. Ik dacht niet dat ze me zou binnenlaten als ik aanbelde. We waren niet bepaald in harmonie uit elkaar gegaan, en ze had geen reden om met me te praten. Wat moest ik zeggen? Dat ik boven wilde komen om haar opnieuw van moord te beschuldigen? Inbreken was ook een optie, maar ik herinnerde me dat het beveiligingssysteem van het gebouw geavanceerd was. De deur was nieuw en het slot was erg degelijk. Ik dacht niet dat mijn inbraakvaardigheden zover reikten, niet zonder gereedschap.

Dus was het wachten op een gelegenheid. Ik rookte de sigaret op, nam een slok van een flesje cola dat ik bij me had, stak nog een sigaret op en vroeg me af wat ik zou gaan doen als en wanneer ze haar aandeel in de zaak zou toegeven.

Ik kon haar moeilijk als burger opbrengen, niet in mijn positie, en ik dacht niet dat ik de moed had om haar in koelen bloede te doden. Veel mogelijkheden had ik dus niet. Toch had ik het onbenoembare gevoel dat ik er juist aan deed om hier te komen. Dat ik dit tot de bodem moest uitzoeken voordat ik verder kon gaan met mijn leven.

Ik denk dat ik er zo'n tien minuten moet hebben gestaan, misschien ietsje minder, toen er een auto de doodlopende straat in reed, op zoek naar een parkeerplaats.

Ik zakte onderuit in mijn stoel om niet gezien te worden, en de auto reed door. Toen hij aan het eind was gekomen, keerde hij tergend langzaam in de beperkte ruimte die beschikbaar was en reed weer terug. Even later zag ik de bestuurder, een zakenman van middelbare leeftijd, aan Carla's kant van de weg voorbijlopen. Hij bleef staan toen hij bij Carla's pand was en zocht in zijn zak naar zijn sleutels.

Ik stapte uit de auto, stak de straat zo nonchalant mogelijk over en liep achter hem aan de trap op. Hij hoorde mijn voetstappen en draaide zich snel om met de angstige blik die stadsbewoners vertonen als er in het donker iemand achter hen opduikt. Zijn gezicht ontspande zich een beetje toen hij zag dat het een man in overhemd en stropdas was, maar hij bleef op zijn hoede.

'Kan ik u helpen?'

Ik diepte mijn legitimatie op en hield hem die voor. 'Ik kom voor Carla Graham,' zei ik met gezaghebbende stem, terwijl ik hem recht in de ogen keek. 'Ik heb gehoord dat ze op de bovenste verdieping woont.'

Hij stak zijn sleutel in het slot. 'Dat klopt. Nou, dan kunt u het best even aanbellen...'

'Ik heb liever niet dat ze weet wie het is. Ziet u, ik ben er niet 100 procent zeker van dat ze ons zal willen spreken.'

Hij keek me bevreemd aan, maar kwam uiteindelijk tot de slotsom dat ik waarschijnlijk was wie ik zei dat ik was, en hij draaide de sleutel om in het slot. 'Ik neem aan dat u de weg weet,' zei hij, terwijl ik achter hem aan naar binnen liep.

'Ja zeker. Dank u wel.'

'Het spijt me dat ik wantrouwig overkom.'

'Groot gelijk. Je kunt vandaag de dag niet voorzichtig genoeg zijn.'

Hij liep door de gang naar achteren en ik liep de trap op, denkend aan de avond drie dagen geleden toen ik hem voor het eerst op gelopen was. Sindsdien was er veel veranderd. Toen ik de tweede verdieping bereikte, bleef ik voor haar deur staan en spitste mijn oren. De televisie stond hard aan. Het klonk alsof hij op de nieuwszender stond. Ik drukte mijn oor tegen de deur en probeerde andere geluiden te onderscheiden, maar ik hoorde niets.

Ik probeerde de deurknop, maar die gaf niet mee. De deur was gesloten, dus boog ik voorover en bekeek het slot. Het was een gemakkelijk type. Ik stak mijn hand in mijn zak, haalde een creditcard uit mijn portefeuille en manoeuvreerde die in de kier tussen deur en kozijn. Het slot bood geen weerstand en langzaam draaide ik de knop om.

Ik stapte de gang in, deed de deur zachtjes achter me dicht en deed de ketting erop om haar op te houden voor het geval ze probeerde te ontsnappen. In de gang zelf brandde geen licht, maar aan mijn linkerhand stond de deur van de zitkamer open en daar kwam wat licht vandaan. Ik bleef stilstaan en luisterde opnieuw.

Zo stilletjes mogelijk stak ik mijn hoofd om de zitkamerdeur.

De kamer was leeg. In de hoek stond de televisie te schetteren: een verslaggever op een of andere stoffige oorlogslocatie gaf een dramatisch commentaar op het conflict dat hij versloeg. Een halfvolle kop koffie stond op de teakhouten salontafel en ernaast een asbak met twee sigarettenpeuken erin. Ik wachtte even, liep toen naar binnen, maar hoorde nog steeds nergens geluid vandaan komen. Ik boog me en doopte mijn vinger in de koffie. Die was koel, maar niet koud. Misschien een halfuur oud. Hoogstens.

Ik trok me terug naar de gang. Meteen rechts van me was de keuken. De deur was half gesloten, maar het licht was aan.

Ik duwde hem open en keek even naar binnen, maar net als de zitkamer was hij leeg. Toen waren er nog twee kamers over. Een ervan was de badkamer, recht tegenover me op het eind van de gang. De deur ervan stond wijd open. Ik sloop erheen, wachtte even, stak toen mijn arm eromheen en trok aan het lichtkoordje.

Leeg.

Toen was alleen de slaapkamer nog over.

Ik nam aan dat ze even de deur uit was gelopen of dat ze vroeg onder de wol was gekropen. Het maakte niet uit. Ik kon wachten, geen probleem. Ik had niet het idee dat ze achter de deur romantisch bezig was, anders had ik haar moeten kunnen horen. Carla was geen stil type in bed.

Ik stapte naar voren en luisterde even aan de deur. Ook nu alleen stilte.

Langzaam, heel langzaam draaide ik de knop om. De deur ging piepend open.

Het was aardedonker. Zelfs zonder te kijken wist ik dat de gordijnen gesloten waren. Ik stapte naar binnen, wachtte even en tastte toen naar het lichtknopje, terwijl ik me probeerde te herinneren aan welke kant van de deur het zat. Nog steeds geen geluid. Helemaal niets.

Ik koos de rechterkant, vond het licht en deed het aan. Het was onverwacht fel en ik knipperde met mijn ogen.

Het kostte me twee, misschien drie seconden om de grote donkere vlek te zien die zich tot hoog op de muur boven haar kingsize bed uitspreidde. Eronder, op haar buik op de met bloed besmeurde lakens, onder een ietwat scheve hoek ten opzichte van de muur, de armen en benen wijd gespreid, lag het volledig geklede lijk van Carla Graham. Ze droeg een witte blouse, waarvan hele stukken nu rood waren, een zwarte pantalon en sokken. Een van haar bedlampjes was van het nachtkastje gevallen en lag nu op zijn kant op de vloer, het enige opvallende bewijs van een worsteling, en haar handen hadden grote proppen van de lakens vast. Er hing een vage, muffe geur in de kamer, maar niets wat ook maar in de buurt kwam van de scherpe stank in het rouwcentrum nadat Raymond Barry Finn had vermoord.

Nog niet goed in staat te geloven wat ik zag, stapte ik naar voren en liep aarzelend op het lichaam af. Ik was niet van plan het aan te raken, niet zonder handschoenen, maar ik wilde nagaan of ze echt dood was, hoewel het met al dat bloed moeilijk te geloven was dat ze nog leefde.

Haar ogen waren open. Wijdopen. Ze stonden angstig. Maar op een of andere manier was ze nog steeds mooi, zelfs nu. Het had iets kunnen worden tussen ons. Echt waar. Op dat moment voelde ik een bittere spijt dat het zover was gekomen.

De gapende wond in haar keel ging deels schuil achter haar haar, maar ik kon zien dat hij heel diep en breed was... Net als de wond die een eind aan het leven van Miriam Fox had gemaakt. Uit mijn ooghoek zag ik een druppel bloed langzaam over de muur omlaagglijden. Ik keek weer naar Carla's keel. Het bloed sijpelde nog steeds uit de wond, hoewel de stroom nu was afgenomen tot een smal beekje.

Ze moest kortgeleden gestorven zijn. Zeer kortgeleden. Tien, vijftien minuten. Op z'n hoogst. Het bloed was nog niet eens gestold. Ik had zo'n tien minuten buiten in de auto gezeten. Niemand had in die tijd het pand verlaten. Het had me vijf minuten gekost om de trap op te lopen, de flat door te lopen en in de kamer te komen waar ik nu stond. Dat was vijftien minuten. Volgens mijn schatting moest ze een kwartier geleden nog hebben geleefd.

Wat maar één ding kon betekenen.

Ik hoorde de beweging achter me en draaide me om op hetzelfde moment dat het mes in een grote boog door de lucht flitste, nog steeds druipend van Carla's bloed. Ik sprong achteruit en botste tegen het nachtkastje. Het lemmet zoefde gevaarlijk dicht langs me heen, zo dichtbij dat niet meer dan een duimbreedte me van een wisse dood scheidde.

Mijn belager was een forse kerel, ruim 1 meter 80 en zwaargebouwd. Hij droeg een zwarte honkbalpet, die hij diep over zijn ogen had getrokken, maar de blik van ijzeren vastberadenheid eronder was duidelijk te zien. Er was geen denken aan dat hij me in leven zou laten. Niet nu ik hem gezien had.

Hij wankelde een beetje door de kracht van zijn uithaal, en ik sprong naar voren, greep hem bij beide polsen en schopte hem zo hard als ik kon tegen zijn schenen. Hij vertrok zijn gezicht van pijn, maar hij bleef op de been, duwde me terug tegen het nachtkastje en wrong zich los uit mijn greep.

Toen hij beide handen weer vrij had, stootte hij het mes snel omhoog naar mijn buik, maar ik sprong opzij en kwam op mijn rug neer op het bed, met mijn hoofd op Carla's nog steeds warme lichaam. Ik voelde de van bloed doordrenkte lakens tegen mijn lijf plakken. Ik probeerde van me af te schoppen toen hij het enorme mes boven zijn hoofd hief, maar zijn benen stonden tegen de mijne gedrukt, zodat ik me bijna niet kon bewegen. Hij bracht het mes met kracht omlaag, maar ik wrong me heftig opzij, greep zijn arm met beide handen beet, duwde hem naar één kant en drukte hem met alle kracht die ik kon opbrengen tegen de muur. Hij liet het mes niet los. In plaats daarvan stompte hij me met zijn vrije hand hard in het gezicht en ik voelde een verschrikkelijke pijn door mijn wang schieten. Met een triomfantelijke blik in zijn ogen gaf hij me nog een dreun en mijn zicht begon wazig te worden.

Toen veranderde hij plotseling van tactiek. Hij hield op met slaan en reikte opzij om het mes over te pakken uit de hand die ik tegen de muur had gepind. Daardoor nam de druk op mijn benen af en voordat hij de kans had om nogmaals toe te steken, trapte ik wild van me af en raakte hem op zijn knie met de hak van mijn nieuwe schoenen. Hij sprong achteruit om mijn voeten te ontwijken, waarbij zijn pet af vloog en een dikke kop ongekamd haar zichtbaar werd. Het verlies leek hem even af te leiden, zoals Samson die zijn lokken verliest, en ik maakte van de gelegenheid gebruik om over het bed te rollen. Over Carla's natte, glibberige lichaam heen.

Het leek een eeuwigheid te duren voor ik eindelijk met een klap aan de andere kant neerkwam. Ik kon horen dat mijn belager om het bed heen liep, en ik zocht wanhopig in de zakken van mijn jas naar de revolver die ik me de avond tevoren had toegeëigend. Ik kreeg het wapen te pakken en probeerde het uit mijn zak te trekken, maar het bleef in de stof haken. Hij kwam nu helemaal in beeld. Hij zette zijn pet weer op en hief het mes dreigend omhoog. Gevaarlijk dichtbij. Ik voelde de stof van mijn jaszak scheuren. In een paniek die alles dreigde te bederven, bleef ik wanhopig rukken.

Ineens kwam het wapen los en kon ik het heffen, de loop op mijn belager gericht. Hij zag het en bleef als aan de grond genageld staan. Toen nam hij een razendsnelle beslissing en rende naar de deur. Ik vond de veiligheidspal, zette hem om, ging overeind zitten en richtte. Hij was bijna de deur uit, maar ik slaagde erin een schot te lossen. Mis. De kogel boorde zich boven in het deurkozijn. Hij bleef lopen en verdween uit het zicht, en ik sprong op en zette de achtervolging in.

Toen ik in de gang kwam, was hij bij de voordeur met de ketting in de weer. Hij draaide zich om, keek me uitdagend aan en trok de deur open. Ik vuurde nogmaals terwijl hij de trap af begon te lopen, maar opnieuw was het schot er ver naast. Het was geen wonder dat de Turk me de vorige avond niet had weten te raken. Dit wapen richtte zo onzuiver dat ik op het plafond had moeten richten om mijn doelwit ergens te raken.

Ik hoorde zijn zware voetstappen de trap afdalen, met twee treden tegelijk. Ik zou hem onmogelijk nog te pakken krijgen, dus bleef ik staan waar ik stond, hijgend van de inspanning en behoorlijk geschrokken. Dat had weinig gescheeld. Veel te weinig. Twee aanslagen op mijn leven in 24 uur, allebei op een haar na geslaagd. Tot nu toe was ik er heelhuids van afgekomen, maar mijn geluk zou een keer opraken. Dat was slechts een kwestie van tijd.

En uit Carla Graham zou ik nooit meer iets loskrijgen.

Maar uit haar moordenaar wel. En gelukkig kende ik hem. In elk geval zijn naam.

Er bestaat een waar gebeurd verhaal dat als volgt gaat: een 32-jarige man had ooit een 10-jarig meisje ontvoerd. Hij nam haar mee naar zijn groezelige flat, bond haar vast op het bed en onderwierp haar een uur lang aan een walgelijke seksuele beproeving. Waarschijnlijk zou hij haar vermoord hebben – hij schijnt in het verleden te hebben opgeschept dat hij graag jonge meisjes voor de kick doodmaakte – maar een buurman hoorde het meisje gillen en belde de politie. Die kwam, trapte de deur in en arresteerde hem. Helaas kwam hij later vrij op een vormfout, en de vader van het meisje belandde achter de tralies, en later onder de grond omdat hij eigen rechter wilde spelen. Ik herinnerde me de zaak omdat een ex-collega van me eraan gewerkt had. Het was nu twee jaar geleden. De naam van de verkrachter was Alan Kover en hij was de man die zojuist had geprobeerd me aan zijn mes te rijgen.

Iemand kwam de trap op lopen. Ik stak de revolver terug in mijn zak en liep naar de voordeur. Terwijl ik hem achter me dichttrok, kwam de man die me binnen had gelaten de hoek om. Hij had een forse zaklantaarn in de hand, waarschijnlijk zijn beste gooi naar een wapen, en keek uiterst verontrust.

'Wat is er aan de hand?' vroeg hij. 'Ik zag zojuist een man met een mes de trap afstormen.'

Ik liep de trap af naar hem toe. 'Bel de politie,' zei ik.

'Maar ik dacht dat u van de politie was.'

'Niet meer.'

'Wie bent u dan wel?'

Zonder te stoppen liep ik langs hem heen. 'Iemand die hoopt dat het geluk in drieën bestaat.'

33

'Mehmet Illan. 45 jaar oud. Turkse nationaliteit. Woont al zestien jaar in Groot-Brittannië. Hij is zogenaamd alleen maar een zakenman, maar het schijnt dat hij in Turkije en Duitsland is veroordeeld voor drugsdelicten, al hebben we daar hier geen registratie van. Hij heeft een aantal bedrijven in allerlei branches: import/export, voornamelijk levensmiddelen en tapijten; een pizzeriaketen; een computergroothandel; een textielfabriek. Hij heeft overal wel een vinger in de pap. Maar het schijnt dat veel van zijn bedrijven niet meer zijn dan dekmantels voor het witwassen van geld en dat zijn werkelijke winsten ergens anders vandaan komen.'

'O, ja? Waarvan dan?'

'Hij schijnt grote ladingen heroïne uit Turkije en Afghanistan te hebben geïmporteerd, hoewel niemand daar hard bewijs voor had, maar nu zit hij in de mensensmokkel. Je weet wel: asielzoekers.'

'Ik hoor dat daarmee grof geld te verdienen is.'

'Heel grof. Die mensen komen overal vandaan en verkopen alles wat ze bezitten om voldoende geld bij elkaar te krijgen om de smokkelaars te betalen. Het gemiddelde tarief kan wel 5.000 pond per persoon bedragen, dus een vrachtwagen met twintig mensen kan de smokkelaars een ton opbrengen. Al zouden ze er maar honderd per week doen, dan nog vangen ze een half miljoen, en de kans is groot dat ze er heel wat meer het land in brengen. Misschien wel duizenden.'

'En jij denkt dat die Illan erbij betrokken is?'

'Dat hoor ik, ja. Mijn informant zegt dat hij een van de groten is, maar dat hij wel voor zorgt dat hij zelf buiten schot blijft, dus niemand heeft concrete bewijzen tegen hem. Waarom wil je dat allemaal weten?'

'Ik heb misschien iets belastends tegen hem. Je hoort het voor het eind van de week. Jij bent de eerste die het verhaal krijgt.'

'Wees wel voorzichtig, Dennis. Deze vent laat niet met zich sollen. Weet je nog van die drie kerels die verleden week zijn neergeschoten – die twee douanemensen en die accountant...?'

'Ja?'

'Die accountant had iets te maken met een van zijn witwasbedrijven, en

231

het gerucht gaat dat Illan achter die moorden zat, al is de bewijskant een ander verhaal. Dus hij is geen lieverdje. Als je hem dwarszit, ga je eraan. Als hij bereid is om een drievoudige moord te plegen, zal hij zijn hand niet omdraaien voor een politieman.'

'Maak je geen zorgen, ik doe geen domme dingen.'

'Als je niets van die vent af weet – en ik neem aan dat dat zo is, anders zou je me niet gebeld hebben – wat heb je dan voor belastends over hem?'

'Geduld, Roy.'

'Geduld verkoopt geen kranten, dat weet jij ook.'

Ik stopte nog wat munten in de gleuf, want ik begreep dat ik hem iets moest geven.

'Ik denk dat ik over bewijzen beschik die hem plus enkele andere criminelen in verband brengen met de moord op die drie mannen.'

Ik kon aan de andere kant van de lijn zijn ademhaling horen versnellen. Hij was opgewonden, maar tegelijk bang dat ik de kluit belazerde.

'Meen je dat?'

'Serieus.'

'Waarom vertel je het mij? Waarom arresteer je die lui niet?'

'Dat is een lang verhaal, Roy. Het komt erop neer dat je me zult moeten vertrouwen.'

Hij zuchtte. 'Ik wist dat het te mooi was om waar te zijn.'

'Ik ben weg bij het korps,' vertelde ik hem. 'Vanwege een paar kleine onregelmatigheden. Het was met onmiddellijke ingang. Daarom heb ik nog niemand gearresteerd.'

'Christus, Dennis. Echt? Wat heb je dan gedaan?'

'Laten we het erop houden dat ik banden onderhield met mensen die Mehmet Illan kennen. Geen belangrijke banden, maar genoeg om ontslag te krijgen. En genoeg om een aantal dingen over hen te weten.'

'Ga door.'

'Niet nu. Je moet nog iets voor me doen. Het zal je nog geen vijf minuten kosten.'

'Wat dan?'

'Alan Kover. Zegt die naam je iets?'

'Klinkt bekend.'

'Het was die kinderverkrachter die ooit op een vormfout vrijkwam. De vader van het meisje werd gearresteerd toen hij zijn flat probeerde plat te branden en pleegde uiteindelijk zelfmoord. Het was ongeveer twee jaar geleden, in Hackney.'

'Ja, dat staat me nog bij.'

'Kover is nog steeds op vrije voeten en ik moet hem zien te vinden. Dringend.'

'Wat? Is hij bij dit alles betrokken?'

Ik besloot te liegen. Dat was gemakkelijker. 'Misschien, ik weet het niet zeker. Kun je aan zijn huidige adres komen?'

'Je vraagt wel veel, Dennis. Met dit soort gedoe kan ik veel gezeik krijgen. Wat ben je met hem van plan?'

Weer loog ik. 'Niets. Ik moet hem gewoon spreken. Doe dat nou voor me. Ik zweer je dat niemand ooit te weten komt dat ik het van jou heb. En je krijgt het verhaal exclusief. Hierna zal heel Fleet Street zich aan je voeten werpen. Dat zweer ik.'

'Zo gemakkelijk hoeft het niet te zijn. Hij kan zijn naam wel hebben laten veranderen.'

'Hij had een strafblad, dus is het onwaarschijnlijk dat dat hem zou lukken. Hij moet bij het register van zedendelinquenten te vinden zijn.'

Roy zuchtte. 'Ik zal zien wat ik doen kan.'

'Het is belangrijk en ik moet het snel weten.'

'Vertel nog eens wat meer. Iets om me lekker te maken.'

'Als je me voor vanavond Kovers huidige adres bezorgt, zal ik je nog wat meer vertellen.'

'Ik hoop verdomme wel dat het de moeite waard is, Dennis.'

'Ik bel je om vijf uur op dit nummer.'

'Dan heb ik een vergadering. Hou het op zes uur.'

'Zes uur dan. En wat voor jou geldt, geldt ook voor mij: niemand zeggen dat je het van mij hebt.'

Hij wilde nog iets zeggen, maar het geld was op en ik hing zonder te groeten de hoorn op de haak.

Ik stapte uit de telefooncel de ochtenddrukte in en begaf me via de nodige omwegen terug naar het hotel.

34

'Ik kom zo bij u,' zei een stem van achter uit de winkel toen ik de deur achter me sloot. Ik schoof de knip erop en draaide het bordje van OPEN naar GESLOTEN. Niet dat ik verwachtte dat ik zou worden gestoord: de winkel van Len Runnion is niet bepaald een mekka van handelsactiviteit te noemen. Maar toch. Je kunt beter het zekere voor het onzekere nemen.

Hij verscheen achter de toonbank met een Chinese siervaas in zijn arm die hij met een doek afwreef, vermoedelijk om vingerafdrukken te verwijderen. Toen hij me zag, deed hij een poging tot een glimlach, maar het was een zwakke poging en zijn ogen schoten verontrustend snel heen en weer, en kwamen steeds terug bij de vaas in zijn hand.

'O, hallo, meneer Milne,' zei hij zo joviaal mogelijk. Hij zette de vaas onder de toonbank. 'Wat kan ik voor u doen?'

'Wapens,' zei ik, terwijl ik op hem afliep. 'Ik heb een paar vuurwapens nodig.'

Zijn ogen leken in de hoogste versnelling te gaan en hij deed een stap naar achteren. Ik denk dat het de blik in mijn ogen was die hem angst aanjoeg. 'Ik weet niet waar je dat soort dingen kunt krijgen,' zei hij nerveus. 'Het spijt me, maar daar kan ik u niet aan helpen. Ik hou me verre van welk wapen dan ook.'

Ik stond stil aan de andere kant van de toonbank en keek hem bedachtzaam aan. 'Ik werk niet meer bij de politie,' vertelde ik hem, 'dus ik heb er geen belang meer bij om je ergens voor op te pakken. Nou, we kunnen dit goedschiks of kwaadschiks afhandelen.'

'Hoor eens, meneer Milne, ik weet niet waar u het over hebt, dus ik denk dat u beter kunt gaan als u voor zoiets komt.' Hij werd zekerder van zichzelf toen ik hem verteld had dat ik niet langer bij de politie werkte.

Maar zijn zelfverzekerdheid was van korte duur. Ik trok de revolver die ik van Illans handlanger had afgepakt en richtte recht op zijn borst. 'Ik maak geen grapje, Leonard. Naast het wapen dat ik nu op je gericht hou, heb ik nog minstens twee vuurwapens nodig, bij voorkeur modellen met magazijnlading. Plus een redelijke hoeveelheid ammunitie.'

'Wat moet dit verdomme voorstellen, meneer Milne?' vroeg hij. De onrust in zijn ogen had zich voor de verandering naar zijn stem verplaatst,
want die was onvast terwijl zijn blik nu aan het wapen kleefde. 'Is dat
ding echt?'
'Heel echt. Hoor eens, ik weet dat je in illegale vuurwapens handelt, dat
is algemeen bekend.'
'Ik weet niet waar u het over hebt…'
'O, jawel. Je weet precies waar ik het over heb. Je gaat me de twee wapens leveren waar ik zojuist om vroeg – vandaag. Of ik schiet je dood.
Zo simpel ligt het.'
'Ik heb geen vuurwapens. Ik zweer het u.'
'Weet je, Runnion, ik heb je nooit gemogen. En ik wil wedden dat je die
belastingplaatjes van die overval in Holloway ook hebt verpatst.'
'Nee, echt niet. Ik meen het…'
'Maar weet je? Daar heb ik niets meer mee te maken, dus daar maak ik
niet eens meer woorden aan vuil. Dat laat ik aan anderen over. Maar één
ding kan ik je wel vertellen: als je me vanmiddag die twee wapens niet
bezorgt, ben je ten dode opgeschreven. Zo simpel is dat.'
Ik hief het wapen tot het recht op een punt tussen zijn ogen gericht was.
Een druppeltje zweet rolde van zijn voorhoofd naar zijn neus. Hij knipperde snel met zijn ogen, maar bleef stokstijf staan. Ik denk dat ik hem
ervan had overtuigd dat het me ernst was.
'Richt dat ding alstublieft ergens anders op.'
'Ga je me geven wat ik wil?'
'Dat gaat even duren.'
'Heb je de modellen waar ik om vroeg in voorraad?'
'Ik hou geen voorraad aan. Niet van dat soort…'
'Je liegt. Ik herhaal: heb je wat ik wil in voorraad?'
'Ik kan u twee van dat soort wapens bezorgen, ja.'
'Waar zijn ze?'
'Ik heb wat spul in een garage in Shoreditch liggen. Wapens. Ik denk wel
dat ik heb wat u zoekt. Richt nu alstublieft dat ding een andere kant op.
Straks gaat het nog af.'
Ik betwijfel of ik hem zou hebben geraakt als dat was gebeurd, maar dat
ging ik hem niet aan de neus hangen. Ik liet de revolver zakken en glimlachte. 'Laten we er dan meteen maar naartoe gaan. Heb je vervoer of
zullen we mijn wagen pakken?'
'Ik kan nu niet weg, meneer Milne. Ik heb het druk.'
Ik lachte, maar zonder een greintje humor. 'We gaan nu meteen,' zei ik
hem. 'Mijn wagen of de jouwe?'

Hij zuchtte en keek me toen aan alsof hij nog steeds niet kon geloven dat ik het meende. Ik keek terug op een manier die hem ervan overtuigde dat het me ernst was. 'Laten we dan de mijne maar nemen,' zei hij. 'Hij staat achter.'

Nadat hij de voordeur van de winkel nog wat grondiger had afgesloten, verlieten we het pand via de achterdeur, waartoe we ons een weg baanden tussen de dozen met troep, onveilige elektrische spullen en contrabande waaruit het grootste deel van zijn inventaris bestond. De achterdeur kwam uit op een klein parkeerterrein met veel kuilen en twee auto's die eruitzagen alsof ze rijp waren voor de sloop. We stapten in de meest respectabele van de twee – een roestige rode Nissan die waarschijnlijk halverwege de jaren tachtig heel blits en sportief was geweest – en reden langzaam de straat op. Door een ongeluk op Commercial Road dat de zaak ophield was het drukker op de weg dan anders op dit uur van de middag en we deden drie kwartier over een afstand die niet veel meer dan anderhalve kilometer bedroeg. Onderweg zeiden we niet veel. Runnion stelde een paar vragen: wie me kwaad had gemaakt en of ik van zins was diegene te doden of alleen te verwonden, maar ik zei hem dat hij zijn mond moest houden en moest rijden, en na een poosje kwam de boodschap over. Ik voelde me merkwaardig onthecht. Ik deed alles op de automatische piloot zonder echt stil te staan bij de mogelijke consequenties. Niets leek ertoe te doen. Ik had een plan, en als dat slaagde was dat mooi, maar als het mislukte, dan mislukte het maar. Ik zou zelfs het leven erbij in kunnen schieten, maar zoals ik er toen bij zat in de enorme verkeersdrukte, boezemde zelfs die gedachte me geen angst in. En gek genoeg was dat allerminst een vervelend gevoel. Het was bijna een bevrijding om te beseffen dat deze wereld met al zijn spanning en stress me niet langer echt raakte. Het leven kwam nu neer op een reeks taken die ik al dan niet tot een goed einde zou brengen. Zo simpel was het.

De garagebox was er een in een rij aan een smalle achterafstraat bij Great Eastern Street. Runnion parkeerde op de stoep er vlak voor en we stapten tegelijk uit. Er liepen niet veel mensen op straat – een paar zakenlui op weg naar het centrum, een verdwaalde koerier – en je zou nooit hebben gedacht dat je maar een paar honderd meter van een van de grootste financiële wijken van de wereld verwijderd was.

Ik bleef dicht bij Runnion en hield mijn hand aan de revolver in mijn jaszak. 'Geen onverwachte bewegingen,' zei ik hem terwijl hij de garagedeur omhoogduwde. Hij zei niets en stapte naar binnen. Ik volgde hem zo onopvallend mogelijk en sloot de deur achter me toen hij het licht aandeed.

Anders dan zijn winkel was de ruimte opmerkelijk netjes. Aan weerskanten stonden dozen opgestapeld, maar het midden was leeg gelaten. Aan de achtermuur, onder een dekzeil, stond een houten bergkast met een slot dat Runnion eerst moest openmaken. Uit het inwendige haalde hij een grote weekendtas en hij zette die op de vloer.

'Pak hem op,' zei ik hem. 'We gaan naar je huis.'

'Hè?' Hij keek me verbijsterd aan. 'Waarom?'

'Omdat ik op mijn gemak wil kiezen, en daar is dit niet de geschikte plek voor.'

Hij begon tegen te sputteren, maar ik duwde de deur weer omhoog en wachtte tot hij naar buiten liep. Hij zette de tas op de achterbank, sloot de garage af en we gingen weer.

Runnion woonde in een rijtjeshuis in een redelijk goed onderhouden straat in Holloway. Ik had er ooit samen met Malik en een paar geüniformeerde agenten een inval gedaan op zoek naar gestolen waar, die we natuurlijk niet hadden gevonden, maar ik herinnerde me dat het een gezellig huis was. Dat was nu een jaar geleden. Destijds was hij getrouwd met een verrassend aardige vrouw die ons zelfs een kopje thee had aangeboden terwijl we hun bezittingen doorzochten, en dat kom je niet vaak tegen. Ze was inmiddels bij hem weg en ik hield hem genoeg in de peiling om te weten dat hij alleen woonde.

Omdat we ons van Commercial Road verwijderden, kostte het veel minder tijd om zijn huis te bereiken, ook al was er nog steeds veel verkeer op de weg. We gingen zwijgend naar binnen en liepen zijn zitkamer in. Op de grond zag ik een paar vuile borden en nog wat andere troep. Niet zo netjes en gezellig als ik me herinnerde.

Ik gebaarde dat hij kon gaan zitten. Hij bedankte me sarcastisch en zette de weekendtas op de vloer tussen ons in. Hij was nu een stuk brutaler dan tevoren, ongetwijfeld omdat hij aan de situatie begon te wennen.

'Mag ik roken?' zei ik, terwijl ik een sigaret opstak zonder hem er een aan te bieden. Hij schudde zijn hoofd, mompelde iets en stak er een van zichzelf op. Ik leunde achterover in mijn stoel en haalde de revolver uit mijn zak. 'Oké, laat maar eens zien wat je hebt.' Hij ritste de tas open en haalde er voorzichtig een versleten uitziend .22-pistool uit. 'Daar heb ik niets aan,' zei ik hem. 'Ga maar door.' Hij legde de .22 op het kleed en stak als een gierige kerstman zijn hand weer in de tas. Ditmaal diepte hij een pomp-actiegeweer met afgezaagde loop op. Ik schudde mijn hoofd en hij ging verder. Het volgende wapen kwam dichter in de buurt van wat ik zocht: een vrij nieuw machinepistool, een MAC-10. Er zat geen magazijn in, maar na enig gerommel in de tas kwam Runnion aanzetten met twee exemplaren die aan elkaar vast waren getapet. 'Die neem ik,' besloot ik, waarop hij het wapen opzij legde.

Hij diepte nog drie wapens op – allemaal handvuurwapens – en vertelde me toen dat dat alles was wat hij had.

Ik glimlachte. 'Nou, dit is niet slecht voor een man die zich liever verre houdt van wapens.' Met mijn eigen wapen nog in de hand inspecteerde ik ze kort en ik liet mijn keus vallen op een Browning met een korte loop. 'Heb je hier munitie voor?' vroeg ik hem.

'Dat zou wel moeten,' zei hij, en hij begon de tas opnieuw af te schuimen, kwam met een paar dozen goede kwaliteit 9mm-kogels op de proppen en legde die bij de MAC-10 en de revolver.

Straf aan mijn sigaret trekkend hield ik hem scherp in de gaten terwijl hij de rest van de wapens weer in de weekendtas stopte. Toen hij klaar was, stond ik op en nam mijn nieuwe aanwinsten een voor een ter hand. Ik borg de MAC-10 in de zak van mijn regenjas, samen met de magazijnen, en drukte mijn sigaret uit in een overvolle asbak. Toen pakte ik de Browning en inspecteerde hem opnieuw, verwijderde het magazijn en controleerde de kogels.

'Je hebt hier zeker geen geluiddemper voor, hè?' vroeg ik.

'Nee, die heb ik verdomme niet,' zei hij, terwijl hij bleef zitten.

'Nou, ik hoop dat hij het doet als het erop aankomt.'

'Vast wel.'

Ik haalde de veiligheidspal eraf en haalde de trekker over.

Hij had gelijk.

35

'Ik heb vandaag een paar vreemde geruchten gehoord, Dennis.'
'O, ja?' Ik leunde tegen de ruit van de telefooncel en nam een slok van het blikje cola dat ik in mijn hand had. Hoorde allemaal bij mijn nieuwe dieet. 'Wat voor geruchten?'
'Dat je betrokken bent bij een heleboel rotzooi. Dat de politie je zoekt om je aan de tand te voelen over een aantal behoorlijk zware misdrijven. Mogelijk zelfs moord.'
Ik floot tussen mijn tanden. 'Zware aantijgingen. Waar heb je dat gehoord?'
'Is het waar?'
'Kom op, zeg. Je kent me nu bijna tien jaar. Zie jij mij aan voor iemand die zich met moord inlaat?'
'Ik zit al bijna dertig jaar in de journalistiek, en als ik één ding heb geleerd, dan is het wel dat mensen nooit zijn wat ze lijken. Iedereen heeft geheimen, zelfs de vrouw van de dominee. Soms behoorlijk bedenkelijke.'
'Ik heb ook geheimen, Roy, maar moord hoort daar niet bij. Nou, heb je de informatie waar we het over hadden?'
'Ik maak me zorgen, Dennis. Ik wil niet dat het op mij terugslaat.'
'Dat gebeurt niet. Maak je geen zorgen.'
'Dat kun jij makkelijk zeggen.'
'Hoezo, makkelijk? Ik ben degene die op de vlucht is. Luister, het enige wat je eraan overhoudt is een verdomd goed verhaal, dat zweer ik je.'
'Wanneer? Dat zeg je voortdurend, maar tot nu toe heb ik nog niets substantieels. En ik heb wel mooi mijn nek voor je uitgestoken.'
Ik zuchtte en dacht even na. 'Het is nu donderdag. Morgen op z'n laatst krijg je je verhaal.'
'Dat is je geraden.'
'Echt waar. Nou, wat is het adres?'
'Wat ga je met hem doen?'
'Ik moet hem een paar vragen stellen. Meer niet. Hij kan een raadsel voor me oplossen.'
'Hij woont op Kenford Terrace 44B. Dat is in Hackney. Meer weet ik niet. En vertel verdomme nooit dat je het van mij hebt gehoord.'

36

Ik zat lange tijd in het kille duister op Alan Kover te wachten. Zijn flat, niet dat groezelige geval waarin hij de beruchte verkrachting had gepleegd, was een toonbeeld van minimalisme. Er stond maar één stoel in de krappe zitkamer. Die stoel bood uitzicht op een goedkope draagbare televisie met een kleine cactus erop, de enige versiering in de hele kamer. Ik zat met mijn rug naar de deur naar het lege scherm te kijken. Al kijkend en wachtend dacht ik na. Kover was de laatste sleutel in het mysterie dat Coleman House en zijn bewoners omgaf. Afgaande op de wond aan Carla's keel en de manier waarop ze van achteren was aangevallen, was ik ervan overtuigd dat hij ook de moordenaar van Miriam Fox was. Maar een dergelijk scenario leverde nog steeds meer vragen dan antwoorden op. Vermoedelijk waren Kover en Carla beiden betrokken bij de moord op Miriam. Anders had ze die details nooit kunnen weten. Maar hoe hadden twee zo uiteenlopende types elkaar gevonden? En waarom moest Miriam dood? Wat was het verband, als dat bestond, met de verdwijningen? Kover en ik hadden duidelijk veel te bepraten.

Ik hunkerde naar een sigaret. Maar dat kon ik hier niet riskeren, dus opende ik mijn derde blikje cola van die dag en nam een slok. Wat me aan dit huis deprimeerde was dat het niets gezelligs of zelfs maar menselijks had. Het was net een mislukte poging tot een modelwoning van zeer luie mensen. Ik had grondig rondgekeken, gewoon om te zien of ik sporen of aanknopingspunten vond, maar ik had niets gevonden. Helemaal niets. Alleen keukenkastjes met potten en pannen, een kast met wat kleren, een badkamer met een tandenborstel en zeep. Niet één ding dat je iets over zijn persoonlijkheid vertelde. Een paar minuten dacht ik zelfs dat ik op het verkeerde adres was, maar toen ik onder het bed voelde en een lading verfrommelde, uitgedroogde tissues vond, wist ik dat dit wel degelijk de plek was waar Kover woonde. Ze zeiden dat hij een ongewoon sterke geslachtsdrift had, maar na zijn aanvaringen met de politie was hij zo verstandig geworden niets achter te laten wat hem in de problemen kon brengen. Er lag een stapeltje tapes op de videorecorder onder de televisie, maar ik betwijfelde of ze iets belastends bevatten.

Voor de honderdste keer sinds ik me toegang had verschaft keek ik op mijn horloge: 20.20 uur. Elf dagen geleden om deze tijd zat ik buiten het Traveller's Rest in de stromende regen in een auto met een man die nu vrijwel zeker dood was. Na de aanslag op mijn leven had ik Danny's mobiel nog drie keer geprobeerd, maar nog steeds had hij niet opgenomen. Telkens weer kreeg ik de boodschap dat het toestel dat ik belde waarschijnlijk uitgeschakeld stond en dat ik het later nog maar eens moest proberen, maar ik besefte dat het geen zin had. Hij had allang moeten opnemen. Zelfs in Jamaica.

Achter me hoorde ik het geluid van een sleutel die in het slot wordt omgedraaid. Ik stond zachtjes op van de stoel en sloop door het donker tot ik achter de deur stond toen die langzaam openging. Er verscheen een grote gestalte met een boodschappentas, en hoewel ik hem niet echt goed kon zien, wist ik dat het Kover was. De knuppel kwam geruisloos uit mijn zak, en toen hij de deur sloot en het licht aandeed, sloeg ik hem hard op zijn achterhoofd.

Hij zakte zonder geluid te maken op zijn knieën en bleef even in die houding zitten, dus sloeg ik hem nogmaals. Ditmaal viel hij opzij en wist ik dat hij bewusteloos was.

Ik kwam snel in actie. Ik pakte hem onder zijn armen, trok hem naar de stoel waar ik op gezeten had en zette hem erop. Hij begon al te kreunen en zijn hoofd te bewegen, dus hij zou niet lang buiten kennis blijven. Ik pakte het stuk ketting dat ik had meegebracht en wond het drie keer strak om zijn bovenlichaam alvorens er een hangslot aan te doen en de sleutel in mijn zak te stoppen. Vervolgens haalde ik een rol afplakband uit mijn jas en gebruikte het om zijn benen vast te binden en hem te knevelen.

Inmiddels knipperden zijn wimpers en kwam hij bij. Ik stak een sigaret op, inhaleerde verzaligd en ging toen alle lampen aandoen, waarna ik de elektrische waterketel vulde en de stroom inschakelde. Er zat een set van vier blikjes goedkoop bier bij zijn boodschappen, dus trok ik er een uit het plastic en opende het. De rest zette ik in zijn schamel gevulde koelkast. Ik nam een forse slok – mijn eerste alcohol van die dag – en nam hem zwijgend op.

Het kostte hem een minuut of twee om zich te realiseren waar hij was. Toen zag hij me en gingen zijn ogen wijd open. Ik glimlachte hem toe. Hij probeerde zich te verroeren, maar besefte toen dat hij geen kant op kon. Ik legde mijn vinger op mijn lippen ten teken dat hij zich koest moest houden en trok toen de tape van zijn mond.

'Wat moet dit voorstellen?' vroeg hij. Hij had een verbazend hoge stem voor zo'n forsgebouwde man. En hoewel hij op het eerste gehoor zelfverzekerd klonk, bespeurde ik een zweem van nervositeit. Wat gegeven de omstandigheden niet vreemd was. 'Ik zeg niets zonder dat mijn advocaat erbij is.'

Dat was een interessante opmerking. Het betekende dat hij precies wist wie ik was. Misschien had Carla het hem verteld. Ik lachte, nam een trek van mijn sigaret en deed een stap naar achteren. Ik had het perverse gevoel dat ik veel lol zou beleven aan de komende ondervraging.

'Je hebt gisteravond geprobeerd me te vermoorden,' zei ik.

'Ik weet niet waar je het over hebt.' Hij rukte aan zijn boeien. 'Maak me los. Dit kan je op een proces komen te staan.'

Ik plakte de tape weer over zijn mond en trapte de sigaret op zijn kleed uit. 'Je weet wie ik ben, hè?' zei ik. 'Je weet dat ik een smeris ben.' Ik liep langzaam om de stoel heen. 'Helaas weet je niet dat ik weg ben bij het korps. En wat je ook niet weet, is dat ik een killer ben en dat ik mensen heb vermoord die het heel wat minder verdienden dan zo'n smerige pedofiel als jij. Dus het komt hierop neer: ik ben een heel ander iemand dan alle anderen die je ooit hebben verhoord. Ik ben hier niet om je achter de tralies te krijgen. Ik ben hier niet om uit te zoeken waarom je doet wat je doet. Ik ben hier om antwoorden te krijgen op een paar vragen, en als je me die niet geeft, schiet ik je een kogel door je kop zodat je hersens tegen die smerige muur spatten, maar pas nadat ik je knieschijven kapot heb geschoten.' Ik bleef voor hem stilstaan, haalde de Browning uit mijn zak en drukte de loop ruw tegen zijn voorhoofd. Zijn ogen sperden zich open. 'Oké? Eerste vraag: waarom heb je Carla Graham vermoord?' Opnieuw trok ik de tape van zijn mond.

'Ik weet niet waar je het over hebt,' brulde hij, terwijl hij naar zijn handen keek. 'Echt niet.'

Ik drukte de tape terug, draaide me om en liep naar de keuken om het vers gekookte water te pakken.

Hij wist wat er zou gaan komen toen hij me ermee zag verschijnen, maar hij kon er niets tegen doen. Wanhopig worstelde hij op de stoel toen ik voor hem bleef stilstaan, heel even wachtte en toen heel zachtjes de ketel scheef hield tot er een klein straaltje kokend water uit stroomde en op zijn linkerdij terechtkwam. Ik verbreedde de straal een beetje en bewoog de ketel naar zijn andere been. Zijn gezicht verkrampte van de pijn en zijn ogen puilden uit zijn hoofd. Ik stopte, wachtte misschien drie tellen, toen herhaalde ik de procedure. Ditmaal schonk ik voor het evenwicht ook een beetje op zijn kruis. Zijn verzet werd nu panisch en er kwam een verbazingwekkend harde kreun vanachter het plakband. Zijn gezicht begon paars aan te lopen.

Ik deed een paar stappen terug en bekeek hem een poosje met een serene glimlach op mijn gezicht. Ik had het gevoel dat ik een goede daad verrichtte, waarschijnlijk de beste uit mijn hele loopbaan. Zonder waarschuwing goot ik nog een plens water over zijn kruis, wachtte terwijl de pijn met grote schokken door hem heen ging, zette de ketel toen neer en nam een slok van het bier.

'Mooi. Ik hoop dat we elkaar nu begrijpen. Er is geen grens aan de pijn die ik je zal toebrengen als je mijn vragen niet naar waarheid beantwoordt, dus het is in je eigen belang om het snel achter de rug te hebben. En voor het geval je overweegt om het op een schreeuwen te zetten…' Ik pakte de kleine jerrycan met benzine naast de stoel en goot de inhoud over zijn hele lijf en zijn hoofd uit. 'Als je dacht dat heet water pijnlijk was, dan zul je hier nog van opkijken.'

Ik zette de jerrycan neer en trok de tape van zijn mond. Ditmaal maakte ik er een prop van en gooide die op de grond. Ik wist zeker dat ik geen tape meer nodig zou hebben. Hij zou mijn vragen nu echt wel beantwoorden. Kover knarsetandde vanwege de pijn van zijn brandwonden en draaide ongemakkelijk in zijn stoel.

'Laten we opnieuw beginnen. Carla Graham was betrokken bij de moord op Miriam Fox. Dat weet ik zeker. En ik vermoed jij ook. Wat ik niet snap is de reden. Wat die ook was, jij en zij kregen er mot over, waarop jij reageerde door haar op haar eigen bed af te slachten. Laat me je nu iets vertellen. Het heeft geen zin om me niet de hele waarheid te vertellen of andere betrokkenen in bescherming te nemen of iets van dien aard, want als ik één tegenstrijdig woord in je antwoorden hoor, steek ik je in de fik. Zo simpel is het. En ik weet dat jij weet dat het me ernst is.'

'Hoor eens, ik kende haar niet eens! Ze was gewoon…'

Ik haalde een aansteker uit mijn zak en stapte naar voren, knipte hem aan en hield de vlam op luttele centimeters van zijn met benzine overdekte gezicht. Automatisch draaide hij zijn hoofd weg, maar ik volgde met de aansteker zodat de vlam binnen zijn gezichtsveld bleef. Hij kreunde van angst.

'Weet je, Kover, je bent erg hardleers. Ik weet dat je haar kende. Je had met geen mogelijkheid de voordeur van haar gebouw in kunnen komen als je niet was binnengelaten, en de deur van haar flat was niet geforceerd, want ik kwam meteen na jou binnen, weet je nog? Jij kende haar, en om een of andere reden verwachtte ze jou. Dus ik vraag het je nog één keer: waarom hebben jij en Carla Miriam Fox vermoord en waarom heb jij daarna Carla vermoord?'

Er viel een lange stilte. Het moment van de waarheid. Het was alsof er

243

een deur openging, al hadden zelfs mijn ergste nachtmerries me niet kunnen voorbereiden op wat ik die avond te horen kreeg.

'Ik heb haar vermoord. Die van gisteravond. Maar ik kende haar niet, ik zweer het.'

'Waarom heb je haar dan vermoord?'

Hij zuchtte en aan zijn gezicht was nog steeds te zien hoeveel pijn hij had. 'Omdat me dat was opgedragen.'

'Door wie?' Hij zei niets. 'Door wie, Kover? Het heeft geen zin iemand te dekken, weet je. Niet in jouw positie.'

'Die vent die bij haar werkte. Hij zei dat ik het moest doen.'

'Hoe heet hij?'

'Dokter Roberts.'

'Dokter Roberts, de kinderpsycholoog? Van Coleman House?'

'Ja, die. Zo kwam ik die flat in. Hij had sleutels. Ik denk dat hij kopieën had laten maken.'

Ik wist niet hoe ik het had. 'Waarom wilde hij haar dood hebben?'

'Ze wist iets over hem.'

'En dat was?'

'Hoor eens, het is allemaal een beetje ingewikkeld.'

'Het kan me niet schelen of het ingewikkeld is. Vertel.' Ik stak de aansteker weer aan, gewoon om hem eraan te herinneren dat ik geen grapjes maakte. Het had het gewenste effect.

'Ze wist dat hij iets te maken had met de moord op die hoer. Die hoer die jullie vorige week bij het kanaal vonden.'

'Miriam Fox?'

Hij knikte.

'Jij hebt haar vermoord, nietwaar? Miriam Fox.'

'Ja, ik heb haar vermoord,' zei hij ten slotte.

'Dus Carla Graham had niets met die moord te maken?'

'Nee.'

Er daalde een overweldigende droefheid op me neer. Mijn schouders werden zwaar van schuldgevoel. Ik voelde me schuldig omdat ik alleen het slechte in haar had gezien. Omdat ik haar verkeerd had beoordeeld en omdat haar boosheid over mijn valse beschuldiging oprecht was geweest. En omdat ik uiteindelijk niets had gedaan om haar te redden.

'Hoe kwam Carla erachter dat Roberts medeplichtig was?'

'Ik weet het niet zeker, maar ik denk dat hij haar iets verteld had wat alleen de moordenaar kon weten en dat zij hem er gisteren om een of andere reden op aansprak.'

Dus zo wist ze hoe Miriam aan haar eind was gekomen: Roberts moest het zich hebben laten ontvallen terwijl hij met haar praatte. Ik voelde weer een pijnlijke steek van spijt toen het tot me doordrong dat ik haar doodvonnis had getekend door haar in de Gallan van een leugen te beschuldigen.

'En dus belde hij jou om het te regelen?'

Hij knikte opnieuw zonder me aan te kijken. 'Ja, dat klopt.'

'Hoe kwam het dat een respectabele kinderpsycholoog een veroordeelde pedofiel als jou kende? Hoe kende hij jou zo intiem dat hij een beroep op je kon doen om een moord te plegen? Twee keer.'

'Hij kende me gewoon. Nou goed?'

'Nee, helemaal niet goed. Ik zou het maar vertellen als ik jou was. En als je toch bezig bent, zou ik ook maar vertellen waarom jullie tweeën Miriam Fox hebben vermoord.'

'Ze chanteerde dokter Roberts,' zei hij uiteindelijk.

'Waarmee?'

'Hij viel op kleine kinderen.' Viel. Dat was interessant. Daar zou ik later op terugkomen. 'Daar was ze achter gekomen.'

'Hoe? Ik zou denken dat ze een beetje te oud was voor een kindervriend.'

'Was ze ook. Maar hij rommelde met een van haar vriendinnetjes uit het tehuis. Dat grietje moet het haar verteld hebben, en toen zette ze hem onder druk. Ze zei tegen dokter Roberts dat ze geld wilde zien als hij wilde dat ze haar mond hield.'

'Dus moest ze dood?'

Hij knikte en keek weg. Ik nam een slok van mijn bier en keek hem onderzoekend aan.

Het nummer van Roberts moest ook op de lijst met Miriams telefoongesprekken hebben gestaan, maar ik was zo geschokt geweest dat Carla's naam erbij stond dat ik het over het hoofd had gezien. Als ik mijn hoofd er beter bij had gehouden, had ik deze hele zaak veel eerder kunnen oplossen. En zou Carla nog leven.

'En dat is het?'

Hij keek naar me op met een gezicht dat smeekte om geloofd worden. 'Ja, dat is het. Zo is het gegaan. Ik wou dat ik me erbuiten had gehouden. Echt waar. Ik wil nu gewoon met rust worden gelaten; je weet wel, eindelijk eens doorgaan met mijn leven.'

Ik zuchtte. 'Twee mensen dood omdat een aan crack verslaafd hoertje haar mond dreigt open te doen.'

'Zo is het gegaan,' zei hij met een irritant ernstige blik. 'Ik wou echt dat ik me erbuiten had gehouden.'

'Vast wel.' Ik stak een sigaret op. 'Die Miriam Fox moet een goede hand van afpersen hebben gehad.'

'Die had ze zeker. Ze wist heel goed hoe ze de duimschroeven moest aandraaien.'

Ik zuchtte en liep toen naar Kover toe. Ik boog me dicht naar zijn gezicht en knipte de aansteker aan. Hij week terug in de stoel. 'Je liegt,' zei ik hem. 'Het was veel meer dan zomaar een geval van een hulpverlener die zijn patiënt misbruikt, nietwaar? Vertel me de waarheid. Wat speelde er tussen jou en Roberts, en waarom moest Miriam sterven?'

Ik hield de vlam op een paar centimeter van zijn met benzine overdekte gezicht, vastbesloten de hele waarheid eruit te krijgen. Niet dat zijn verhaal niet geloofwaardig was, al verklaarde het nog steeds niet zijn relatie met Roberts; ik vond gewoon dat hij iets te graag zag dat ik het slikte. Ik heb dat soort gedrag wel vaker bij criminelen gezien. Ze willen dat je gelooft in een bepaalde weergave van de feiten, zelfs als ze belastend zijn. De reden is eenvoudig: meestal verbergen ze iets nog ernstigers.

'Ik vertel je de waarheid,' sputterde hij wanhopig. 'Ik zweer het.'

Ik deed een gok. 'Hoe zit het met die vermiste meisjes van Coleman House, Kover? Hoe zit het daarmee?'

'Hoor eens, ik weet niet…'

'Je hebt tien tellen om te gaan praten. Anders ga je in de hens.'

'Toe nou…'

'Tien, negen, acht, zeven…'

'Goed, goed, ik zal het vertellen!'

Ik liet de vlam van de aansteker doven en stond op. 'Het kan maar beter de waarheid zijn. Want anders tel ik verder vanaf zeven. Misschien vijf. Ik ben het zat om voorgelogen te worden.'

'Oké, oké.' Hij zweeg even om zich te herstellen, opende toen zijn mond om iets te zeggen en deed hem meteen weer dicht. Ik denk dat ik toen al begreep dat het iets heel ergs zou worden. 'Dokter Roberts en ik… hadden een handeltje.'

'Wat voor een handeltje?'

'Meisjes. Jonge meisjes.'

Ik nam een diepe trek van mijn sigaret en hield mijn hart vast. 'Vertel me maar eens hoe dat handeltje werkte.'

Er viel weer een stilte, waarin hij leek na te denken of hij zou antwoorden. Uiteindelijk begreep hij even goed als ik dat hij geen keus had. 'Ik had een klant, een vent die jonge grietjes wilde. Alleen wilde hij ze voor vast.'

'Wat bedoel je?'

'Hij wou grietjes die niet gemist zouden worden.'
'Waarom? Wat deed hij dan met ze?'
'Nou, je weet wel…'
'Nee, dat weet ik niet. Vertel op.'
'Ik denk dat hij ze koudmaakte.'
'Waarom? Voor de kick?'
'Ik denk het wel, ja.'
In mijn loopbaan bij de recherche was ik al eerder zaken tegengekomen van pedofielen die hun slachtoffers vermoordden. Soms om te zorgen dat ze niemand zouden kunnen vertellen wat er met hen gebeurd was, maar vaker omdat het moorden zelf het seksuele genot verhoogde. Moorden terwijl je klaarkomt. Er bestaan mensen op deze wereld voor wie dat de ultieme kick is.
'Jezus.' Ik schudde mijn hoofd terwijl ik het allemaal probeerde te verwerken. 'En hoe ging dat in zijn werk?'
'Dokter Roberts selecteerde ze, de meiden die volgens hem onopgemerkt konden verdwijnen, degenen die hij onder behandeling had. Hij lichtte me dan in over hun handel en wandel, vertelde me de beste plek en tijd om ze te ontvoeren. Vervolgens deed ik de rest.'
Ik staarde hem aan. Mijn maag draaide zich bijna om. 'En hoe vaak heb je dat gedaan? Hoeveel meisjes zijn er verdwenen?'
'We deden het niet zo vaak.'
'Hoe vaak?'
'In totaal vier keer.'
Ik trok heftig aan mijn sigaret. 'Over hoe lange tijd?'
Hij dacht even na. 'Ik weet het niet, pakweg anderhalf jaar. Zoiets. Dat meisje – de hoer – kreeg er lucht van. Dokter Roberts liet zijn oog vallen op een van haar vriendinnetjes en daar kwam ze op een of andere manier achter. Toen begon ze hem af te persen. Ze zei dat ze hem zou aangeven als hij niet wilde dokken.'
'Weet je hoe die vriendin van Fox heette? Het meisje dat Roberts… had geselecteerd?' Ik kreeg het woord bijna niet uit mijn strot.
Hij schudde zijn hoofd. 'Nee, nee. Ik kende ze nooit bij naam.'
'Het was Molly Hagger.' Hij keek me met een lege blik aan. 'Ze heette Molly Hagger, en ze was dertien.' Opnieuw keek hij zwijgend naar zijn handen. 'En Miriam Fox moest dood omdat ze dreigde naar de politie te lopen?'
'Ja. Ik pikte haar op onder het mom dat ik een klant was. Toen heb ik haar omgelegd.'
'Weet ik. Ik heb het lichaam gezien.'

Ik bleef een poosje in stilte zitten om te verwerken wat ik te horen had gekregen, al had ik net zo lief mijn darmen uit mijn lijf gekotst tot er niets meer in zat. Ik heb me nog nooit zo misselijk en beroerd gevoeld, zo moe van alles, als toen in dat kleine kamertje bij dat monster.

'En wie was de laatste die je ontvoerde? Was het een meisje met zwart haar van ongeveer dezelfde leeftijd?'

'Nee. Dat grietje, dat vriendinnetje van Fox...'

'Molly. Ze heette Molly.'

'Zij was de laatste. Die klant wilde niet dat we het te vaak deden. Anders zou het te veel in de gaten lopen.'

Zo was er nog één raadsel over: wat was er met Anne Taylor gebeurd? Maar dat zou even moeten wachten.

'En die klant van je, hoe heette die?'

Kover keek me recht aan.

'Keen,' zei hij. 'Raymond Keen.'

37

Ik moest moeite doen om mijn geschoktheid te verbergen. Het trof me als een schot tussen de ogen. Raymond Keen, een man die ik al zeven jaar kende, een man voor wie ik gedood had, betrokken bij zoiets verschrikkelijks dat ik al kippenvel kreeg als ik er een seconde bij stilstond. 'Ik ken Raymond Keen,' vertelde ik hem. 'Het lijkt me niet zijn stijl om kinderen te vermoorden als een soort seksspelletje.'

'Waarom zou ik erom liegen?' antwoordde hij. Geen onredelijk punt in dit stadium. 'Hij is de klant. Ik weet niet of hij die grietjes voor iemand anders regelt.'

Ik dacht er even over na. Raymond was tenslotte zakenman. Het was moeilijk te geloven dat hij betrokken was bij zo'n lage en zieke handel als voorbedachte moord op kinderen, maar als het erop aankwam was het niet moeilijker te geloven dan de rol van Roberts, wiens vak het was om over het geestelijk welzijn van kinderen te waken, en ik twijfelde er niet aan dat Kover de waarheid sprak over zijn aandeel in het geheel. Het verhaal had alles bij elkaar zijn eigen, wrange logica. Ergens op de wereld liepen mensen rond – hopelijk weinig, maar wie zou het zeggen – voor wie het het toppunt van seksuele opwinding was om kinderen te vermoorden. Misschien had Kover gelijk en beperkte Raymond zich tot het bedienen van die smerige markt door kinderen te gebruiken wier verdwijning weinig opzien zou baren en hield hij zich, zoals bij al zijn zaakjes, zelf zo ver mogelijk van de actie zelf. Het was gemakkelijk te begrijpen waarom en hoe hij iemand als Kover had gerekruteerd, die geen gewetensbezwaren zou hebben om kinderen de dood in te sturen. Maar Roberts? Dat was veel moeilijker te bevatten.

'Waar is Roberts nu?'

'Keen vroeg me uit over wat er met die andere vrouw was gebeurd. Dat ik haar had moeten kelen. Hij vond het niet prettig dat dokter Roberts zo gemakkelijk zijn mond voorbijpraatte, dus liet hij me Roberts ook opruimen. Gewoon voor alle zekerheid.'

'Hoe heb je hem vermoord?'

'Ik vroeg hem of ik hem ergens kon ontmoeten, gisteravond. Om een paar dingen door te praten. Ik haalde hem op bij zijn flat. Toen hij in de

auto stapte, heb ik een mes in zijn buik gestoken en de portieren geslo-
ten. Toen ben ik naar Keens huis gereden. Hij zei dat hij het verder zou
afhandelen.'
'Je hebt het de afgelopen dagen knap druk gehad. Dus Mark Wells...'
'Wie?'
'De man die is aangeklaagd voor de moord die jij hebt gepleegd. Een van
je moorden.'
'O, de pooier.'
'Was hij er op een of andere manier bij betrokken?'
Kover schudde zijn hoofd. 'Nee. Hij had er niets mee te maken.'
'Hoe ben je erin geslaagd hem erin te luizen?'
'Dat heeft dokter Roberts geregeld. Eerst vond hij het niet nodig, maar
hij begon 'm te knijpen toen jullie ineens op de stoep stonden. Hij zei
dat je bij Coleman House vragen was komen stellen. Ik denk dat hij
toen wel even schrok.'
'Hoe had hij dat overhemd van Wells te pakken gekregen?'
'Het lag bij de spullen van dat grietje… van Molly. Ze had hem ooit verteld dat ze het overhemd als aandenken aan Wells bewaarde. Volgens mij
was ze verkikkerd op hem. Haar spullen lagen nog steeds in het tehuis,
dus toen heeft dokter Roberts het gewoon gepakt en het handig voor
jullie neergelegd. Zo'n lepe gast was het wel. Toen heeft hij gebeld, een
vrouwenstem opgezet en jullie getipt.'
Ik herinnerde me zijn plezierig zangerige stem. Als iemand een vrouw
kon hebben geïmiteerd, dan was hij het wel. De schoft. 'En het mes?'
'Hij had van een paar meisjes uit het huis gehoord dat die Wells nogal
eens graag mensen met een groot slagersmes bedreigde. Daarmee heb
ik… Daarmee heb ik haar omgelegd. Ik heb het wapen bij me gehouden
en om hem er goed in te luizen heeft dokter Roberts het niet ver van zijn
huis in de bosjes gelegd.'
'En dat was dat.'
'Zo is het gegaan.'
'Raymond heeft je een mobieltje gegeven, niet?'
Hij knikte. 'Ja.'
'Waar heb je het?'
'Waarom? Waar heb je het voor nodig?'
'Zit niet te kloten, Kover. Jij bent degene die hier onder de benzine zit.
Waar heb je het?'
'In mijn zak.' Hij kon nog net op de buitenzak van zijn jas kloppen.
Ik liep naar hem toe, diepte het toestel op en zette het aan. 'Ik ga nu
Raymonds privé-nummer intoetsen. Als hij opneemt, ga jij hem vertel-

len dat je hem zo snel mogelijk wilt spreken. Bij voorkeur vanavond nog. Ik vermoed dat hij de boot zal afhouden. Niet erg. Wees agressief. Dring aan. Spreek een tijd af. Zorg dat je een tijd afspreekt. En laat verdomme niets doorschemeren. Begrepen? Als je dit verknalt, zul je branden als een briket.'

'Toe nou. Laat me nou gewoon gaan. Ik heb je alles verteld wat je wilde weten.'

Ik toetste het nummer in en bracht de telefoon naar zijn oor. Om te laten merken dat het me ernst was, knipte ik de aansteker weer aan en bewoog hem heen en weer voor zijn gezicht.

Er verstreek enige tijd. Het zag er niet veelbelovend uit. Toen begon Kover te praten.

'Raymond, met Alan. Ik moet je spreken. Het is dringend.' Er viel een stilte en ik kon Raymonds zware stem aan de andere kant nog net horen, al verstond ik niet wat hij zei. 'Er is iets gebeurd. Iets wat ik niet over de telefoon kan vertellen.' Ik boog me naar voren zodat mijn oor dicht bij de telefoon was. Ik kon Kovers droge, zure adem ruiken. Raymond zei iets in de trant van dat hij een poosje niet beschikbaar was. Kover bleef het proberen: het was echt heel belangrijk. Ik denk dat Raymond hem weer vroeg waarom, waarop hij probeerde uit te leggen dat het vertrouwelijk was, dat het iets was wat onder vier ogen moest worden besproken. Nadat hij zo misschien nog een minuut of wat was doorgegaan, begon hij te luisteren. Toen zei hij een paar keer 'Oké' en werd de verbinding verbroken.

Ik deed een stap of twee terug en stak een sigaret op. 'Nou?'

'Hij zegt dat hij niemand wil zien, maar als het echt een noodgeval is, moet ik vanavond naar zijn huis komen. Voor middernacht. Hij zegt dat het in...'

'Ik weet waar het is.' Raymond woonde in een landhuis op de grens van Hertfordshire en Essex. Ik was er nooit geweest, maar wist wel waar het lag. Ik nam een lange trek van mijn sigaret. 'Zei hij dat hij ergens heen ging? Na middernacht?'

'Nee, hij zei niets.'

'Nog één vraag: hoe kwamen Roberts en jij in contact met Keen?'

'Dokter Roberts kende hem ergens van. En ik kende dokter Roberts.'

Ik nam niet de moeite te vragen waar Kover en Roberts elkaar van kenden – ongetwijfeld van hun gemeenschappelijke interesse.

Met een zucht draaide ik me om en ik liep naar het raam. Het keek uit op een naargeestige torenflat die zo dichtbij stond dat hij als het dag was geweest het zonlicht had geblokkeerd. Buiten regende het pijpenstelen en de gloed van de helderoranje straatlantaarns werd door mist versluierd. Beneden repte een man zich over straat met zijn kraag zo hoog opgeslagen dat bijna zijn hele gezicht erachter schuilging. Hij rende half, alsof alleen het slechte weer al levensgevaarlijk was.

Terwijl ik daar naar buiten stond te kijken, dacht ik aan toen ik een joch van dertien was. We hadden achter ons huis een veld waarop een enorme eikenboom stond. 's Zomers klommen we er altijd in. Mijn pa kwam elke avond om halfzes thuis, zelden eerder en nooit later, en dan gingen hij, mijn zus en ik op dat veldje een balletje trappen. We deden het elke avond, behalve als het regende. Het allerleukst was het in de zomer, wanneer de zon achter de boom onderging en de buurkinderen naar buiten kwamen en meededen. Dat was een mooie tijd, waarschijnlijk zelfs de beste tijd van mijn leven. Het leven is mooi als je een kind bent – zo hoort het in elk geval te zijn. Ik stelde me Molly Hagger voor, het kleine meisje met de blonde krullenbol. Dertien jaar oud. Haar laatste uren moesten een verwarrende, schrikwekkende hel zijn geweest. Ontvoerd uit de grijze, trieste straten van een natte, kille stad – een stad die haar aan de drugs had geholpen en haar het laatste restje onschuld dat ze bezat had ontnomen – en daarna weggevoerd om gebruikt, geslagen, kapotgemaakt te worden omwille van het genot van mannen van wie de ontaarding en perversie af droop. Mannen die een leven namen om een beter, meer bevredigend orgasme te krijgen. Ze had moeten voetballen en pret moeten maken met ouders die van haar hielden. In plaats daarvan lag haar stoffelijk overschot, anoniem en vergeten, ergens waar het nooit zou worden gevonden. Vergeten door iedereen, zelfs door haar beste vriendin, die de situatie voor haar eigen zelfzuchtige voordeel had uitgebuit.

Vergeten door iedereen. Behalve door mij.

'Hoor eens, kun je me nou eens losmaken? Ik moet naar een dokter met die verdomde brandwonden. Ik verrek van de pijn.'

Ik bleef uit het raam staren en trok bedachtzaam aan mijn sigaret. Ik dacht aan Carla Graham en vroeg me af of het iets zou zijn geworden als ze was blijven leven.

'Weet je, Kover,' zei ik zonder hem aan te kijken, 'ik heb een heleboel slechte dingen gedaan in mijn leven.'

'Hoor eens, ik heb je vragen beantwoord…'

'Sommige van die dingen waren echt heel slecht.'

'Doe niets doms, alsjeblieft!'

'Maar dit hoort daar niet bij.'

Ik draaide me om, en voordat hij kon reageren had de sigaret mijn hand verlaten, vatte hij vlam en werd het geloei van de vlammen overstemd door zijn kreten.

38

Raymond Keen. De aanstichter van het hele gebeuren. Als een dikke, giftige spin had hij dit bloedige web van moord, hebzucht en corruptie bewaakt, onverschillig voor wie erin gevangen raakten en voor hoe zij aan hun eind kwamen. Alleen hij kon de laatste antwoorden op mijn vragen geven. En alleen door een eind aan zijn leven te maken zou ik mezelf kunnen verlossen in mijn eigen ogen en die van hen die ooit over mij zouden oordelen. Ik reed door de verregende stad, mijn hoofd een chaos van verscheurde beelden. Ergens vanbinnen voelde ik angst, angst dat ik zelf zou omkomen in mijn zucht naar gerechtigheid en wraak, angst dat mijn tijd op aarde wellicht slechts uren verwijderd was van zijn voltooiing. Maar de haat won het.

Het was een haat die leek op te rijzen uit de naamloze graven van niet alleen de kinderen die Raymond had vermoord, maar ook van ieder slachtoffer van elk onrecht in de wereld. Uiteindelijk zou het gevoel pas wijken wanneer mijn honger naar wraak volledig was gestild.

Ik stopte bij een telefooncel op een stille achterafweg in Enfield en belde het nummer van een restaurant in Tottenham dat Roy Shelley me had gegeven. Een man met een buitenlands accent nam op en ik vroeg Mehmet Illan te spreken. De man beweerde dat hij niemand kende die zo heette, wat ik al half had verwacht. 'Hoor eens, dit is dringend. Heel dringend. Zeg hem dat het Dennis Milne is en dat ik hem moet spreken.'

'Ik heb u al gezegd dat ik geen Mehmet Illan ken.'

Ik noemde het nummer van de cel waaruit ik belde. 'Hij zal me beslist willen spreken, dat verzeker ik u. Begrijpt u wat ik zeg?' Ik herhaalde het nummer en kreeg de indruk dat hij het noteerde.

'Ik heb u...'

'Ik ben nog maar een kwartier op dit nummer te bereiken. Het is een openbare telefoon. Na een kwartier ben ik weg, en dan zal hij het jammer vinden dat hij me is misgelopen.'

Ik legde de hoorn neer en stak een sigaret op. Buiten kletterde de regen nog steeds neer en de straat was verlaten. In de huizen aan de overkant brandde licht en ik wierp er een terloopse blik op, op zoek naar tekenen van leven. Maar er was niets. Het was alsof de hele wereld lag te slapen. Of dood was.

De telefoon ging over. Het was nauwelijks een minuut na mijn telefoontje naar het restaurant. Ik nam op na de tweede keer overgaan.

'Dennis Milne.'

'Wat wilt u?' De stem klonk kalm en zelfverzekerd. Met een accent, maar heel beschaafd, alsof de spreker afkomstig was uit een van de hogere sociale klassen in zijn geboorteland.

'Ik wil dat u iets voor me doet. Dan zal ik op mijn beurt iets voor u doen.'

'Is de lijn veilig?'

'Het is een openbare telefoon. Ik heb hem nooit eerder gebruikt.'

'Wat wilt u dat ik doe?'

'Ik wil dat u of een aantal van uw mensen Raymond Keen opruimt. Permanent.'

Er klonk een diepe, maar niet onplezierige lach aan de andere kant van de lijn. 'Ik geloof dat u zich vergist. Ik ken geen Raymond Keen.'

'Raymond Keen gaat de gevangenis in. Ik beschik over bewijzen waarmee hij zal worden veroordeeld voor enkele gruwelijke misdrijven.'

'Ik zie niet in wat dat met mij te maken heeft.'

'Als hij de gevangenis in draait, gaat hij praten, en volgens mijn informatie hebt u een interessante zakelijke relatie met hem. Een relatie die u liever geheimhoudt.'

'Wat voor bewijzen hebt u precies tegen die Raymond Keen?'

Ik haalde de draagbare taperecorder tevoorschijn waarop ik de ondervraging van Kover had opgenomen. 'Dit,' zei ik, terwijl ik de afspeeltoets indrukte en het apparaat bij de hoorn hield. Ik had de band naar het meest belastende gedeelte gespoeld en was ingenomen met de goede geluidskwaliteit. Kover gaf een gedetailleerd verslag van Raymonds rol bij de moord op Miriam Fox en nog vier andere jonge meisjes. Ik zette de band stil voordat ik bij het stukje kwam waar ik hem cremeerde.

'Het klinkt alsof een groot deel van die zogenaamde bekentenis onder zeer grote druk is afgegeven. Zoiets kan toch voor de rechter niet als bewijs gelden?'

'Misschien niet, maar als deze cassette in handen van de politie zou komen, zou die er zeker iets mee doen. En ik denk dat u zou merken dat ze de onderste steen boven zouden halen om hem achter de tralies te stoppen, en als ze dat doen... Tja... Ik stel me zo voor dat ze dan heel wat overhoop zouden halen wat andere mensen zou kunnen raken. En die mensen zouden wel eens met hetzelfde sop overgoten kunnen worden. En wie wil er nu in één adem genoemd worden met een kinder-moordenaar? Want ik kan u verzekeren dat Raymond Keen dat is.' Het bleef stil aan de andere kant van de lijn. 'Raymond is op het moment thuis. Ik denk dat hij een beetje nerveus aan het worden is. Ik denk zelfs dat hij wel eens bezig kan zijn om zijn koffers te pakken, dus u zult snel moeten handelen. Als hij over 24 uur nog in leven is, krijgt de politie de band die ik zojuist voor u heb afgespeeld, plus al het andere bewijsmateriaal dat ik over Raymonds smerige nevenactiviteit heb op-geduikeld.'

'En daarna? Als Raymond Keen verdwijnt, welke garanties zijn er dan dat er geen verdere repercussies zullen volgen?'

'Ik heb dan bereikt wat ik wilde. De band zal worden vernietigd omdat hij, zoals u terecht zegt, ook voor mijzelf belastend is. En ikzelf zal van het toneel verdwijnen.'

'Misschien neemt u dit gesprek wel op. Wie garandeert dat die opname niet op een later tijdstip tegen Mehmet Illan zal worden gebruikt?'

'Op dat punt zult u me gewoon moeten vertrouwen. Hoe dan ook ga ik naar de politie als Raymond morgenavond nog leeft. Leeft hij niet meer, dan doe ik dat niet. En om eerlijk te zijn zou ik het liever niet doen.'

'Het zou handig zijn als u zelf van het toneel verdwijnt. Hoe eerder, hoe beter.'

'Zodra Keen uit de weg is, ben ik ook weg.'

'Oké. Nou, bedankt voor uw telefoontje.'

'Nog een vraag. Mijn chauffeur voor de actie bij het Traveller's Rest — weet u wat er met hem is gebeurd?'

'Ik vrees dat ik u wat dat betreft niet verder kan helpen.'

Ik zei niets. Misschien sprak hij de waarheid, misschien niet. Hij verbrak de verbinding zonder verder commentaar. Peinzend hing ik de hoorn aan de haak. Zou hij toehappen? Ik dacht dat hij voldoende aanmoedi-ging had, maar zeker kon ik dat niet weten. Bovendien was ik er niet 100 procent van overtuigd dat hij over de noodzakelijke vuurkracht beschikte voor een inval in Raymonds huis. De twee mannen die hij achter mij aan had gestuurd waren immers niet bepaald tot de tanden gewapend geweest. De een had een geweer met een afgezaagde loop ge-had, de ander een revolver met ondeugdelijke richtmiddelen. En het wa-ren ook niet bepaald volleerde moordenaars geweest. Maar hij zou Ray-mond uit de weg willen hebben, en dringend ook. Dat had ik mee.

Ik stapte weer in de auto en overwoog terug te rijden naar Bayswater, maar zag ervan af. Ik hoopte dat ik Raymond Keen zojuist ter dood had veroordeeld, maar misschien zou Illan het erop aan laten komen en niets doen. Ik kwam tot de conclusie dat ik naar Raymonds huis zou moeten gaan om te kijken of hij thuis was en hoe zwaar zijn beveiliging was. Ik was gewapend, dus als hij alleen was, zou ik hem zelf afmaken, maar pas nadat ik had uitgezocht wie er mogelijk nog meer bij die kindermoorden betrokken waren geweest.

Het was kwart voor tien en het regende nog steeds toen ik mijn auto op de hoek van de straat van Raymonds huis stilzette. Het was een groot, modern huis, dat achter hoge muren schuilging en deel uitmaakte van een zeer chique nieuwe villawijk op voormalig akkerland een paar kilometer buiten het dichtstbijzijnde dorp. Alleen hij en Luke woonden daar nu. Raymonds vrouw was tien jaar geleden overleden, volgens hem door natuurlijke oorzaken, maar in het licht van wat ik de afgelopen uren over Raymond had gehoord, moest zelfs die diagnose met een korrel zout worden genomen. Hij had drie kinderen, ironisch genoeg allemaal meisjes, die inmiddels allemaal volwassen en de deur uit waren, dus zou het alleen om hem en zijn bewaking gaan.

Ik stapte uit de auto, pakte mijn regenjas met de MAC-10 en de Browning van de achterbank en trok hem aan. De straat was leeg, geen geparkeerde auto te zien, en de huizen stonden ver genoeg uiteen om de wijk een echt gevoel van privacy te geven. Ik nam aan dat het slag mensen dat hier woonde bankiers en advocaten waren, hoogvliegers die zich erop lieten voorstaan dat ze iets in het leven hadden bereikt omdat hun huizen acht slaapkamers en inloopkasten hadden. Ze zouden vies opkijken als ze ontdekten wat een van hun buren had uitgespookt. Hoewel, misschien zouden ze wel van het schandaal genieten, je wist het maar nooit. In elk geval zouden ze er gespreksstof aan overhouden.

De muur om Raymonds tuin was 3 meter hoog en bovenaan voorzien van korte, scherpe punten om indringers af te schrikken. Ik liep in de richting van de toegangspoort en keek speurend in het rond of ik bij dit huis ook iets van politiebewaking ontdekte. Ik was niet verbaasd dat de imposante houten poort gesloten was en van een intercomsysteem was voorzien. Ik liep terug naar de auto en reed de hoek om tot ik evenwijdig met de muur stond. Toen reed ik de stoep op en parkeerde zo dicht langs de muur als ik kon. Hopend dat niemand al te veel aandacht zou schenken aan mijn auto en zijn vreemde parkeerpositie, bleef ik even luisteren. Toen ik niets hoorde, klom ik op het dak. Mijn hoofd kwam nu bijna tot de bovenkant van de muur.

Ik haalde diep adem, zette af en sprong omhoog, greep twee van de punten en werkte me omhoog tot ik mijn voeten boven op de muur had gezet. Zo bleef ik bijna dubbelgevouwen staan, met mijn tenen tegen de punten slechts centimeters van mijn vingers. Het was een pijnlijke houding om vol te houden. In het donker beneden me ontwaarde ik een dichte, doornige heg die eruitzag alsof hij een uiterst pijnlijke landing zou opleveren. Behoedzaam stapte ik over de punten en ik probeerde me om te draaien zodat ik met mijn gezicht naar de weg uit zou komen, maar ik begon mijn greep te verliezen. Nog terwijl ik uitgleed, sprong ik, en ik wist zo ternauwernood de heg te ontwijken. Ik kwam vrij ongelukkig neer, getuige een scherpe pijn die door mijn benen schoot, rolde door in het natte gras, en hoopte van harte dat ik niets gebroken had. Ik bleef een paar seconden liggen tot de pijn in mijn enkels was weggetrokken en kwam toen langzaam overeind. Ik haalde de MAC-10 uit mijn zak, laadde het magazijn erin en zette het wapen op scherp.

Het huis stond zo'n 50 meter verderop, een groot, rechthoekig pand van drie verdiepingen dat eruitzag als een niet-onverdienstelijke poging om een ouderwets landhuis te herscheppen. Er liep een lange, rechte oprit naartoe, die zich bij het huis tot de volle breedte van de voorgevel verbreedde. Raymonds blauwe Bentley stond buiten geparkeerd, samen met een Range Rover, die vermoedelijk aan Luke toebehoorde. Wat onmiddellijk mijn aandacht trok was het feit dat Raymonds kofferbak openstond, net als de voordeur naar het huis. Binnen brandde een heleboel licht en ik kreeg het gevoel dat er iets gaande was.

Het grasveld dat naar het huis leidde was bezaaid met appelbomen, die me genoeg dekking boden om ongezien te naderen. Toen ik de rand van de oprit had bereikt, pakweg 10 meter van de voordeur, dook ik achter een ervan weg. Huiverend overwoog ik mijn volgende stap. Ik wilde geen confrontatie, niet als ik het zou kunnen voorkomen. Het leek me veel beter om Illan het vuile werk te laten opknappen. Van binnen kwam het geluid van stemmen en Raymond verscheen met Luke in zijn kielzog. Beiden droegen koffers. Raymond klaagde hardop over het onzalige weer, al begreep ik niet wat hij eind november dan van Engeland verwachtte.

'Ik zal verdomd blij zijn als ik weg ben,' zei hij tegen Luke, terwijl ze de koffers in de bagageruimte van de Bentley zetten. 'Ik meen het, jongen, ik ben het helemaal zat. Geen wonder dat onze voorouders de wereld veroverden. Alles om maar weg te komen uit dit natte rotland.'

Ze draaiden zich om en liepen terug naar het huis, Raymond nog steeds mopperend, Luke nog steeds brommend in een zwakke poging om geïnteresseerd te lijken in wat zijn baas zei. Dus ik had het goed geraden. Hij koos het hazenpad. Een slimme zet. Het enige probleem vanuit Raymonds perspectief was dat het niet zou gaan gebeuren.

Ik kwam achter de boom vandaan en sloop over het grind van de oprit tot ik bij het huis was. Toen werkte ik langzaam naar de voordeur toe. Doordat de entree een meter of 2 naar buiten sprong, had ik goede dekking.

Zo goed dat noch Raymond, noch Luke me zag toen ze even later de deur uit kwamen en zich met nog twee koffers naar de Bentley haastten. Zonder waarschuwing kwam ik uit de schaduwen tevoorschijn, hief de MAC-10 en liep over het knerpende grind op hen toe. Ze draaiden zich allebei tegelijk om. Raymond schrok, maar hij herstelde zich snel. Luke keek alleen dreigend en stak zijn hand in de zak van zijn leren jack.

'Hou je handen waar ik ze kan zien. Nu!' Ik richtte het wapen rechtstreeks op hem.

Hij bleef dreigend kijken, maar stak toen langzaam zijn handen omhoog. Raymond volgde zijn voorbeeld.

'Wat is het probleem, Dennis?' vroeg hij. 'Wat heeft dit allemaal te betekenen?' Zijn stem klok oprecht verbaasd, maar ja, Raymond was altijd al een goed toneelspeler geweest. Ooit had hij me er zelfs van overtuigd dat hij louter een beminnelijke schurk was.

'Ik denk dat je wel weet wat het probleem is, Raymond. Ten eerste stel ik het niet op prijs dat je hebt geprobeerd me te laten vermoorden...'

'Dennis, toe. Ik weet niet...'

'Hou je bek en doe niet net of je gek bent. Het tweede, nog belangrijkere punt is dat ik een paar verontrustende dingen over jou heb ontdekt die ik nader met je zou willen bespreken voordat ik je helemaal lek schiet.'

Zijn gezichtsuitdrukking veranderde niet. Ik zag alleen pijnlijke geschoktheid, alsof hij echt niet kon begrijpen waarom hij onder schot werd gehouden door iemand die hij altijd had vertrouwd. 'Hoor eens, Dennis, ik heb altijd geprobeerd je...'

'Alan Kover.' Ditmaal trok er een zweem van bezorgdheid over zijn gezicht. 'Ik heb zojuist een babbeltje met hem gemaakt. Hij heeft me een paar interessante dingen verteld over het werk dat hij voor je heeft gedaan.'

'Ik heb nog nooit gehoord van ene Alan Kover,' zei hij luid, maar met opmerkelijk weinig overtuiging.

'Zoals het ontvoeren van jonge meisjes...'

Ik hoorde beweging op het grind achter me. Onmiddellijk besefte ik dat ik een vergissing had begaan door Raymond en Luke met mijn rug naar de voordeur aan te spreken. Ik wilde me omdraaien, maar nog voordat ik de beweging kon afmaken, had ik al een dreun te pakken en leek mijn hoofd te ontploffen. Ik voelde dat mijn benen me in de steek lieten en toen ik nog een klap kreeg zonk ik op mijn knieën. Ik probeerde me vast te klampen aan de MAC-10 in het besef dat die waarschijnlijk mijn enige overlevingskans bood, maar het wapen leek moeiteloos uit mijn hand te glippen. Mijn hoofd tolde en de hele wereld leek van me weg te drijven. Ondertussen vervloekte ik mezelf om mijn stommiteit.

Ik viel voorover op het grind, maar slaagde erin op mijn zij te rollen. Boven me uit torende Luke's jongere broer Matthew met een ijzeren staaf in zijn hand en een weinig christelijke blik op zijn gezicht. Raymond kwam in beeld en gaf me een gemene trap in mijn ribben. 'Verdomme nog aan toe, Dennis, je begint me nu echt de keel uit te hangen. Je duikt telkens op als een duveltje uit een doosje. Waarom verdwijn je niet uit mijn ogen?' Ik wilde hem vertellen dat ik dat zou hebben gedaan als hij me met rust had gelaten, maar het ontbrak me aan de kracht om iets te zeggen. Het zou hoe dan ook zinloos zijn geweest. 'Breng hem naar binnen, Matthew. Uit de weg met hem.'

'Wat wilt u dat ik met hem doe, meneer Keen?'

'Sluit hem op in de kelder. Ik bel Illan wel. Dan kunnen zijn jongens met hem komen afrekenen. Het is tenslotte hun schuld dat hij nog levend rondloopt. En let op dat ze hem niet hier iets aandoen. Ik wil geen troep in mijn huis.'

'Komt voor elkaar, meneer Keen.' Hij boog zich voorover en sleurde me bij de schouders omhoog. Hoewel ik bij kennis was, verkeerde ik niet in een positie om me te verzetten.

Raymond bracht zijn gezicht dicht bij het mijne. 'Vaarwel, Dennis. Ik zou wel willen zeggen dat het een genoegen was je te hebben gekend, maar dat was het niet. Helemaal niet. Ik heb je altijd een klootzak gevonden. Je komt op mij over als een vent die dood veel beter af zou zijn, dus misschien bewijs ik je een dienst.' Hij klopte me vaderlijk op de wang, duidelijk genietend van mijn hulpeloosheid. 'Tot nooit.'

Hij stond op en wendde zich af. 'Hebben we alles, Luke?'

'Zo te zien wel, meneer Keen,' mompelde Luke terug. Hij sloeg de kofferbak dicht.

'Laten we dan aftaaien. Ik hou het geen dag meer uit in die kloteregen.'

Ze klommen allebei in de wagen, terwijl Matthew de MAC-10 opraapte en me met zijn vrije hand achterwaarts over het grind het huis in sleepte. Hij sleurde me door de vestibule naar de grote hal en deponeerde me daar naast de redelijk imponerende trap die als in een Hollywood-decor naar het grote balkon leidde. Om een of andere reden dacht ik onwillekeurig: nou, nou, Raymond woont behoorlijk chic.

Hij draaide zich om en ging de deur onder de trap openmaken, maar die

260

zat op slot. Hij zocht in zijn zak naar een sleutel en diepte uiteindelijk een hele bos op. Terwijl hij de goede zocht, nog steeds met de MAC-10 en de ijzeren staaf in zijn hand, voelde ik mijn kracht langzaam terugkeren.

'Waag het niet, jongen,' zei Matthew, die zag dat mijn benen bewogen.

'Ik zou dit niet doen als ik jou was,' zei ik dringend. 'Medeplichtigheid aan moord op een politiefunctionaris, daar kun je twintig jaar voor krijgen.'

'Kop dicht!' gromde hij, maar ik kon de nervositeit in zijn stem horen.

'En wat doet je baas terwijl jij mijn moord regelt? De benen nemen, zoals altijd…'

'Kop dicht, zei ik!' snauwde hij, en hij richtte zich weer op zijn taak. Ditmaal zette hij de MAC-10 voor zich tegen de muur zodat hij de sleutels gemakkelijker kon nalopen.

Ik herinnerde me het wapen in mijn andere zak. Ik bedacht dat Raymond in zijn haast om weg te komen wel erg slordig was geweest, en Matthew was duidelijk geen beroeps. Langzaam stak ik mijn hand in mijn zak. Op hetzelfde moment vond Matthew de sleutel die hij zocht. Terwijl hij hem in de deur stak, keek hij snel opzij om te zien wat ik aan het doen was. Ik denk dat hij zag dat mijn hand zich verplaatst had. Hij wilde iets gaan zeggen, maar plotseling klonk van ergens buiten het felle geratel van geweervuur. Er volgde nog een salvo, toen verscheidene afzonderlijke schoten en vervolgens hoorde ik door de open voordeur het geluid van een snel kerende auto. Het zag ernaar uit dat Illan mijn advies had opgevolgd. En rap ook.

Matthew draaide zich om en rende naar de deur, terwijl hij mij met paniek in zijn stem gebood te blijven waar ik was. Vreemd genoeg liet hij de MAC-10 staan, maar hield hij de ijzeren staaf uit alle macht vast, alsof het ene wapen hem meer bescherming bood dan het andere. Ik hoorde hem vloeken toen hij de vestibule bereikte. Er klonken nog meer schoten, gevolgd door het geluid van verbrijzelend glas. Langzaam krabbelde ik overeind en ik schudde mijn hoofd om het doffe gevoel kwijt te raken. Ik wankelde even maar bleef overeind. Mijn achterhoofd voelde aan alsof het in brand stond, maar ik leefde tenminste. Nog wel.

Ik haalde het wapen uit mijn zak. Ik had de veiligheidspal al overgehaald en het was gespannen en schietklaar. De auto kwam met piepende remmen en een regen van opspattend grind vlak voor de voordeur tot stilstand; toen klonk het geluid van een andere auto die er vlak achter stopte. Ik hoorde Raymonds stem, panisch nu; toen verdween Matthew uit het zicht. Hij riep zijn broers naam. Raymond riep hem toe dat hij weer naar binnen moest gaan en ik hoorde iemand rennen. Er weerklonken nog meer schoten en ergens vandaan kwam een kreet van pijn.

Ik bleef staan en richtte op de tochtdeur. Een fractie van een seconde later kwam Matthew erdoorheen, onmiddellijk gevolgd door Raymond. Raymonds gezicht was met kleine snijwondjes overdekt. Geen spoor van Luke. Zonder te aarzelen opende ik het vuur. Mijn eerste kogel trof Matthew in het gezicht. Hij viel met maaiende armen naar achteren, waardoor hij Raymond als doelwit tijdelijk afdekte. Ik raakte hem nogmaals, nu in zijn maagstreek en zijn bovenlichaam, en Raymond en hij vielen samen op de grond.

Bijna onmiddellijk daarna kwam er een gemaskerde man met een pistool de deur door. Hij draaide zich om en richtte het mijn kant op, dus bleef ik vuren, omdat ik niet wist wat ik anders moest doen. Ik raakte hem in zijn schouder en ik denk ook zijn borst. Hij maakte een wilde pirouette alvorens tegen de deurpost te vallen, en verdween toen tijdelijk uit het zicht.

Het wapen was leeg. Raymond en Matthew lagen roerloos op de vloer. Ik deed een stap naar achteren toen er plotseling nog een gewapende man naar binnen stormde. Omdat hij wist waar mijn schoten vandaan waren gekomen, maakte hij zich klein en zond een spervuur in mijn richting. Ik liet mijn wapen vallen en dook als een snoek naar de andere kant van de trap en rolde door tot ik tijdelijk uit het schootsveld was. Ik hoorde dat hij naar me toe rende en kroop met mijn laatste restje kracht naar de MAC-10, greep hem en keerde me om.

Hij kwam om de zijkant van de trap, met zijn pistool recht voor zich uit. Zodra hij me zag, begon hij te vuren. De eerste kogel ketste af op het dure roomkleurige tapijt, niet ver van mijn hoofd. Er vlogen nog twee kogels langs me heen, al even rakelings, en ik haalde de trekker van de MAC-10 over.

De hele wereld leek te exploderen. Een regen van kogels boorde zich door mijn belager en dwong hem tot een manische dans terwijl zijn lichaam open leek te barsten. Ornamenten, meubels, glas… alles leek te verbrijzelen toen de kogels hun doelwit uiteenreten, alle kanten op vlogen en als een luguber stiksel een patroon van bloedspatten over de muur trokken. Een stuk of tien kleine wonden versmolten en werden een gapend gat in zijn middenrif, dat bleke vetmassa's en de eerste darmwindingen blootlegde.

Het magazijn leegde zich in een kwestie van seconden. Het enige wat achterbleef was een hoopje lege hulzen op het tapijt. Een ogenblik lang bleef de man wankelend als een blinde op de been, in een poging met beide handen zijn ingewanden terug te duwen waar ze hoorden. Maar ik denk dat het tot hem doordrong dat het vergeefse moeite was, en hij viel op de vloer en bleef daar kreunend liggen.

Een paar seconden lang verroerde ik me niet. Mijn hoofd bonsde en ik voelde een intense vermoeidheid over me komen. Maar ik besefte dat het bijna voorbij was. Ik hoefde alleen maar te zorgen dat Raymond werd uitgeschakeld en er dan vandoor te gaan. Dan had ik gedaan wat ik me had voorgenomen en kon ik zo lang slapen als ik maar wilde.

Ik kwam overeind en keek de hal door naar Raymond en Matthew. Beiden lagen bij de deur, roerloos, hun gezicht onder het bloed. In het portiek buiten kon ik iemand horen kreunen, vermoedelijk de andere gemaskerde man. Tegelijkertijd reed de andere auto – die met Illans moordenaars – achteruit en keerde op de oprijlaan, waarna hij wegscheurde.

Ik liep naar de deur en stak behoedzaam mijn hoofd om de hoek. De schutter lag op zijn buik in een grote plas bloed. Hij had het pistool nog in zijn hand, maar zijn greep op het wapen leek zwak. Hij probeerde naar de voordeur te kruipen, maar leek niet genoeg kracht meer te hebben om het te halen. Ik stapte naar hem toe en bukte me om het pistool te pakken.

En toen hoorde ik, voor de tweede keer die avond, een geluid achter me. Ik was niet van zins me opnieuw te laten verrassen, dus draaide ik me snel om mijn as, op hetzelfde moment dat Raymond loeiend als een kwade stier op me afstormde. Hij haalde met zijn vuist naar me uit, maar ik zag de klap aankomen en ontdook die, maar hemzelf kon ik niet meer ontwijken en ik sloeg achterover onder zijn gewicht.

Ik kwam zwaar neer op de rug van de liggende man, die een vreemd hoog gepiep uitstootte toen de lucht uit zijn longen werd geperst. Het pistool viel kletterend uit zijn vingers. Eveneens naar adem snakkend probeerde ik wanhopig de slagen te ontwijken die Raymond op me liet neerdalen. Ik slaagde erin om hem een stomp op zijn kin te geven, maar niet hard genoeg om enige schade aan te richten. Hij sloeg me terug op de plek waar Kover me de avond tevoren had geraakt, op mijn nog beurse rechterwang, en ik voelde iets breken.

Toen hij zag dat ik wegzakte, reikte hij over me heen om het pistool te pakken. En dat was het moment waarop ik dacht aan Molly Hagger en de anonieme, gruwelijke dood die ze moest zijn gestorven. Nog maar dertien jaar. Nog maar een kind, verdomme. Toen wist ik dat ik niet kon sterven voordat ik Raymond Keen voor zijn misdaden had laten boeten. Met een kracht die voortkwam uit pure woede schoot ik omhoog, bracht hem uit balans en verkocht hem een kopstoot recht op de brug van zijn neus. Ik hoorde het bot kraken en hij kermde van de pijn. Vanuit mijn ooghoek zag ik dat hij het pistool omhoogbracht, maar zijn greep was verslapt door de schok van mijn stoot. Ik rukte het uit zijn hand en sloeg hem met de kolf tegen de zijkant van zijn hoofd op hetzelfde moment dat hij mij met een vuistslag weer naar achteren sloeg.

Maar ditmaal hield ik het wapen stevig vast en draaide het bij, zodat het recht op hem gericht was. Hij sperde zijn ogen open en verstarde. Ik ging overeind zitten, en ditmaal deed hij geen poging zich te verzetten. Met één hand greep ik hem bij zijn volle haardos, met de andere drukte ik de loop tegen zijn oog.

'Kom, kom, Raymond. Rustig aan.'

Ik duwde hem terug en kwam overeind met het wapen nog steeds tegen hem aan gedrukt. Toen we allebei stonden, gaf ik hem een por en dwong hem achterwaarts naar de grote hal te lopen. Het bloed stroomde uit zijn gebroken neus.

'Hoor eens, Dennis, ik heb geld. Een heleboel geld. Laten we gewoon iets regelen.' Ditmaal was de angst in zijn stem onmiskenbaar.

Ik bleef voor hem staan en hield het pistool gericht op zijn gezicht. We stonden anderhalve meter van elkaar. 'Ik weet alles over Kover en Roberts en wat er met die kinderen is gebeurd.'

Raymond schudde zijn hoofd, toen keek hij me aan. 'Shit, Dennis, het was nooit mijn bedoeling om erbij betrokken te raken, echt niet.'

'Dat zei Kover ook al. Ik geloofde hem niet, en jou geloof ik ook niet. Maar nu je hier toch bent, mag je een paar vragen beantwoorden.'

'Oké.' Hij wilde tijd rekken.

'Bij elk fout antwoord of een antwoord dat ik niet geloof, schiet ik je in de voet of in je knie.'

'Toe, Dennis. Kom op.'

'Hoe zijn Roberts en jij ooit met elkaar in contact gekomen?'

'Ik ken hem al jaren.'

'Waarvan?'

'Ik kwam hem ooit tegen op een liefdadigheidsfeest.' Ik snoof om de ironie van het geval, maar zei niets. 'We raakten bevriend. Ik kwam erachter dat hij verslaafd was aan coke, dus begon ik het hem te leveren – voor een zacht prijsje natuurlijk, en dat stelde hij op prijs. Ik mocht hem, weet je, ook al duurde het niet lang voor ik achter zijn stoute kant kwam.'

'Ga door.'

'Hij had geldproblemen. Grote geldproblemen. En niet veel scrupules. Zoals de meeste kinderverkrachters.' Hij zuchtte. 'Je weet hoe het is,

Dennis. Soms kun je gewoon zien dat iemand niet deugt. Ik zag het aan zijn ogen.'

Ik vroeg me af of hij het ooit aan míjn ogen had gezien.

'En wat is er met die kinderen gebeurd? Waar zijn ze nu?'

'Dood. Allemaal dood.'

'Waarom? Wat heb je met ze gedaan?'

'Misschien is het een schrale troost, Dennis, maar ze zijn niet door mij vermoord. Ik had een klant, een vent die ziek, heel, héél ziek was. Hij kwam klaar op kindermarteling. Hij wurgde ze terwijl hij... nou, je weet wel, zijn gang met ze ging.'

'Jezus.'

'Ik zou me er niet mee hebben ingelaten, werkelijk waar niet, maar hij was – is – een belangrijk man. We hadden hem nodig voor onze handel. Als ik een andere weg had gezien...'

'Raymond, er is altijd een andere weg. En welk belang had jij erbij om hem dat soort...' Ik kreeg het niet over mijn lippen. 'Wat kreeg jij ervoor terug?'

'We filmden hem. Het gebeurde altijd in een huis dat ik bij Ipswich had gehuurd. We hadden er een verborgen camera geïnstalleerd. We bewaarden de tapes om te zorgen dat hij ons alles vertelde wat er speelde.'

'En wie is die zieke geest?'

'Hij heet Nigel Grayley.'

'En wat voor een functie heeft hij?'

'Hij is de derde man bij Douane en Accijnzen.'

Heel ver weg, boven het geluid van de regen uit, kon ik sirenes horen. Er leek een lange tijd verstreken sinds de eerste schoten waren gelost, maar ik betwijfelde of het in werkelijkheid veel meer dan drie minuten was geweest.

'Dus zo kwam je erachter waar ze de accountant naartoe brachten?'

Hij knikte, en ik meende iets van schaamte in zijn houding te bespeuren. Zijn schouders hingen moedeloos omlaag en zo te zien was hij een heleboel van zijn joie de vivre kwijt, waarschijnlijk voorgoed.

'Wat wilde de accountant over jou en je zakenpartners naar buiten brengen?'

'We deden aan illegale immigratie. Al jaren. Het ging verdomd goed ook. Wij hadden de infrastructuur, de interne contacten. Alles liep gesmeerd, geen centje pijn. Tot die lul besloot om de zaak aan de grote klok te hangen.'

'Waar zijn de tapes? De tapes die je van die Grayley hebt gemaakt?'

Raymond slaakte een diepe zucht. 'Die wil je niet zien, Dennis. Echt niet.'

'Dat klopt. Maar ik ken een paar mensen die dat wel willen.'

'Verdomme nog aan toe, Dennis, ik vind het echt jammer dat het zo moet aflopen.'

'De tapes.'

'Er ligt er een in de kofferbak van de Bentley. Bij het reservewiel.'

'Wat doet die daar in godsnaam?'

'Ik was van plan hem op weg naar het vliegveld in een kluis te droppen. Ik wilde ze niet allemaal hier laten terwijl ik weg was. Je weet nooit of er brand komt.'

De sirenes kwamen dichterbij. Nu was het mijn beurt om te zuchten.

'Weet je, Raymond, dit is een van de meest afschuwelijke verhalen die ik ooit heb gehoord.'

'Ik weet het, Dennis, ik weet het.' Hij sloeg zijn ogen neer.

Ik besefte dat het tijd was om hem te doden, maar om een of andere reden viel het me zelfs nu nog zwaar.

'En Danny? Mijn chauffeur? Wat is er met hem gebeurd?'

Hij kwam snel op me af, bijna te snel, één onstuitbare massa van vlees en botten, en hij was bijna bij me toen ik de trekker overhaalde. Door de kracht van de kogel sloeg zijn hoofd naar achteren. Ik vuurde nogmaals en raakte hem in de keel, maar hij had nog zoveel vaart dat hij tegen me aan botste en mij achteruit tegen de deurpost drukte. Ik duwde hem van me af en rechtte mijn rug terwijl ik hem op het tapijt zag kronkelen. Hij draaide zich op zijn rug en maakte afschuwelijke rochelende geluiden. Hij probeerde iets te zeggen, maar het enige wat uit zijn mond kwam was bloed, stromen bloed. Er kwam ook veel bloed uit zijn hoofd, en ik besefte dat zijn einde nabij was.

Ik hief het pistool om hem het genadeschot te geven, maar zag er toch van af. Waarom zou ik hem zo snel laten gaan? Het was beter dat hij de tijd kreeg om de verschrikkelijke dingen die hij gedaan had te overdenken.

En dus liet ik hem creperen, ik wandelde het huis uit naar de Bentley en stapte over het doorzeefde lichaam van Luke, dat mijn pad naar de bestuurderskant versperde. De sleutels zaten nog in het contact en de motor liep nog. De voorruit was weg, maar ik dacht dat ik daar wel even mee kon leven.

Ik schakelde de wagen in de eerste versnelling en reed weg.

39

De volgende middag, in een hotel in Somerset, stopte ik de tape uit Raymonds auto in de videorecorder in mijn kamer en bekeek hem dertig seconden. Dat was genoeg. Ik heb in mijn leven al veel ellende gezien. Ik ben bijna twintig jaar politieman in de grote stad geweest, dus er zijn niet veel dingen die mij nog kunnen choqueren. Maar hiervan ging ik over mijn nek.

De tape toonde Molly Hagger. Ze zat op een bed in een schaars gemeubileerde kamer, met haar handen vastgebonden achter haar rug. Afgezien van een zwart kanten slipje was ze naakt, maar ze zag er nog steeds uit als dertien, misschien zelfs nog jonger. Ze was duidelijk overstuur en ze snikte angstig. Een naakte man kwam van opzij in beeld. Hij was kalend, van middelbare leeftijd en zorgwekkend mager.

Zijn gezicht kwam me vaag bekend voor. Ik vermoed dat ik hem wel eens op televisie had gezien. Hij had een hongerige blik in zijn ogen en een flinke erectie. Terwijl ik keek, sloeg hij Molly links en rechts in haar gezicht en noemde haar een smerige kleine hoer. Er klonk een intens plezier in zijn stem door. Hij greep haar bij haar krullen, trok haar naar zich toe en mepte haar opnieuw tot ze het uitgilde. Toen duwde hij haar op haar knieën en dwong haar ruw hem te pijpen.

Toen zette ik het af. Het had geen zin om te blijven kijken. Het was te pijnlijk. En ik wist, zonder een spoor van twijfel, dat hij de kleine Molly Hagger uiteindelijk had vermoord en dat Raymond het allemaal in geuren en kleuren had opgenomen. Het moeilijkst te verteren was het feit dat dit naar buiten toe een respectabel man leek, die waarschijnlijk de koningin een handje had geschud; het soort man dat op televisie verschijnt om zijn bezadigde commentaar te geven op gebeurtenissen in de wereld van Douane en Accijnzen. Het soort man dat achter die façade een smerig, verraderlijk monster is en die dat feit voor bijna iedereen die hem kent verborgen weet te houden.

Een uur later deed ik de tape op de post, samen met een gedetailleerd verslag dat mijn kijk op de gebeurtenissen weergaf, gericht aan brigadier Asif Malik. Zoals beloofd stuurde ik een kortere versie, waaruit ik de naam Nigel Grayley zorgvuldig had weggelaten om een eventuele vervolging niet in gevaar te brengen, naar Roy Shelley van de *North London Echo*. In geen van beide verslagen repte ik over mijn eigen rol in de affaire, al twijfelde ik er niet echt aan dat ook die snel genoeg algemeen bekend zou worden. Een uur daarna betaalde ik mijn rekening en zette ik mijn reis in westelijke richting voort in de auto die ik had gehuurd onder de naam Marcus Baxter, vertegenwoordiger uit Swindon.

Epiloog

Ik loop met een glimlach naar de balie van Philippine Airlines en krijg een glimlach terug van het oosterse meisje. Ze is ouder dan haar collega's, ergens in de dertig. Ik vermoed dat ze de leiding heeft. Ze begroet me vriendelijk, alsof het haar oprecht goed doet mij te zien, en ze stelt me de gebruikelijke vragen: of ik zelf mijn koffers heb gepakt en dergelijke. Ik geef op alles keurig antwoord en we maken een kort praatje over hoe het rond deze tijd van het jaar op de Filippijnen is. 'Ik ben er nog nooit geweest, namelijk,' zeg ik. Zij verzekert me dat het me niet zal tegenvallen. 'Nee,' antwoord ik, en ik bedenk dat het jaren geleden is sinds ik op een palmenstrand heb gezeten, 'dat denk ik ook niet.' Ze controleert mijn ticket, ziet dat het allemaal in orde is en schenkt me nogmaals een stralende glimlach terwijl de koffers hun reis op de lopende band aanvangen.

'Een prettige vlucht, señor Baxter.'

'Dank u wel. Dat zal wel lukken.'

Ik ga op weg naar de paspoortcontrole en mijn nieuwe leven. Ik ben niet nerveus. Dat is nergens voor nodig. Hoewel er pas drie maanden voorbij zijn sinds die avond in het huis van Raymond Keen, ben ik in een land van voortdurend wisselende beelden en een steeds verder krimpende aandachtsspanne alweer oud nieuws. Ik zie er ook anders uit. Ik draag nu een volle baard en een bril, en mijn gezicht ziet er dikker uit. Ook elders ben ik uitgedijd, vooral rond mijn middel – het gevolg van een gezonde landelijke keuken en stoppen met roken. U zou me niet herkennen van de foto's die in de kranten hebben gestaan. Niemand zou me herkennen.

En ik voel me ook beter, een nieuw mens – iemand die afscheid heeft genomen van het verleden. Natuurlijk zijn er ook dingen die ik betreur. Dat Carla zo snel haar dood tegemoet ging nadat ik haar voor leugenaar had uitgemaakt, is iets wat me nog lang zal bijblijven. Maar gebeurd is gebeurd en ik kan tenminste veilig zeggen dat ik als mens veel meer heb bereikt dan ik ooit als politieman voor elkaar had kunnen krijgen. Dankzij het in Raymonds huis aangetroffen bewijsmateriaal en mijn rapportage aan Malik en Shelley zitten Mehmet Illan en minstens zes van zijn partners in voorlopige hechtenis op beschuldiging van betrokkenheid bij een van de grootste mensensmokkeloperaties in de Britse geschiedenis. Nigel Grayley, een getrouwd man en vader van vier kinderen, zal echter nooit voor zijn misdaden terechtstaan. Vier dagen na zijn arrestatie sneed hij zich de polsen door met een naar binnen gesmokkeld scheermes en bloedde dood in zijn cel. Er loopt een onderzoek dat antwoord moet geven op de vraag hoe hij aan het scheermes is gekomen, maar niemand laat er een traan om en de boulevardpers jubelde. Heel begrijpelijk. De wereld is beter af zonder hem.

De stoffelijk overschotten van Molly Hagger en de andere meisjes zijn niet teruggevonden. De meeste mensen leggen zich erbij neer dat het geheim van hun verblijfplaats met Raymond is gestorven, maar er zijn anderen, onder wie ikzelf, die denken dat Illan mogelijk meer licht op dat raadsel zou kunnen werpen. Maar hij zwijgt in alle talen, net als anderen die het zouden kunnen weten. Je kunt het ze eigenlijk moeilijk kwalijk nemen. Niemand wil met zo'n misdrijf in verband worden gebracht. Zoals te voorspellen was, is Danny nooit op Jamaica aangekomen. Een week na Raymonds dood werd zijn met kogels doorzeefde lichaam aangetroffen in de achterbak van een gestolen auto op het terrein voor langparkeerders van Heathrow Airport, nadat een beveiligingsmedewerker er een vieze lucht had geroken. Ik was bedroefd maar niet verbaasd toen ik het in de kranten las.

Het goede nieuws te midden van al deze ellende is dat Anne Taylor nog springlevend is. Hoewel Kover had ontkend dat hij haar had ontvoerd, had ik in mijn rapport vermeld dat ook zij vermist werd, maar een paar dagen later dook ze ongedeerd op – ze had een uitstapje gemaakt naar Southend met een ander, ouder meisje, op zoek naar een nieuwe markt voor hun diensten. Ze bewandelt nog steeds een glibberig pad, een pad dat haar voortijdig in het graf kan doen belanden, maar voorlopig ademt ze nog dezelfde lucht als u en ik.

De moordaanklacht tegen Mark Wells is ingetrokken. Momenteel onderneemt hij juridische stappen tegen de hoofdstedelijke politie wegens wederrechtelijke vrijheidsberoving en eist een slordige 200.000 pond aan smartengeld. Zijn kansen worden echter nogal verzwakt door het feit dat hij nog geen maand na zijn vrijlating is gearresteerd nadat hij onder het oog van een verborgen camera zuivere cocaïne en minderjarige meisjes aan een undercoveragent had aangeboden. Sindsdien zit hij in hechtenis.

En dus is er eigenlijk maar één betrokkene die niet voor het gerecht is gebracht. Ene Dennis Milne, meervoudig moordenaar. Twee dagen na de ontdekking van Raymonds lijk ben ik uitdrukkelijk en publiekelijk genoemd als verdachte in de moorden bij het Traveller's Rest. Tot dusver heb ik echter, ondanks een 'grote klopjacht', zoals de politie dat noemt, aan arrestatie weten te ontkomen. Inmiddels denk ik dat ik de dans wel definitief ben ontsprongen. Geld heb ik voorlopig genoeg, en ik heb een vriend op de Filippijnen voor wie ik kan werken als de fondsen uitgeput beginnen te raken. Ik weet dat ik altijd op die beste Tomboy zal kunnen rekenen.

Is het rechtvaardig dat ik de dans ontspring? Daar heb ik de afgelopen maanden veel over nagedacht. Ik heb grote misstappen begaan, daar kan geen twijfel over bestaan. En als ik het kon overdoen met de helft van wat ik nu weet, zou ik op die koude, natte avond nooit de trekker hebben overgehaald en drie onschuldige mannen de dood in hebben gejaagd. Maar je kunt je fouten uit het verleden niet herstellen. Je kunt er alleen lering uit trekken voor de toekomst en je best doen de wereld een beetje beter te maken. Daarin ben ik, denk ik, op z'n minst gedeeltelijk geslaagd. Zou de wereld beter af zijn zonder mij? Al met al denk ik van niet. Maar ja, ik ben natuurlijk subjectief.

En al die mensen die wellicht ooit hun oordeel over me zullen geven? Wat ik tegen hen zou zeggen?

Twee woorden maar.

Vergeef me.